COCODRILOS
Y CAIMANES

COCODRILOS
Y CAIMANES

DIRECCIÓN DE LA OBRA:
Charles A. Ross y Dr. Stephen Garnett

ILUSTRACIONES:
Tony Pyrzakowski

Título original: *Crocodiles and Alligators*

Producido por
Weldon Owen Pty Limited
59 Victoria Street, McMahons Point
Sydney, NSW 2060, Australia

© 1991 Weldon Owen Pty Limited

Copyright para esta edición:
© 2005 Editorial Optima, S.L.
Rambla Catalunya, 98, 7º 2ª - 08008 Barcelona
ISBN: 84-96250-61-X

Diseño cubierta: Víctor Oliva. Disseny Gràfic, S.L.
Impreso en Singapur por Kyodo Printing Co. Rte Ltd

Guardas:
Aunque hubo un tiempo en que fue temido, el cocodrilo de Hohnston, de la zona tropical asutraliana,
no representa ninguna amenaza par los seres vivos.
Fotografía de Vicent Serventy/Transglobe Agency/Planet Earth Pictures

Página 1:
Aunque son cazadores agresivos inteligentes, este cocodrilo palustre y otros cocodrilianos adultos pueden, sin embargo,
sobrevivir sin alimento durante un largo período de tiempo.

Página 2:
Los cocodrilos tienen un comportamiento social muy complejo y sotisficado, que incluye elaborados
rituales de apareamiento, jerarquías de dominio y un gran sentido de protección de las crías.

Página 3:
Un cocodrilo palustre de la India toma el sol con la boca abierta a orillas de un río. El enfriamiento por
medio de la evaporación permite que el cerebro se mantenga frío mientras el resto del cuerpo se calienta.

Páginas 4 y 5:
Esta cría de aligátor americano recién salida del cascarón tendrá que enfrentarse a innumerables peligros procedentes de las aves rapaces,
reptiles y mamíferos, para lograr sobrevivir hasta llegar a adulto.

Página 7:
Sólo recientemente, cuando los investigadores han buscado las formas de proteger a estas magníficas criaturas,
se ha podido apreciar el sutil y complejo comportamiento de los cocodrilianos.

Páginas 8 y 9:
Supervivientes de la era de los dinosaurios, los cocodrilianos son reptiles muy avanzados que tienen mucho
en común con las aves, en cuanto a su fisiología, la estructura de los huevos y algunos aspectos del comportamiento.

Páginas 10 y 11:
Sumergido de manera que sólo los ojos y las narinas emergen a la superficie, este caimán de anteojos,
totalmente cubierto de barro confía en su paciencia, velocidad y sigilo para asegurarse la presa.

François Gohier/Auscape International

Australian Picture Library

INTRODUCCIÓN   10

EVOLUCIÓN Y BIOLOGÍA

EL LUGAR DE LOS COCODRILIANOS EN EL REINO ANIMAL   14
Hans-Dieter Sues

EVOLUCIÓN   26
Eric Buffetaut

ANATOMÍA Y FISIOLOGÍA   42
Frank J. Mazzotti

COCODRILIANOS ACTUALES   58
Charles A. Ross y William Ernest Magnusson

CONDUCTA Y AMBIENTE

DIETA Y HÁBITOS ALIMENTARIOS   76
A. C. (Tony) Pooley

MORTALIDAD Y ENEMIGOS NATURALES   92
A. C. (Tony) Pooley y Charles A. Ross

COMPORTAMIENTO SOCIAL   102
Jeffrey W. Lang

REPRODUCCIÓN   118
William Ernest Magnusson, Kent A. Vliet,
A. C. (Tony) Pooley y Romulus Whitaker

HÁBITATS   136
Ángel C. Alcalá y María Teresa S. Dy-Liacco

LOS COCODRILOS Y EL HOMBRE

MITOLOGÍA, RELIGIÓN, ARTE Y LITERATURA   156
G. W. Trompf

ATAQUES AL HOMBRE   172
A. C. (Tony) Pooley, Tommy C. Hines y John Shield

ARTÍCULOS DE PIEL DE COCODRILO   188
Karlheinz H. P. Fuchs, Charles A. Ross,
A. C. (Tony) Pooley y Romulus Whitaker

EL COMERCIO DE COCODRILOS   196
Peter Brazaitis

LA CRÍA DE COCODRILOS   202
Charles A. Ross, D. K. Blake y J. T. Victor Onions

PROTECCIÓN Y CONSERVACIÓN   216
F. Wayne King

CATÁLAGO DE LOS COCODRILIANOS ACTUALES   230
BIBLIOGRAFÍA   231
AGRADECIMIENTOS   232
NOTAS BIOGRÁFICAS DE LOS COLABORADORES   233
ÍNDICE   237

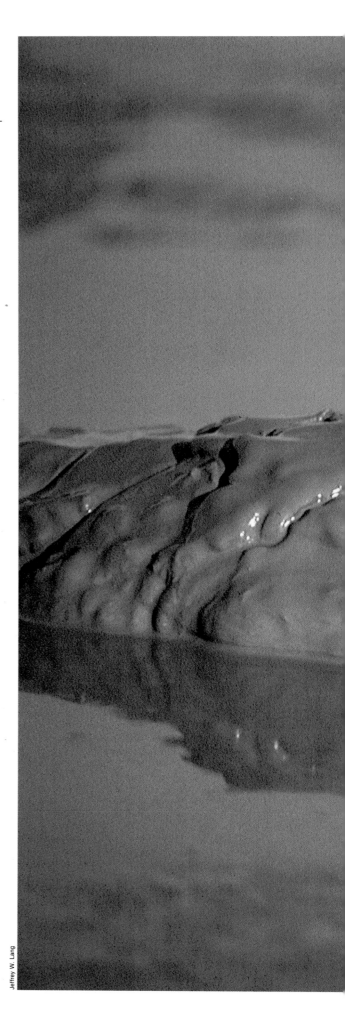

Contemporáneos y en ocasiones enemigos naturales de los grandes dinosaurios, los cocodrilianos son los últimos supervivientes de la gran era de los reptiles. Los cocodrilianos actuales, grupo que abarca a cocodrilos, aligatores, caimanes y gaviales, son apenas una mínima expresión de una extensa rama de la evolución que dio como resultado toda una serie de reptiles, desde criaturas con pico de pato habitantes de los pantanos, hasta el gavial, de hocico estrecho y multitud de dientes de tamaño uniforme.

A través de su historia evolutiva, de unos 200 millones de años, estos reptiles han ocupado los más diversos hábitats: desde el ambiente terrestre de los protosuquios, semejantes a perros, hasta el hábitat marino de los metriorrínquidos, con extremidades en forma de aletas. En cuanto a dimensiones, podían medir menos de un metro o ser de mayor tamaño que la mayoría de los dinosaurios.

Las especies actuales de cocodrilianos viven en los hábitats acuáticos de todas las regiones tropicales y subtropicales, y sus dimensiones varían desde los enormes y tristemente célebres cocodrilos «antropófagos» de África y del Pacífico hasta el modesto tamaño del cocodrilo enano de las selvas de África central.

Aunque hay referencias a los cocodrilos en el arte prehistórico, en los escritos más antiguos y en las obras de Plinio y Aristóteles, todavía sabemos poco acerca de la vida de estos fascinantes reptiles. Caimanes y cocodrilos son los protagonistas de muchos relatos antiguos de exploración y aventuras. Sin duda alguna, desempeñaron un importante papel en la vida de los pueblos tribales, en la de los exploradores y en la de los colonos establecidos a orillas de los ríos y lagos de las regiones tropicales.

En este libro presentamos, en quince capítulos, redactados por expertos en la materia, una panorámica del maravilloso mundo de estos poco conocidos y difamados reptiles. Analizamos la prehistoria, la evolución, la biología y la mitología que rodean a los cocodrilianos, con la esperanza de que el miedo y el desprecio expresados por los humanos hacia estos habitantes de ríos, zonas pantanosas y marjales desaparezcan y sean reemplazados por el respeto hacia estos animales, últimos supervivientes de una era pasada y recuerdo de un mundo remoto dominado por los grandes reptiles.

Charles A. Ross
SUPERVISOR DE LA OBRA

La evolución de los cocodrilianos desde finales del Triásico ha determinado una serie de importantes transformaciones anatómicas, si bien las especies actuales conservan algunos rasgos de sus antepasados.

EVOLUCIÓN

Y BIOLOGÍA

EL LUGAR DE LOS COCODRILIANOS EN EL REINO ANIMAL

HANS-DIETER SUES

Los cocodrilianos son los únicos supervivientes de uno de los grupos de vertebrados de mayor éxito evolutivo que ha conocido el planeta: los arcosaurios o «reptiles dominantes». Estos reptiles fueron, efectivamente, el grupo predominante entre todas las familias animales del Mesozoico (245 a 65 millones de años antes de nuestra era). Además de los cocodrilianos, entre los arcosaurios figuraban los dinosaurios, los pterosaurios o reptiles voladores y gran variedad de formas mesozoicas primitivas, que suelen recibir el nombre de tecodontos y que podrían contar entre sus miembros a los precursores de grupos que se desarrollarían en épocas posteriores, como es el caso de los cocodrilianos.

Pese a su antigüedad, es bastante incorrecto considerar a los cocodrilianos «fósiles vivientes», cuya «inferioridad» los ha relegado a un papel ecológico marginal de depredadores anfibios, en un mundo dominado por los mamíferos. En realidad, presentan un elevado nivel de especialización para su forma concreta de vida, y han experimentado cambios considerables a lo largo de su prolongada historia evolutiva, que abarca un periodo de más de 200 millones de años.

► Pese a su aspecto «primitivo», el cocodrilo del Nilo es un cocodriliano altamente especializado, miembro de un grupo cuyos 200 millones de años de historia están marcados por una serie de importantes hitos evolutivos.

PARIENTES ACTUALES

Entre los vertebrados existentes en la actualidad, los cocodrilianos están más estrechamente emparentados con las aves que con los lagartos (pese a la semejanza superficial con este último grupo). Al igual que las aves, los cocodrilianos presentan conductos auditivos externos alargados, molleja muscular y separación completa de los ventrículos del corazón, por citar sólo unas pocas similitudes anatómicas evidentes. Tanto los cocodrilianos como las aves construyen nidos con materia vegetal, y los dos grupos cuidan en mayor o menor medida la prole. Estos rasgos apuntan a la existencia de un ancestro común relativamente reciente de aves y cocodrilianos, aun cuando los dos grupos presentan actualmente adaptaciones a modos de vida totalmente diferentes. El paleontólogo británico Alick D. Walker llegó a formular en el año 1972 la teoría de que las aves podrían haber evolucionado a partir de una rama de antepasados de los cocodrilianos de estructura ligera; según este científico, algunas de estas criaturas habrían comenzado a trepar a los árboles, mientras que otras habrían adoptado una forma anfibia de vida y habrían evolucionado hasta llegar a ser auténticos cocodrilianos. Sin embargo, tras un profundo estudio anatómico de los principales grupos de arcosaurios, la mayoría de los especialistas consideran hoy en día que las aves descienden probablemente de pequeños dinosaurios carnívoros. Así pues, las semejanzas anatómicas entre aves y cocodrilianos deben de remontarse a una época anterior en la historia evolutiva de los reptiles dominantes.

Después de las aves, los parientes más cercanos de los cocodrilianos entre los vertebrados actuales son los lepidosaurios o lagartos escamosos, llamados así por la naturaleza de su piel, normalmente recubierta por placas córneas superpuestas de queratina (material proteínico similar a la sustancia de las uñas humanas). En este grupo figuran el tuátara, confinado a Nueva Zelanda,

los lagartos y las serpientes. Los cocodrilianos (y otros arcosaurios) comparten con los lepidosaurios una especial configuración de la estructura del cráneo. Detrás de cada órbita o cuenca ocular, la región de los pómulos presenta dos grandes orificios (ventanas temporales), delimitados por arcos óseos horizontales. Según la explicación tradicional, estas aberturas guardan relación con la contracción de los músculos que cierran las mandíbulas, situados entre la caja craneana y los huesos superficiales de los pómulos. Cuando las mandíbulas se cierran, los músculos que hacen posible este movimiento se contraen. El acortamiento de éstos no supone, evidentemente, una disminución de su volumen, por lo que es preciso que aumenten de grosor. La aparición de orificios en la región de los pómulos permitiría que estos músculos contraídos se expandieran a través de dichas aberturas al cerrar las mandíbulas. El anatomista norteamericano Thomas H. Frazzetta ha formulado otra posible explicación, bastante interesante, del origen de los orificios temporales. Según su punto de vista, las aberturas se desarrollaron para aligerar el cráneo y proporcionar un área mayor de fijación a los músculos de las mandíbulas. De esta forma, la estructura en torno a la caja craneana habría quedado reducida a un sistema de puntales de gran eficacia mecánica y, por extraño que pudiera parecer, habría ganado fuerza y mayor capacidad de resistencia para las tensiones generadas por la potencia del mordisco.

La presencia de dos aberturas de este tipo detrás de las órbitas oculares, a cada lado del cráneo, es la característica que distingue a los diápsidos, o reptiles «con dos arcos». En los lagartos, el arco óseo inferior está siempre incompleto. Las serpientes no poseen ninguno de los dos arcos, por lo que toda el área del pómulo queda abierta. Los cocodrilianos, en cambio, conservan la típica configuración de los diápsidos, con

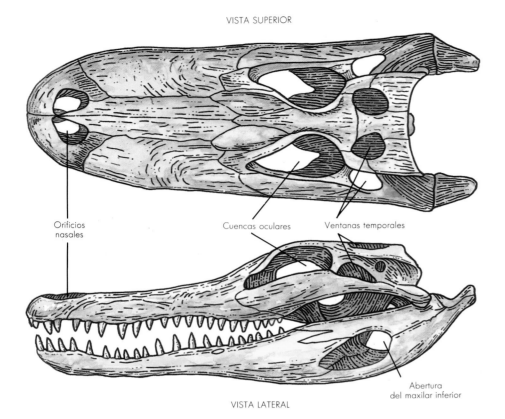

VISTA SUPERIOR

Orificios nasales

Cuencas oculares

Ventanas temporales

Abertura del maxilar inferior

VISTA LATERAL

▲ Paradójicamente, la doble abertura detrás de las cuencas oculares podría servir para reforzar el cráneo de los cocodrilianos, al ofrecer mayor superficie de anclaje para los poderosos músculos que cierran las mandíbulas.

el sistema con el que los biólogos clasifican e imponen nombres a todas las formas de vida. Aunque la clasificación formal difícilmente puede considerarse una actividad apasionante, su importancia es fundamental, ya que hace posible la comunicación entre los científicos.

Cuando se habla de animales individuales o grupos de animales, se utilizan términos como cocodrilianos, aves o insectos. Cada uno de estos términos se basa en un esquema que nos permite comparar y ordenar en grupos a los seres vivos, y cada nombre resume un conjunto de rasgos característicos de esos grupos. La palabra «ave» designa a un vertebrado cubierto de plumas, de sangre caliente, que en muchos casos es capaz de volar y que presenta una serie de características estructurales y fisiológicas distintivas.

La rama de la biología dedicada a la teoría y la práctica de la clasificación de los seres vivos recibe el nombre de taxonomía. El ser humano siempre ha tratado de conocer y dar nombre a cada uno de los elementos del complejo mundo en que vive. El propósito básico de toda clasificación es el de simplificar las descripciones. Reunimos objetos en diferentes categorías según criterios de utilidad. Los pueblos más primitivos, por ejemplo, se limitarían probablemente a diferenciar entre plantas y animales comestibles o no comestibles, y entre plantas y animales útiles o peligrosos, dos formas de clasificación adecuadas a sus necesidades. En la actualidad, sin embargo, los biólogos están interesados en desarrollar sistemas de clasificación que expresen similitudes y diferencias en las estructuras de los seres vivos, así como relaciones evolutivas. En consecuencia, sus criterios y sistemas de clasificación se han ido incrementando progresivamente. Existen hoy en día varios de estos sistemas, y cada uno de ellos tiene un considerable número de seguidores.

Los tres enfoques más utilizados (sistemáticas fenética, cladística y ecléctica) se diferencian por el mayor o menor grado de importancia que atribuyen a los diversos criterios de clasificación.

La sistemática fenética busca semejanzas estructurales en los diferentes seres vivos. Los seguidores de este enfoque consideran y miden tantos caracteres como les sea posible, y otorgan igual importancia a todas las características observadas. En una clasificación fenética, cada categoría taxonómica o taxon expresa el grado de

dos aberturas relativamente pequeñas, aunque bien definidas, a ambos lados del cráneo. En las aves, el desarrollo de las cuencas oculares y la considerable expansión de la caja craneana han modificado la región de los pómulos y, en consecuencia, los arcos óseos entre las órbitas y las dos aberturas han desaparecido en su mayor parte. En comparación con estos grupos, los mamíferos, incluidos los seres humanos, presentan sólo una abertura para los músculos de la mandíbula detrás de las órbitas (característica de los sinápsidos), mientras que las tortugas presentan una estructura maciza, sin ninguna abertura (anápsidos).

PRINCIPIOS DE LA CLASIFICACIÓN CIENTÍFICA DE LOS ANIMALES

Para comprender la historia evolutiva y otros aspectos de la biología de los cocodrilianos, es necesario conocer

C. Pollitt/Australasian Nature Transparencies

► Protegido por un pliegue cutáneo (que aquí se mantiene abierto con unas pinzas), el canal auditivo alargado del cocodrilo de Johnston desemboca en una abertura relativamente pequeña del cráneo, detrás de la ventana temporal inferior.

semejanza estructural general entre dos seres vivos, pero no necesariamente refleja su grado de parentesco desde el punto de vista evolutivo. Los delfines y los tiburones, por ejemplo, presentan una serie de similitudes en la forma del cuerpo, presumiblemente relacionadas con la natación, pero los delfines descienden de animales terrestres y su vínculo evolutivo con los tiburones es muy lejano.

La sistemática cladística se basa en la determinación del primer ancestro común que pueda rastrearse en el pasado de dos seres vivos. Cuando en los dos seres en cuestión se observan caracteres avanzados que sólo ellos presentan y que no se dan en otras formas de vida, se deduce que tienen un antepasado común relativamente reciente. Aunque presentan un aspecto muy diferente, un ratón y un lagarto tienen entre sí un grado de parentesco más cercano del que cualquiera de los dos pudiera tener, por ejemplo, con una perca. Tanto el ratón como el lagarto poseen cuatro extremidades óseas, manos de cinco dedos, pulmones y una clara separación entre la cabeza y el tronco, rasgos avanzados que no están presentes en la perca pero que son característicos de un clado específico, el de los vertebrados de cuatro patas (tetrápodos). Una clasificación cladística expresa la historia evolutiva de los seres vivos, pero no proporciona información sobre el grado de semejanza estructural general entre las diferentes criaturas. De hecho, algunos animales o plantas estrechamente emparentados entre sí tienen un aspecto muy diferente.

La sistemática ecléctica o evolutiva, tal como su nombre indica, utiliza selectivamente datos de los dos enfoques anteriores, el fenético y el cladístico. Estas clasificaciones se basan en supuestos sobre el grado de transformaciones evolutivas desde el punto de divergencia a partir de un antepasado común y tratan de determinar el tiempo relativo transcurrido desde entonces. Como estos dos criterios son muy difíciles de cuantificar, la

sistemática evolutiva es, necesariamente, el más subjetivo de los tres enfoques.

En el caso de los cocodrilianos, la sistemática fenética los clasificaría con los lagartos y sus parientes, para expresar las semejanzas superficiales en la forma del cuerpo. La sistemática cladística agruparía a los cocodrilianos con las aves, porque se piensa que estos dos taxones tienen un ancestro común más reciente del que cualquiera de los dos comparte con los lagartos y animales similares. El sistema ecléctico, por su parte, tendría en cuenta esta historia evolutiva, pero destacaría los rasgos diferenciadores de las aves y, a falta de mejor opción, colocaría a los cocodrilianos con los lagartos y su familia de animales escamosos. Esta última clasificación todavía se utiliza.

En 1758, el gran naturalista sueco Carl von Linné (1707-1778), más conocido por Linneo, publicó una obra titulada *Systema naturae* (*El sistema de la naturaleza*), en la que propuso la primera nomenclatura formal para clasificar a todos los seres vivos. Su sistema es el que actualmente emplean todos los biólogos. La nomenclatura propuesta por Linneo se basa en la mayoría de los casos en palabras de origen griego o latino (por lo que suelen subrayarse o imprimirse en cursiva). De esta forma, los científicos disponen de un lenguaje común, independientemente de su lengua materna.

La unidad básica de clasificación es la especie. La llamada especie biológica se define como una población, o un grupo de poblaciones, cuyos individuos pueden reproducirse y tener descendientes fértiles cruzándose entre sí pero no con individuos de otras especies. (Esta definición presupone la existencia de reproducción sexuada; en el caso de seres vivos con reproducción asexuada, como por ejemplo las levaduras, la clasificación se basa en el aspecto general.) Como la descripción de la mayoría de las especies está basada en especímenes conservados en las colecciones de los museos, su

M. F. Soper/Australasian Nature Transparencies

▲ El tuátara (*Sphenodon punctatus*), especie de lagarto que actualmente se halla confinado a las islas cercanas a Nueva Zelanda, alcanza una longitud máxima de 80 cm y es un depredador de hábitos predominantemente nocturnos. La sistemática fenética clasificaría a los cocodrilos con el tuátara y otros lagartos, debido a la semejanza superficial en la forma del cuerpo y a pesar de la falta de un ancestro común reciente.

◄▼ Aunque los antepasados de aves y cocodrilos tomaron rumbos evolutivos diferentes hace unos 300 millones de años, es posible deducir algunas características de su forma de vida analizando las costumbres de algunos depredadores modernos, como el secretario (a la izquierda), que, al igual que el extinto celurosaurio (abajo), es una criatura de movimientos ágiles que caza insectos, reptiles y pequeños mamíferos en el suelo.

Hans Reinhard/Bruce Coleman Ltd.

aislamiento reproductivo en su entorno natural no puede establecerse directamente y debe deducirse más bien a partir de similitudes y diferencias en la forma y las dimensiones del cuerpo. Los rasgos distintivos de cada especie son enumerados por el primero en describirla. Cuando se descubre una nueva especie, uno de sus ejemplares queda establecido como el tipo de la especie y se utiliza como punto de referencia para todas las futuras comparaciones con otras especies.

En el esquema propuesto por Linneo, las especies muy parecidas entre sí se agrupan en una categoría superior, el género. (Es importante recordar que los géneros y las otras categorías taxonómicas superiores son invenciones de la mente humana, destinadas únicamente a facilitar la comunicación científica; sólo las especies son entidades reales que pueden observarse en la naturaleza.) Así pues, cada especie tiene dos nombres, uno propio de la especie y otro que hace referencia al género al que la especie pertenece. Se trata de un sistema similar a nuestro uso del nombre y el apellido. El nombre de la especie sería nuestro nombre de pila, mientras que el nombre del género equivaldría a nuestro apellido. El nombre científico del cocodrilo del Nilo es *Crocodylus niloticus*. *Crocodylus* es el género al que la especie pertenece y *niloticus* es el nombre de la especie propiamente dicha. Algunos científicos consideran ocasionalmente que algunas poblaciones de una especie son subespecies, por presentar aspectos biológicos que las diferencian de otras poblaciones de la misma especie. En este caso, un tercer nombre, el de la subespecie, se añade al nombre científico.

Linneo agrupó los géneros en una jerarquía de categorías taxonómicas. Los géneros estrechamente relacionados entre sí constituyen familias. Las designaciones de las familias derivan del nombre de uno de sus géneros, con el añadido del sufijo -idae. El género *Crocodylus* da su nombre a la familia Crocodylidae, que abarca todos los géneros actualmente existentes de cocodrilos, así como muchos géneros ya extinguidos. Los principales niveles de una jerarquía taxonómica, en orden descendente, son reino, tipo, clase, orden, familia, género y especie.

Todas estas categorías representan diferentes grados de parentesco entre los distintos seres vivos. La secuencia de las categorías comunes de Linneo para el cocodrilo del Nilo es la siguiente:

Reino: Animal
Tipo: Chordata (cordados)
Subtipo: Vertebrata (vertebrados)
Clase: Reptilia (reptiles)
Orden: Crocodylia (cocodrilianos)
Suborden: Eusuchia (cocodrilos modernos)
Familia: Crocodylidae (caimanes, cocodrilos y especies emparentadas)
Subfamilia: Crocodylinae (cocodrilinos)
Género: *Crocodylus* (cocodrilos verdaderos)
Especie: *Crocodylus niloticus* (cocodrilo del Nilo)

Los fósiles, restos petrificados de seres extinguidos desde hace millones de años, plantean problemas especiales a los taxonomistas, pues sólo permiten estudiar

▼ Superficialmente similar al gavial que habita en el subcontinente indio, este mesosuquio fósil representa una de las principales ramificaciones evolutivas de los cocodrilianos. Los mesosuquios aparecieron a principios del Jurásico, hace unos 190 millones de años, y se cree que se alimentaban de peces.

Philip Quirk/Wildlight Photo Agency

un pequeño porcentaje de los caracteres potencialmente útiles para la clasificación biológica. En efecto, los fósiles sólo conservan, por lo general, las partes duras (como huesos o dientes), sometidas además a los caprichos de los procesos geológicos. Los biólogos tratan de situarlos dentro del esquema de clasificación de los seres vivos, porque los fósiles constituyen la única prueba tangible de los caminos de la evolución a través de las eras geológicas. Sin embargo, para formular suposiciones acerca de los seres extinguidos, es preciso estudiar la biología de los organismos vivos. Los debates sobre los dinosaurios, por ejemplo, pueden encontrar argumentos en las observaciones realizadas sobre las especies modernas de cocodrilos y aves.

TIEMPO GEOLÓGICO

Los geólogos han ideado sistemas especiales para designar los estratos rocosos y los diversos intervalos de la escala del tiempo geológico en ellos registrados.

La multitud de materiales rocosos que constituyen la corteza terrestre proporciona una especie de registro del tiempo geológico. En las secuencias intactas de rocas, los estratos más antiguos se encuentran en las capas más profundas y a partir de allí se disponen progresivamente los estratos más recientes. Así pues, la porción más antigua de cualquier intervalo de tiempo está representada por los estratos inferiores de la secuencia rocosa.

Las rocas más antiguas que se conocen, de entre 3.700 y 3.800 millones de años, no contienen señales identificables de vida. Las huellas de las formas de vida más simples datan de hace unos 3.500 millones de años.

Estudiando estas rocas antiquísimas y analizando estratos cada vez más recientes en numerosas regiones del mundo, los geólogos han advertido una «repentina» abundancia de fósiles en determinado nivel, correspondiente a una antigüedad de alrededor de 590 millones de años. Esta transición se ha utilizado para dividir el total del tiempo geológico en dos grandes intervalos, uno de los cuales, el eón fanerozoico (palabra que significa «vida visible»), se caracteriza por la aparición de la mayoría de las formas de vida multicelulares. El fanerozoico se divide a su vez en tres eras, cada una de las cuales se distingue por algún acontecimiento de fundamental importancia en la historia de la vida. La más remota de estas eras es la paleozoica o primaria (hace 590-245 millones de años). Los primeros reptiles aparecieron durante este periodo, hace aproximadamente 300 millones de años. La segunda era es la mesozoica o secundaria (hace 245-65 millones de años), denominada vulgarmente la «Edad de los Reptiles» o la «Era de los Dinosaurios». En el transcurso de este periodo aparecen los primeros cocodrilianos en el registro fósil.

La era mesozoica fue testigo de la aparición de la mayoría de los grupos de seres vivos que pueblan los ambientes existentes: aves, mamíferos, peces avanzados de esqueleto óseo, gran parte de los insectos modernos y angiospermas, es decir, plantas que florecen. También se caracterizó por el predominio de los dinosaurios y por el auge de las dos ramas principales de reptiles diápsidos. Así pues, resulta muy adecuado dar a esta era el nombre de «Edad de los Reptiles».

El Mesozoico se divide a su vez en tres periodos: desde el más remoto al más reciente, son el Triásico

▲ Todos los cocodrilianos tienen características comunes, pero su longitud varía entre los 1,5 m del caimán enano de Cuvier y los más de 6 m que alcanzan las especies más grandes de *Crocodylus*. Las diferencias anatómicas permiten clasificar el orden en ocho géneros y 22 especies, que viven en las regiones tropicales y subtropicales.

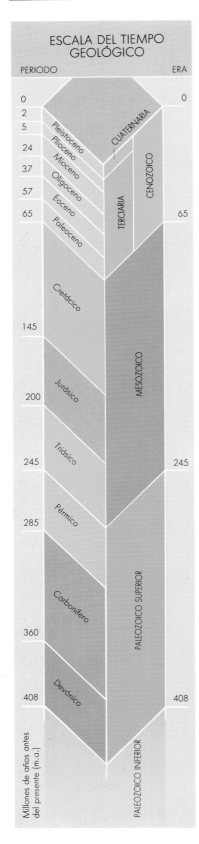

ESCALA DEL TIEMPO GEOLÓGICO

PERIODO		ERA
0		0
2	Pleistoceno	
5	Plioceno	CUATERNARIA
24	Mioceno	
37	Oligoceno	CENOZOICO
57	Eoceno	TERCIARIA
65	Paleoceno	65
145	Cretácico	
200	Jurásico	MESOZOICO
245	Triásico	245
285	Pérmico	
360	Carbonífero	PALEOZOICO SUPERIOR
408	Devónico	408
		PALEOZOICO INFERIOR

Millones de años antes del presente (m.a.)

► Este «árbol genealógico» simplificado de los vertebrados terrestres ilustra la ascendencia común, aunque distante, de los cocodrilos actuales y las aves, dos grupos que, al igual que los dinosaurios, descienden de los tecodontos. Se puede apreciar la precoz divergencia con respecto a los dinosaurios del camino evolutivo de los cocodrilianos.

(hace 245-200 millones de años), el Jurásico (hace 200-145 millones de años) y el Cretácico (hace 145-65 millones de años). El fin de la era mesozoica se caracterizó por cambios profundos y relativamente abruptos en la fauna y la flora terrestres y marinas, en especial por la extinción de los dinosaurios y otros muchos grandes reptiles. Todavía no se sabe con certeza si esta crisis fue el resultado del impacto de un meteoro de grandes dimensiones o de una alteración de las condiciones terrestres (por ejemplo, de un descenso global de la temperatura), o si fue tal vez consecuencia de una combinación de factores extraterrestres y terrestres.

Durante la era siguiente, llamada Cenozoico (desde hace 65 millones de años hasta el presente), los mamíferos, las aves, los insectos y las gimnospermas dominaron rápidamente el panorama de la vida, y hace aproximadamente 5 millones de años, los primeros seres humanos aparecieron en el este de África.

Los primeros cocodrilianos clasificables entre los cocodrilos y caimanes actuales se pueden identificar con certeza a partir de la fase campaniana, del Cretácico superior, correspondiente a una antigüedad de 80 millones de años.

«PARIENTES» FÓSILES

Los cocodrilianos presentan una serie de rasgos anatómicos comunes a otros arcosaurios, entre ellos los dinosaurios, como por ejemplo la pronunciada diferencia de longitud entre las extremidades anteriores y las posteriores. El rasgo fundamental que diferencia a los arcosaurios de los otros reptiles diápsidos es la presencia de un orificio más (la ventana anteorbital) delante de las cuencas de los ojos, a cada lado del hocico. Los cocodrilianos modernos (al igual que la mayoría de las aves) carecen de este rasgo, pero los representantes más antiguos de esta rama de la evolución conservan una pequeña abertura. La función de esta característica anatómica todavía se desconoce, aunque podría estar relacionada con la extensión hacia delante de ciertas porciones del sistema muscular que interviene en el cierre de las mandíbulas. La mayoría de los arcosaurios desarrollaron otra abertura cerca del extremo posterior de cada maxilar inferior.

La historia evolutiva de los cocodrilianos es muy antigua, ya que se remonta al periodo Triásico. Los primeros reptiles semejantes a cocodrilos que se conocen fueron hallados en Europa, América del Sur y Sudáfrica, en roca sedimentaria de principios del Triásico tardío (hace unos 230 millones de años), y los primeros cocodrilianos verdaderos (aunque hoy extinguidos) tienen algo más de 200 millones de años de antigüedad. Los primeros cocodrilianos y sus predecesores inmediatos eran probablemente carnívoros terrestres y, a juzgar por sus extremidades, largas y esbeltas, eran capaces de correr velozmente. Así pues, se diría que los cocodrilianos adoptaron la forma de vida anfibia en una fase posterior de su historia evolutiva.

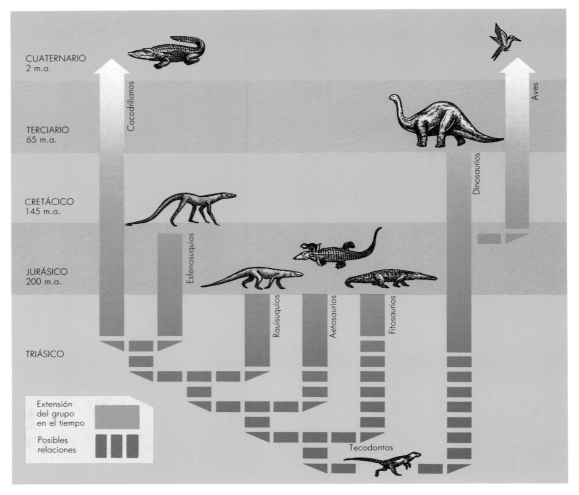

D. Parer y E. Parer-Cook/Auscape International

Es probable que los cocodrilianos desciendan de algún grupo de tecodontos, antepasados de los reptiles arcosaurios y de las aves. En 1963, el paleontólogo suizo Bernard Krebs fue el primero en señalar que los cocodrilos comparten con ciertas especies de tecodontos una peculiar articulación del tobillo. En la mayoría de los reptiles, la articulación pasa entre las filas de huesos superior (proximal) e inferior (distal) que componen la región del tobillo. En la pata de los cocodrilianos y de ciertos tecodontos, la articulación del tobillo pasa entre los dos huesos grandes que constituyen la fila superior. Uno de estos huesos, el astrágalo, se mueve junto con la tibia y el peroné. El otro, el calcáneo (equivalente al hueso del talón en el pie humano), forma parte, desde el punto de vista funcional, de la pata propiamente dicha y presenta una cavidad donde encaja una prolongación del astrágalo. Al parecer, este tipo de articulación guarda relación con la manera de caminar que tienen los cocodrilos. A diferencia de la mayoría de los vertebrados,

los cocodrilianos emplean dos sistemas completamente diferentes para desplazarse por tierra firme. Como los lagartos, pueden andar con el vientre casi pegado al suelo, con las extremidades extendidas hacia fuera de tal forma que el antebrazo y el muslo se mueven en un plano horizontal. Este tipo de marcha se observa por lo general cuando el animal se desplaza sobre distancias cortas. La segunda forma de desplazamiento, la marcha elevada, se parece al modo de andar de los mamíferos. El animal avanza con el vientre muy separado del suelo y las extremidades traseras se mueven prácticamente debajo del cuerpo. En la marcha elevada, empleada para los desplazamientos rápidos en tierra firme, aumenta la longitud de la zancada. La aguda torsión de la articulación del tobillo, producida por la configuración del astrágalo y el calcáneo, permite que la pata gire sobre sí misma y hace posible los poderosos movimientos de torsión que tienen lugar en el tobillo durante la marcha elevada.

▲▼ Los cocodrilianos, como este cocodrilo de la región indopacífica (arriba), pueden desplazarse utilizando una «marcha elevada», al estilo de los mamíferos. La articulación del tobillo de los cocodrilianos permite los movimientos de giro y torsión que se precisen.

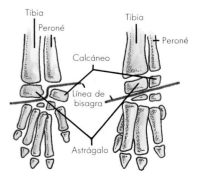

ESTRUCTURA DEL TOBILLO DE LOS COCODRILIANOS

ESTRUCTURA DEL TOBILLO TÍPICA DE LOS REPTILES

Tibia

Peroné

Calcáneo

Línea de bisagra

Astrágalo

Tibia

Peroné

▲ *Terrestrisuchus*, un esfenosuquio de medio metro de longitud de fines del Triásico de Inglaterra. El reducido tamaño de las zarpas sugiere que las extremidades estaban tan bien adaptadas para la carrera que probablemente capturaba y mataba a la presa sólo con las mandíbulas y los dientes.

▲ *Desmatosuchus*, aetosaurio de 3 m de longitud del Triásico del sur de Estados Unidos. Sus órganos vitales estaban protegidos por aguzadas espinas curvadas hacia atrás. Pese a su temible aspecto, sus dientes simples indican que se alimentaba de vegetales.

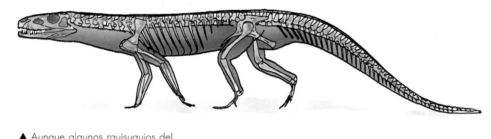

▲ Aunque algunos rauisuquios del Triásico alcanzaban 6 m, *Ticinosuchus* no superaba los 2,5 m. Caracterizados por la doble fila de placas óseas que les protegía la espalda, los rauisuquios presentaban además una cabeza proporcionalmente grande y dientes aserrados, para aferrar y desgarrar a sus víctimas terrestres.

▲ Los cocodrilianos del Triásico fueron contemporáneos de los fitosaurios, tecodontos de mandíbula alargada. Pese a su semejanza con los modernos cocodrilianos piscívoros, *Rutiodon*, un pariente lejano de este grupo, tenía los orificios nasales justo delante de los ojos, y no en el extremo del hocico.

Los parientes más cercanos de los cocodrilos entre los arcosaurios son los esfenosuquios, de finales del Triásico y principios del Jurásico. Los especialistas distinguen a los cocodrilianos de los esfenosuquios basándose en diferencias relativamente menores en la estructura del cráneo; en realidad, los esfenosuquios podrían considerarse un «cajón de sastre» donde están agrupados los precursores de los cocodrilianos y otras formas de vida de parentesco más distante con los cocodrilos. Uno de los esfenosuquios más conocidos, el *Terrestrisuchus*, del Triásico superior inglés, presenta un esqueleto sumamente ligero, con los huesos de las extremidades muy largos y esbeltos, rasgo que podría indicar hábitos corredores.

Los aetosaurios del Triásico, un grupo de tecodontos bien diferenciado, poseían el mismo tipo de articulación del tobillo que los cocodrilianos. Han sido hallados en Europa y en América del Norte y del Sur, y eran al parecer «armadillos» reptilianos, con el cuerpo casi completamente encerrado en una armadura ósea. Grandes placas cuadrangulares se extendían por el dorso y sobre los lados de estos animales, les rodeaban la cola y les protegían el vientre. Las coronas simples y en forma de hoja de las piezas dentales parecen indicar que eran herbívoros. El extremo del hocico y el maxilar inferior carecen de dientes y es probable que tuvieran en cambio un pequeño pico.

Otro grupo que presenta también el tipo de articulación del tobillo de los cocodrilianos es el de los rauisuquios, carnívoros que dominaron el medio terrestre durante buena parte del Triásico, hasta ser desplazados por los dinosaurios. Conocidos sobre todo por los restos óseos encontrados en Argentina y el sur de Brasil, los rauisuquios alcanzaban hasta 6 m de longitud y tenían, proporcionalmente, un cráneo muy grande. Las huellas fosilizadas y las proporciones de las extremidades indican que se desplazaban a cuatro patas. Sus grandes y afilados dientes tenían bordes aserrados. El dorso estaba recorrido por dos filas de placas óseas, cuyos elementos adyacentes quedaban insertados mediante un pequeña prolongación en el extremo delantero de cada placa, que encajaba en una concavidad de la placa anterior.

Otro grupo de tecodontos más primitivos, pero con una articulación del tobillo similar a la de los cocodrilianos, es el de los fitosaurios. Aunque su parentesco con los cocodrilos es lejano, los fitosaurios se les parecían mucho en la forma del cuerpo y posiblemente en los hábitos que de esa forma se pueden deducir. Por este motivo, reciben a menudo el nombre de parasuquios («casi cocodrilos»). Sólo vivieron a finales del Triásico, pero durante ese breve periodo fueron muy numerosos y sus restos están ampliamente distribuidos en toda Europa y América del Norte. Los fitosaurios se diferencian de los cocodrilianos sobre todo por la localización de los orificios nasales, situados prácticamente junto a los ojos, así como por la falta de un paladar óseo extenso.

Para expresar la relación evolutiva entre los cocodrilianos y los diversos tecodontos que presentan una articulación del tobillo semejante a la de los cocodrilos, Bernard Krebs los reunió en 1974 en un nuevo grupo, el de los suquios. (Esta palabra, al igual que el sufijo *-suquio*, frecuente terminación del nombre científico de varios cocodrilianos modernos y extinguidos, deriva del término griego *souchos*, que a su vez es una adaptación del nombre de un dios con cabeza de cocodrilo, adorado en algunas regiones del antiguo Egipto.)

Hubo asimismo otros tecodontos cuya articulación del tobillo era superficialmente similar al tipo cocodriliano, pero con la particularidad de que la relación estructural entre los dos huesos principales estaba «invertida»: el astrágalo presentaba la concavidad y el calcáneo la prolongación. Una serie de hallazgos recientes, correspondientes sobre todo al Triásico medio y tardío en Argentina, indican que estos arcosaurios «anticocodrilianos» podrían formar parte del grupo que evolucionó hasta producir los dinosaurios y tal vez los pterosaurios. Muchas de estas criaturas eran capaces, al menos ocasionalmente, de correr erguidas sobre las patas traseras, como lo sugieren las extremidades traseras más alargadas y la cintura pélvica modificada. En los dinosaurios, la articulación del tobillo pasaba entre las dos filas de huesos, como en la pata de los lagartos, y es probable que este hecho esté relacionado con la adopción de una marcha completamente erguida por parte de estos animales. Las patas traseras se movían debajo del cuerpo y la articulación del tobillo se convirtió en un sencillo pero poderoso mecanismo de bisagra, como en las aves.

C. M. Dixon

◄ La palabra «cocodrilo» deriva del término griego *krokodeilos*, que significa lagarto. El elemento «suquio», como palabra y como sufijo, deriva en cambio del griego *souchos* o *soknopaios*, que a su vez son corrupciones de Sebek o Sobek, nombre del dios con cabeza de cocodrilo adorado por los antiguos egipcios.

DEINOSUCHUS, UN GIGANTESCO COCODRILO DEL CRETÁCICO TARDÍO NORTEAMERICANO

Entre los miembros del género *Deinosuchus* («cocodrilo terrible»), que en ocasiones recibe el nombre técnicamente incorrecto de *Phobosuchus* («cocodrilo del miedo»), figuraban algunos de los cocodrilos más enormes de todos los tiempos. Estos gigantescos depredadores se conocen sobre todo por una serie de fragmentos de cráneo, dientes, vértebras, placas y huesos pélvicos hallados en estratos del Cretácico tardío, tanto al este como al oeste de América del Norte (algunos de los cuales se clasificaron al principio erróneamente como pertenecientes a dinosaurios, por sus enormes dimensiones). Más recientemente se ha encontrado en Texas un esqueleto parcial con el cráneo casi completo, pero la descripción de este espécimen todavía está pendiente.

Los huesos de *Deinosuchus* se han encontrado siempre junto con restos de dinosaurios, especialmente de hadrosaurios, criaturas herbívoras con un característico pico de pato. Sobre la base de esta coincidencia, los paleontólogos norteamericanos Donald Baird y Jack Horner dedujeron que eran los cocodrilos del género *Deinosuchus*, y no los grandes dinosaurios tiranosáuridos carnívoros, los principales enemigos naturales de los hadrosaurios en algunas regiones del mundo.

Las dimensiones de *Deinosuchus* eran muy superiores a las de los cocodrilos actuales. Un cálculo reciente, basado en comparaciones con cocodrilos actuales, sitúa su longitud máxima en unos 11 m, con unas 6 toneladas de peso. El maxilar inferior reconstruido de un ejemplar del Cretácico superior de Texas mide alrededor de 1,8 m de longitud. Los huesos y las placas externas de *Deinosuchus* son extremadamente robustos. El hocico es cóncavo y presenta dientes enormes y afilados.

Los datos disponibles actualmente confirman la clasificación de *Deinosuchus* dentro de la familia Crocodylidae.

▼ Aunque actualmente se considera errónea la reconstrucción del hocico, las impresionantes dimensiones de este cráneo de *Deinosuchus* confirman la exactitud del nombre científico, que significa «cocodrilo terrible». Nótese la diferencia de tamaño entre el cráneo de *Deinosuchus* y el de un cocodriliano moderno de gran tamaño.

Charles H. Coles/Cortesía del Department Library Services, American Museum of Natural History

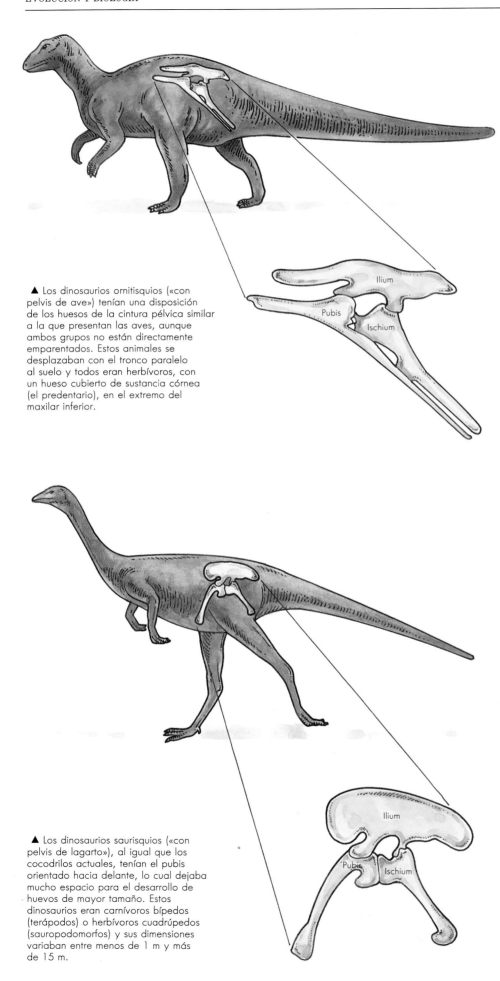

▲ Los dinosaurios ornitisquios («con pelvis de ave») tenían una disposición de los huesos de la cintura pélvica similar a la que presentan las aves, aunque ambos grupos no están directamente emparentados. Estos animales se desplazaban con el tronco paralelo al suelo y todos eran herbívoros, con un hueso cubierto de sustancia córnea (el predentario), en el extremo del maxilar inferior.

▲ Los dinosaurios saurisquios («con pelvis de lagarto»), al igual que los cocodrilos actuales, tenían el pubis orientado hacia delante, lo cual dejaba mucho espacio para el desarrollo de huevos de mayor tamaño. Estos dinosaurios eran carnívoros bípedos (terápodos) o herbívoros cuadrúpedos (sauropodomorfos) y sus dimensiones variaban entre menos de 1 m y más de 15 m.

Los dinosaurios dominaron el ambiente terrestre durante la mayor parte de sus 145 millones de años de historia. El nombre «dinosaurio», que significa «lagarto terrible», fue acuñado en 1842 por sir Richard Owen, brillante anatomista británico que fue capaz de reconocer la naturaleza distintiva de estas criaturas, incluso con los escasos restos óseos disponibles en la época.

Entre los dinosaurios se distinguen dos grandes linajes, según la estructura de la cintura pélvica. Los integrantes del primer linaje, denominados saurisquios, presentaban una disposición de la cintura pélvica semejante a la observada en los lagartos. El hueso frontal de la pelvis, o pubis, se proyectaba hacia delante, como en los lagartos y los cocodrilos. Los saurisquios se dividen a su vez en dos grandes grupos, el de los terópodos y el de los sauropodomorfos. Los terópodos eran carnívoros bípedos, con dimensiones que variaban entre menos de 1 m, como el *Compsognathus*, y más de 15 m de longitud, como el *Tyrannosaurus*. Los sauropodomorfos eran en general herbívoros cuadrúpedos, la mayoría de gran tamaño; algunos fueron, de hecho, los animales terrestres más grandes que han existido en el planeta. El segundo linaje, el de los ornitisquios, se caracterizaba por el hueso del pubis prolongado hacia atrás y situado en posición paralela al hueso posterior de la cintura pélvica, el isquión, estructura que también se observa en las aves. En muchos ornitisquios, el pubis adquirió una nueva prolongación en el extremo delantero del hueso. Además, todos los dinosaurios ornitisquios presentaban un hueso impar, en forma de cuchara, en el extremo del maxilar inferior (el predentario), que probablemente estaba recubierto por una capa córnea. Tenían además una fina red de tendones osificados que se extendían a ambos lados de la columna vertebral, lo cual contribuía presumiblemente a tensar el dorso, la región de la cadera y la cola.

Durante mucho tiempo se pensó que los dos linajes de dinosaurios habían evolucionado independientemente de diferentes grupos de arcosaurios tecodontos, pero los estudios más recientes apuntan más bien a la idea de que los dinosaurios fueron un grupo natural, derivado de una única población ancestral.

DISTRIBUCIÓN DE LOS COCODRILIANOS Y EL CLIMA DEL PASADO

Los cocodrilianos actuales son poiquilotermos, lo cual significa que su temperatura corporal (como en el caso de los lagartos, las serpientes y las tortugas) depende sobre todo de la temperatura del ambiente que los rodea. A diferencia de los mamíferos, los cocodrilianos carecen de aislamiento (como pelo o plumas) y no disponen de ningún medio interno (como los temblores) que les permita aumentar la temperatura de su cuerpo por encima de la ambiental. En consecuencia, su hábitat ha quedado restringido a las regiones del mundo donde la temperatura media del mes más frío del año no sea inferior a entre 10 y 15 °C. Aun así, los aligatores no encajan en este criterio de distribución geográfica.

Ciertos estudios experimentales indican que el aligátor americano o caimán del Mississippi (*Alligator mississippiensis*) puede sobrevivir en ambientes con temperaturas de hasta 4 °C, aunque los estudios de campo permiten establecer que la temperatura óptima para estos animales se sitúa entre 32 y 35 °C. Por debajo de este margen óptimo, los aligatores son capaces de mantenerse activos hasta temperaturas de 12 a 15 °C. Sobre la base de estos datos, los cocodrilianos no pueden utilizarse como «termómetros geológicos» demasiado exactos, pero su presencia en determinados estratos señala que sus ancestrales ambientes no estaban sujetos a periodos de frío inclemente. Si tenemos en cuenta además otros datos geológicos, como, por ejemplo, la presencia de carbón o de plantas cuyos parientes modernos sólo se encuentran en las regiones tropicales o subtropicales, podemos afirmar que los cocodrilianos fósiles preferían, en efecto, los climas cálidos.

Al principio de la era Terciaria, hace entre 65 y 35 millones de años, numerosos cocodrilianos emparentados con los caimanes o quizá con los cocodrilos modernos proliferaban en muchas regiones de Europa y América del Norte donde en la actualidad no habitan grandes reptiles.

A diferencia de sus parientes lejanos, los dinosaurios y los pterosaurios, los cocodrilianos no parecen haber sido afectados por la extinción masiva que acabó con miles de especies terrestres y marinas al final del periodo Cretácico, hace aproximadamente 65 millones de años. Hacia finales de la era Terciaria, justo antes del comienzo del periodo glacial del Pleistoceno, los cocodrilianos se retiraron rápidamente hacia el ecuador, fenómeno que coincide con un bien documentado descenso de las temperaturas medias anuales. Actualmente ya no hay cocodrilos en Europa. El aligátor americano tiene una reducida área de distribución al sur de Estados Unidos, aunque el registro fósil indica que, antes de las glaciaciones, los aligatores vivían en las regiones más septentrionales de ese país.

▼ Los cocodrilianos modernos han desarrollado una compleja serie de conductas que les sirven para controlar hasta cierto punto su temperatura interna. Aun así, la mayoría de las especies vivientes habitan las regiones del mundo donde las variaciones de temperatura son mínimas. Las dos excepciones son el aligátor americano o caimán del Mississippi (en la ilustración) y el aligátor chino o caimán de China, las únicas especies de cocodrilianos capaces de soportar las temperaturas frías de las regiones templadas.

EVOLUCIÓN

ERIC BUFFETAUT

La evolución de los cocodrilianos abarca más de 200 millones de años. Su inicio se sitúa en el Triásico tardío, cuando los dinosaurios comenzaban a dominar los ecosistemas continentales y los primeros mamíferos empezaban a diversificarse. Aunque todavía se desconocen muchos detalles, la larga historia de los cocodrilianos está relativamente bien documentada porque el registro fósil es bueno, gracias en parte a que los hábitos acuáticos de estos animales son favorables a la fosilización. Algunos ejemplares de cocodrilianos fósiles figuraron entre los primeros vertebrados extinguidos estudiados científicamente por los pioneros de la paleontología, a principios del siglo XIX, y muy pronto llegaron a considerarse una buena prueba de la evolución biológica.

▼ La historia evolutiva de los cocodrilianos es una sucesión de variaciones en torno a unos pocos temas bien establecidos. La adaptación a una dieta a base de peces de *Steneosaurus*, fósil de principios del Jurásico, y del gavial actual se refleja en el hocico estrecho y alargado y en los numerosos dientes.

ESPECIALIZACIÓN Y EVOLUCIÓN PARALELA

La historia evolutiva de los cocodrilianos se caracteriza por repetidas variaciones en torno a un tema bastante constante, la forma general del cuerpo típica de los cocodrilos, que ha resultado todo un éxito, pese a los considerables cambios ambientales registrados desde el Triásico. Aunque parece ser que los primeros cocodrilianos eran animales más bien terrestres, de hocico corto y patas relativamente largas, es probable que las principales adaptaciones al modo de vida anfibio observadas en los cocodrilos y caimanes actuales se desarrollaran y establecieran en poco tiempo (geológicamente hablando). A partir de los cocodrilianos de agua dulce que se sucedieron a lo largo de las eras mesozoica y cenozoica, aparecieron en repetidas ocasiones formas más especializadas, siguiendo un pauta típica de la evolución paralela. En la evolución de los cocodrilianos han surgido una y otra vez dos tipos principales de especialización. Numerosos grupos presentan una clara tendencia al alargamiento del hocico, fenómeno normalmente interpretado como una adaptación a la dieta ictiófaga asociada con un hábitat más estrictamente acuático. Un ejemplo actual de estos cocodrilianos especializados es el gavial (*Gavialis gangeticus*), que vive en el subcontinente indio. Sin embargo, en varios grupos hoy extinguidos, esta tendencia llegó más lejos que en el gavial, y diferentes cocodrilianos de hocico estrecho y alargado invadieron los mares, en un proceso evolutivo que culminó con los metriorrínquidos del Jurásico, con extremidades transformadas en aletas y una aleta dorsal carnosa sobre la cola. Por otra parte, hubo también frecuentes casos de cocodrilianos terrestres, derivados presumiblemente de antepasados anfibios. Estos animales presentaban hocicos largos y estrechos, con dientes aserrados y comprimidos lateralmente, de una asombrosa similitud con las piezas dentales de los dinosaurios carnívoros. Aunque no hay representantes vivos de este grupo, parece ser que los cocodrilianos terrestres desempeñaron una importante función en los ecosistemas del Terciario en algunas regiones del mundo.

La frecuencia de los casos de evolución paralela en el transcurso de la historia de los cocodrilianos ha sido fuente de dificultades y debates entre los paleontólogos, pero en la actualidad se ha alcanzado cierto consenso en lo referente a las principales líneas de evolución de estos animales. La evolución de los cocodrilianos se divide tradicionalmente en tres fases principales, que en un principio se consideraron subórdenes naturales, pero que podrían representar simples grados evolutivos atravesados por diversas ramas de cocodrilianos en el transcurso de su historia. Sea cual fuere su verdadera índole, estos subórdenes expresan, sin duda, importantes transformaciones en la anatomía de los cocodrilianos, por lo que recurriremos a ellos para describir la evolución de los cocodrilos.

Las tres fases evolutivas pueden distinguirse entre sí sobre todo por la estructura del paladar óseo secundario. En los cocodrilianos actuales, este elemento constituye una eficaz separación entre la boca y los conductos respiratorios, y reviste particular importancia para las

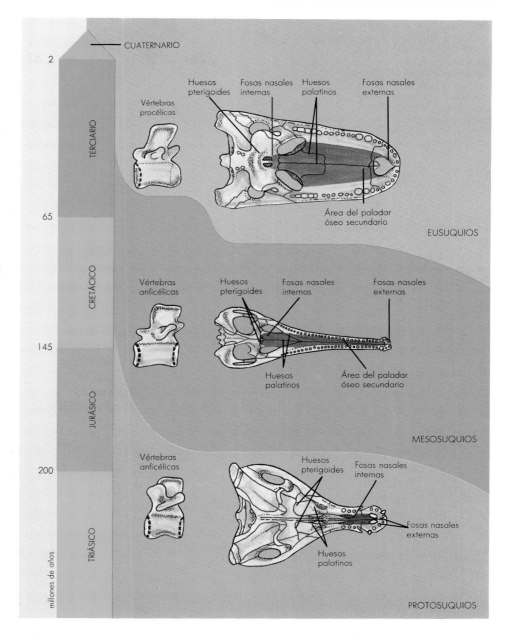

formas acuáticas, ya que les permite respirar en la superficie aunque tengan la boca abierta debajo del agua. (El paladar óseo tiene además la ventaja de reforzar el largo hocico para que resista las fuertes presiones creadas durante la captura de víctimas voluminosas.) A medida que el paladar óseo se fue alargando en el transcurso de la evolución cocodriliana, las fosas nasales internas (coanas) fueron literalmente «empujadas» hacia delante, hasta alcanzar la posición que hoy ocupan en los cocodrilos, caimanes y gaviales, dentro de los huesos pterigoides. Una segunda característica, sin relación alguna con la que acabamos de mencionar, que ha sido utilizada para diferenciar las principales fases de la evolución de los cocodrilos, es la forma de las vértebras. Los cocodrilianos primitivos presentaban vértebras bicóncavas (anficélicas), mientras que las especies actuales tienen vértebras con la superficie anterior cóncava y la posterior convexa (procélicas). La articulación de rodamiento que hace posible las vértebras procélicas permite una mayor flexibilidad de la columna vertebral.

▲▼ A través de la evolución cocodriliana se pueden observar dos rasgos fundamentales: la creciente fuerza y flexibilidad de la columna vertebral, como consecuencia del desarrollo de las vértebras procélicas a partir de las anficélicas, más primitivas, y el cierre gradual del paladar óseo secundario, que permite al animal respirar mientras tiene la boca abierta bajo el agua.

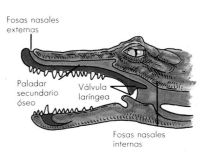

▶ *Steneosaurus bollensis*, mesosuquio de hocico largo, presentaba numerosas adaptaciones al medio marino, en particular un cuerpo flexible y una cola sumamente musculosa que le permitían impulsarse para perseguir a las presas más veloces. Las patas traseras, que probablemente tenían el aspecto de aletas, pueden haberle servido para la propulsión acuática, además de actuar como timones.

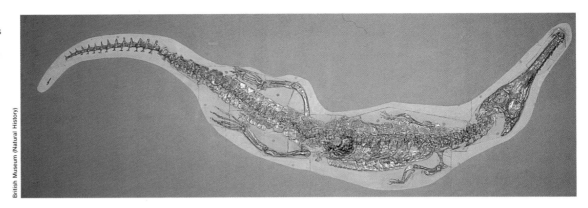

British Museum (Natural History)

▼ La situación de las fosas nasales externas, o narinas, en el extremo del hocico, permite que este cocodrilo marino al acecho exponga solamente los ojos, los oídos y el extremo de los conductos nasales a la vista del mundo. El cierre del paladar secundario óseo en los eusuquios determinó que las fosas nasales internas se desplazaran hacia atrás en el cráneo y que los conductos nasales formaran cámaras en las que el animal percibe los olores. Las cámaras nasales se encuentran cerca del lóbulo olfativo del cerebro.

FASES EVOLUTIVAS

La primera y más primitiva fase de la evolución cocodriliana está representada por los protosuquios, que proliferaron a finales del Triásico y principios del Jurásico. En los protosuquios, el paladar secundario se encontraba todavía en las fases primitivas de su desarrollo y estaba formado sólo por los huesos de las mandíbulas (en consecuencia, las coanas se abrían entre los maxilares y los huesos palatinos). Las vértebras eran anficélicas.

La fase siguiente está representada por los mesosuquios, que alcanzaron considerable difusión desde el Jurásico hasta la era Terciaria. En estos reptiles, los huesos palatinos pasaron a formar parte del paladar, y las coanas aparecen mucho más desplazadas hacia delante que en los protosuquios, entre los huesos palatinos y los pterigoides. Las vértebras eran todavía anficélicas.

Por último, con la aparición de los eusuquios —grupo que comprende todos los cocodrilos actuales, a la mayoría de los cocodrilianos de la era Terciaria y a algunas especies del Cretácico—, los pterigoides se integraron también en el paladar y las coanas pasaron a ocupar su actual posición en estos huesos. Las vértebras de los eusuquios son procélicas.

Jean-Paul Ferrero/Auscape International

Ésta es una historia muy simplificada de la evolución de los cocodrilianos. Algunos fósiles demuestran que la realidad no estaba tan claramente definida, lo cual no resulta sorprendente, ya que no hay razones para pensar que la evolución del paladar y la de las vértebras estuvieran relacionadas entre sí o tuvieran que avanzar al mismo ritmo. Así pues, sería previsible encontrar algunos cocodrilianos con paladar de mesosuquio y vértebras procélicas o, a la inversa, especies con paladar de eusuquio y vértebras anficélicas. El registro fósil revela que por lo menos la primera combinación existió en algunos animales hoy extinguidos.

PROTOSUQUIOS

El origen de los cocodrilianos debe buscarse en un grupo de arcosaurios del Triásico, que reciben la denominación general de tecodontos. Los tecodontos no constituyen un grupo sistemático natural; en realidad, el nombre se utiliza para designar a los antepasados de otros grupos de arcosaurios, como los dinosaurios y los pterosaurios voladores, así como a una variedad de formas especializadas correspondientes a diferentes líneas de la evolución. La ascendencia de los cocodrilianos entre los tecodontos ha resultado difícil de rastrear, aunque la mayoría de los paleontólogos están de acuerdo en buscarla entre los pseudosuquios, un grupo de tecodontos carnívoros terrestres que disfrutaron de cierto éxito evolutivo durante el Triásico.

La diferenciación entre los pseudosuquios y los verdaderos cocodrilianos protosuquios es una tarea sumamente ardua, ya que, como suele suceder en paleontología, resulta difícil establecer una línea precisa de separación entre el grupo original y sus inmediatos descendientes. A pesar de esta dificultad, tenemos actualmente una idea general bastante concreta acerca del aspecto de los primeros cocodrilianos, que vivieron hace

unos 215 millones de años. Eran animales pequeños, de no más de 1 m de longitud, y bastante parecidos a los lagartos en su apariencia general. El hocico era corto y las extremidades proporcionalmente más largas que en las formas modernas. Estas proporciones corporales no son las que caracterizan a los animales acuáticos o semiacuáticos. De hecho, los protosuquios se consideran normalmente depredadores terrestres, aunque algunos de ellos, como el *Orthosuchus* hallado en Lesotho, pudieron haber tenido hábitos parcialmente acuáticos. La coraza externa estaba bien desarrollada en los protosuquios, con dos filas de placas sobre el dorso y la cola, además de un escudo ventral. Aunque con diferentes grados de modificación, la mayoría de los cocodrilianos posteriores conservaron esta coraza.

Los protosuquios estaban ampliamente extendidos a finales del Triásico y en los primeros tiempos del Jurásico, como lo atestiguan los numerosos restos encontrados en América del Norte y del Sur, en el sur de África, en Europa y en el este de Asia. Esta amplia distribución fue posible gracias a las condiciones geográficas de finales del Triásico, época en la que las principales masas continentales todavía estaban unidas en un único supercontinente (conocido con el nombre de Pangea) y la difusión de los animales terrestres no encontraba obstáculos. A partir del Jurásico, la fractura del supercontinente de Pangea, a raíz de la deriva continental, desempeñaría una importante función en la evolución de los cocodrilianos.

MESOSUQUIOS

La transición entre los protosuquios y los mesosuquios todavía se conoce poco. Los mesosuquios más antiguos de que se tiene noticia estaban ya muy especializados en algunos aspectos, aunque en otros seguían siendo bastante primitivos. Se han hallado gran cantidad de

▼ Más parecido a un lagarto que a los actuales cocodrilos, este *Orthosuchus* de Lesotho reconstruido era, como todos los protosuquios, un animal terrestre de patas largas y hocico corto, de no más de 1 m de longitud. Tenía el dorso protegido por dos filas de placas y las escamas del vientre formaban un escudo protector más o menos continuo.

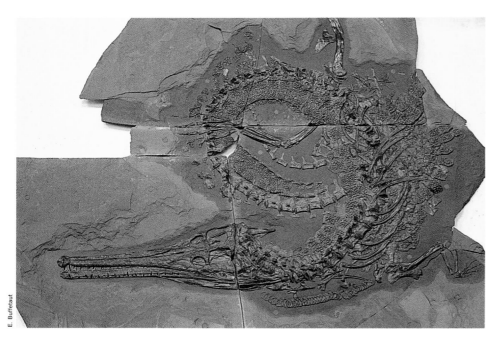

E. Buffetaut

firme (donde presumiblemente depositaban los huevos) y presentaban una coraza externa que conservaron hasta el final de su historia evolutiva, a principios del Cretácico.

Los metriorrínquidos, estrechamente emparentados con los teleosáuridos, estaban mucho mejor adaptados a la vida marina. Si bien los más antiguos metriorrínquidos conocidos, como *Pelagosaurus*, se parecían bastante a los teleosáuridos por la coraza externa y las extremidades escasamente modificadas, los descendientes de estos animales perdieron la coraza y adquirieron adaptaciones para la locomoción muy reveladoras. Además de cambiar las patas por aletas, desarrollaron una pequeña aleta dorsal carnosa cerca del extremo de la cola, como lo demuestran algunos ejemplares, espléndidamente conservados, correspondientes al Jurásico superior de Alemania. Todo indica que estos animales se impulsaban dentro del agua con movimientos laterales de la cola y que sólo utilizaban las extremidades como timones y para mantener el equilibrio. Resulta muy difícil establecer si los metriorrínquidos regresaban a tierra (donde se moverían con extremada torpeza) para depositar los huevos, o si se habían vuelto vivíparos como otros reptiles marinos del Mesozoico. Después de desarrollar formas muy voluminosas a finales del Jurásico, desaparecieron por causas que se desconocen a principios del Cretácico.

Puesto que son relativamente escasos los vertebrados terrestres conocidos del Jurásico medio, se sabe muy poco de los cocodrilianos fluviales y terrestres de ese periodo. En cambio, el registro fósil de finales del Jurásico es mucho más abundante y revela cierta tendencia a la diversificación. Se conoce una serie de grupos de mesosuquios relativamente avanzados que datan de aquella época, hace unos 150 millones de años, y que en su mayoría sobrevivieron hasta el Cretácico. El tipo representado hoy en día por especies tales como el

▲ La exagerada curvatura de este mesosuquio es el resultado de la contracción de los tendones posterior a la muerte; aun así, su flexibilidad (desarrollada para dar caza a otros animales marinos) resulta evidente.

▼ Hasta su extinción, a principios del Cretácico, los metriorrínquidos ocuparon un nicho ecológico marino similar al que hoy corresponde a los delfines. Este grupo había perdido la coraza ósea de sus antepasados y, como se puede observar en los fósiles de Alemania, se impulsaban gracias a una aleta dorsal semejante a la de un tiburón, situada cerca de la cola.

restos, sobre todo en Europa, en rocas de principios del Jurásico, correspondientes a una antigüedad de unos 190 millones de años. Las rocas donde aparecen estos fósiles estuvieron depositadas en ambientes marinos; de hecho, los rasgos anatómicos de estos cocodrilianos revelan adaptaciones a la vida en el mar. Los miembros de una de las familias de mesosuquios, la de los teleosáuridos, presentaban un aspecto bastante semejante al del actual gavial, con hocico muy largo y estrecho y numerosos dientes finos y afilados, dos características que sugieren una dieta compuesta por peces e invertebrados marinos. Aunque las extremidades anteriores estaban reducidas, los teleosáuridos eran capaces de desplazarse en tierra

LOS COCODRILIANOS Y LA DERIVA CONTINENTAL

Los cocodrilianos aparecieron a finales del Triásico, cuando las masas continentales del mundo estaban unidas en el supercontinente Pangea. Por lo tanto, su posterior evolución estuvo sumamente influida por la fractura y separación del supercontinente, que comenzó en el Jurásico y que ha determinado la actual distribución del mar y la tierra firme. Al abrirse los océanos, masas de tierra que habían estado unidas quedaron separadas; las distintas poblaciones de vertebrados continentales, entre ellas las de cocodrilianos, quedaron aisladas unas de otras y evolucionaron independientemente siguiendo líneas divergentes.

La historia biogeográfica de los cocodrilianos proporciona unos cuantos ejemplos de la influencia de la deriva continental sobre la evolución de las especies. El caso de los cocodrilianos del Cretácico en África y América del Sur está especialmente bien documentado. Los fósiles hallados en varias localidades de Níger y Brasil demuestran que a principios del Cretácico, hace alrededor de 115 millones de años, varios géneros de cocodrilianos terrestres y de agua dulce estaban representados en los dos continentes por especies estrechamente emparentadas, cuando no idénticas. El enorme folidosáurido *Sarcosuchus* y el pequeño *Araripesuchus*, de hocico corto, son los más conocidos de estos cocodrilianos afro-sudamericanos, que formaban parte de la fauna de vertebrados común a los dos continentes. Así pues, los fósiles de cocodrilianos confirman que hubo una época en la que el Atlántico Sur apenas comenzaba a abrirse y en la que África todavía no estaba completamente separada de América del Sur. Sólo a finales del Cretácico inferior, hace aproximadamente 100 millones de años, la separación quedó completamente establecida. A partir de entonces, los intercambios entre las faunas de los dos continentes se volvieron sumamente difíciles.

Una vez formado el Atlántico Sur, las faunas cocodrilianas de África y de América del Sur comenzaron a evolucionar independientemente una de otra, lo cual determinó una creciente divergencia entre ambas. A finales del Cretácico, los cocodrilianos de los dos continentes todavía presentaban algunas semejanzas conservadas desde las primeras épocas de ese periodo, pero los efectos de la divergencia eran ya evidentes y lo fueron todavía más durante la era Terciaria. Sin embargo, algunas formas, como los dirosáuridos y ciertos gavialinos, se adaptaron a la vida en el mar y pudieron seguir cruzando el Protoatlántico hasta finales del Cretácico y principios de la era Terciaria.

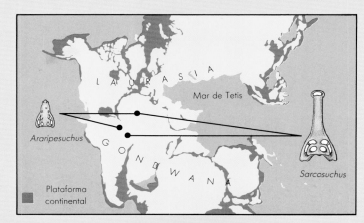

▲ El mundo tal como era hace 200 millones de años, cuando los primeros cocodrilianos comenzaban a extenderse por el supercontinente original de Pangea. Cuando Pangea se dividió, formando los continentes de Laurasia y Gondwana, varios grupos quedaron aislados entre sí y tuvieron oportunidad de ocupar nuevos nichos ecológicos.

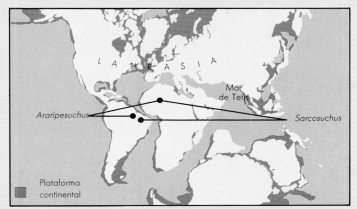

▲ Los cocodrilianos fósiles de África y de América del Sur fueron una vez especies idénticas o estrechamente emparentadas. Pero a medida que sus continentes se separaban, hace 100 millones de años, emprendieron caminos evolutivos divergentes. La fauna cocodriliana de América del Sur está hoy más diversificada que la de África, donde no hay aligatorinos.

cocodrilo del Nilo (*Crocodylus niloticus*) o el cocodrilo de los pantanos o cocodrilo palustre (*Crocodylus palustris*) estaba constituido a finales del Jurásico y principios del Cretácico por la familia Goniopholididae, mesosuquios bastante voluminosos, de hocico moderadamente alargado (por lo general). Los goniofolídidos estaban ampliamente distribuidos por la gran masa continental septentrional (Laurasia), desde la actual Tailandia hasta el oeste de América del Norte, pasando por Europa occidental. Sin embargo, no parecen haber estado presentes en la masa continental meridional (Gondwana). Los folidosáuridos, estrechamente emparentados con los goniofolídidos, tenían cráneos más semejantes al de los gaviales, y en realidad pueden considerarse goniofolídidos de hocico alargado. Su área de distribución no se limitaba a Laurasia, como lo demuestra la presencia del enorme folidosáurido *Sarcosuchus* en los estratos del Cretácico

inferior de África y de América del Sur. Este cocodriliano fue uno de los de mayor tamaño de todos los tiempos, con un cráneo de hasta 2 m de largo y una longitud total de alrededor de 11 m. Tanto los goniofolídidos como los folidosáuridos sobrevivieron hasta finales del Cretácico, época en la que algunos de los miembros del segundo grupo, de hocico particularmente alargado, invadieron el medio marino. Restos de estos animales, del género *Teleorhinus*, han sido hallados en Alemania y en Estados Unidos.

Hubo asimismo otro grupo de mesosuquios más evolucionados, los atoposáuridos, que tuvieron al parecer hábitos terrestres. Los atoposáuridos eran cocodrilianos pequeños, de hocico corto y patas relativamente largas. Se han encontrado restos en estratos del Jurásico superior y el Cretácico inferior de Europa y posiblemente de Asia. Como los goniofolídidos, no habitaron al parecer

E. Buffetaut/Universidad de Orán, Argelia

▲ Los trematocámpsidos cifodontos o «de dientes de dinosaurio» tenían mandíbulas muy robustas, similares a ésta del Eoceno de Argelia. Estos cocodrilianos terrestres han sido hallados en América del Sur, África y Europa.

▼ *Bernissartia*, mesosuquio avanzado del Cretácico inferior de Europa, presentaba algunos rasgos propios de los eusuquios, y aunque ha sido hallado entre esqueletos de dinosaurios, sus dientes romos indican que se alimentaba de moluscos y crustáceos.

la masa continental meridional, donde otros grupos de pequeños cocodrilos terrestres desempeñaban un papel ecológico similar.

Esta diferenciación geográfica entre las faunas cocodrilianas de Laurasia y Gondwana, a principios del Cretácico, fue el resultado de la fractura y separación del supercontinente original. Al parecer, la vasta barrera marina conocida como mar de Tetis fue una eficaz frontera ecológica entre las masas terrestres septentrional y meridional (aunque la separación no era total, como lo demuestra la distribución de los folidosáuridos). El océano Atlántico, por su parte, apenas comenzaba a formarse, y África todavía estaba unida a América del Sur, ya que el mar no separó totalmente estos dos continentes hasta mediados del Cretácico, hace unos 100 millones de años. Ello explica las grandes semejanzas entre los cocodrilianos terrestres y fluviales de principios del Cretácico en África y en América del Sur.

Entre las formas existentes en estos dos continentes al comienzo del Cretácico, figuraban pequeños mesosuquios terrestres del género *Araripesuchus*, integrante a su vez de la familia Uruguaysuchidae. Los uruguaysúquidos eran mesosuquios bastante primitivos, de hocico corto, que al parecer alcanzaron considerable distribución en América del Sur durante el Cretácico. Es posible que dieran origen en este continente a una familia de cocodrilianos terrestres más especializada, la de los notosúquidos del Cretácico tardío. En África, los uruguaysúquidos podrían ser los antepasados de los libicosúquidos, otra familia de hocico muy corto, cuyos restos han sido hallados en estratos del Cretácico superior africano. Así pues, los notosúquidos y los libicosúquidos pueden considerarse el resultado de la evolución divergente a ambos lados del Protoatlántico, a partir de una población común ancestral de uruguaysúquidos.

Los trematocámpsidos, otro grupo de mesosuquios de África y de América del Sur, aparecieron también antes de la separación de los dos continentes y evolucionaron por distintos caminos durante el Cretácico tardío, tras la formación del Atlántico Sur. Los trematocámpsidos primitivos tenían un aspecto muy parecido al de los cocodrilos, con mandíbulas moderadamente alargadas, pero muy robustas. Se han encontrado sus restos en África, Madagascar y América del Sur, y al parecer ocuparon el mismo nicho ecológico en los continentes meridionales que los goniofolídidos en Laurasia. Probablemente, los trematocámpsidos adquirieron con el tiempo hábitos más terrestres y dieron origen en América del Sur, África y Europa a los cocodrilianos de «dientes de dinosaurio» (cifodontos).

LA SUERTE DE LOS ÚLTIMOS MESOSUQUIOS

A principios del Cretácico surgieron al parecer los eusuquios, el moderno suborden de los cocodrilianos. Ya a finales del Jurásico, *Theriosuchus pusillus*, una especie emparentada con los atoposáuridos y hallada en Inglaterra, presentaba vértebras de forma intermedia entre los tipos anficélico y procélico. El paladar de estos reptiles, aunque todavía propio de los mesosuquios, era más evolucionado. A principios del Cretácico, las especies del género *Theriosuchus* tenían ya vértebras totalmente procélicas. También se observan vértebras «semiprocélicas» en otro mesosuquio avanzado del Cretácico inferior europeo, *Bernissartia*, que tenía también un paladar más adaptado y una coraza dorsal de tipo «moderno», consistente en varias filas longitudinales de placas, como en los eusuquios, en lugar de las dos filas observadas corrientemente en los mesosuquios. Así pues, parece ser que a principios del Cretácico, varios grupos de mesosuquios se acercaron a las características de los eusuquios en la estructura de las vértebras, en la

Instituto Real de Ciencias Naturales de Bélgica

disposición del paladar o en ambos rasgos. De hecho, uno de los mesosuquios del Cretácico inferior de Inglaterra, *Hylaeochampsa*, tenía los orificios nasales internos en la misma posición que los cocodrilos actuales, aunque presentaba además algunos rasgos anómalos.

El registro fósil de los cocodrilianos de mediados del Cretácico es más bien escaso. Las vértebras procélicas halladas en diversas regiones del mundo, desde Australia hasta África y Europa, indican que los eusuquios, que presumiblemente aparecieron en Laurasia, se estaban extendiendo, pero se sabe poco de aquellas formas primitivas. Es posible que se haya producido una diversificación relativamente rápida y muy extendida, como sugiere la presencia de restos de *Stomatosuchus* en los primeros estratos del Cretácico superior de Egipto. Se trataba de un extraño reptil, con un enorme cráneo achatado de forma semejante a un pico de pato, que presentaba vértebras procélicas.

Hacia finales del Cretácico evolucionaron varios grupos de mesosuquios cifodontos, de hocico alargado y dientes de dinosaurio. Uno de estos grupos fueron los baurusúquidos de América del Sur, que presentan especializaciones muy poco habituales, pero cuyas afinidades resultan poco claras. Al parecer, los trematocámpsidos produjeron otras formas cifodontas a principios de la era Terciaria, en África y en Europa.

Parece ser que los trematocámpsidos atravesaron el mar de Tetis, que separaba África de Europa, en algún momento de finales del Cretácico. A principios de la era Terciaria, los mesosuquios cifodontos ocuparon también un lugar bastante relevante en la fauna de América del Sur, con la familia Sebecidae, cuyos miembros eran poderosos carnívoros terrestres dotados de dientes y mandíbulas de gran eficacia. Puede que descendieran de los trematocámpsidos sudamericanos y que se mantuvieran hasta finales de la era Terciaria, alcanzando algunos de ellos dimensiones muy considerables. También es posible que un mesosuquio cifodonto sobreviviera hasta finales del Terciario en Australia, pero este espécimen sólo se conoce por unos pocos restos.

Aparentemente, los cocodrilianos cifodontos alcanzaron su momento de mayor éxito ecológico como depredadores terrestres después de la extinción de los dinosaurios a finales del Cretácico y antes de que los grandes y eficaces mamíferos carnívoros entraran en escena. Estos carnívoros se extendieron por Europa mucho antes (en el Eoceno) que en América del Sur (a finales de la era Terciaria), lo cual podría ser el motivo de que los cocodrilianos cifodontos se hayan extinguido antes en Europa que en América del Sur.

Otro grupo avanzado de mesosuquios, la familia Dyrosauridae, se especializó en una dirección totalmente diferente de la seguida por los cocodrilianos cifodontos. Los dirosáuridos eran criaturas voluminosas, de hocico largo, que vivieron a finales del Cretácico y principios de la era Terciaria a orillas del mar de Tetis, desde el subcontinente indio hasta la costa este de América del Norte, Brasil y la actual región de los Andes, pasando por África septentrional y occidental. El origen de los dirosáuridos resulta poco claro, aunque es probable que estuvieran lejanamente emparentados con los

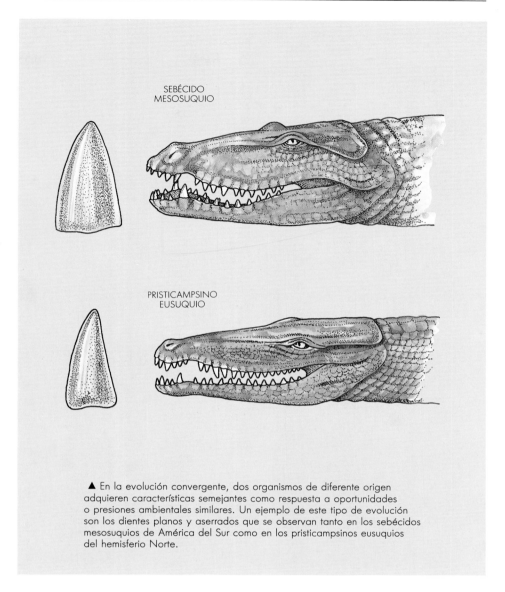

SEBÉCIDO
MESOSUQUIO

PRISTICAMPSINO
EUSUQUIO

▲ En la evolución convergente, dos organismos de diferente origen adquieren características semejantes como respuesta a oportunidades o presiones ambientales similares. Un ejemplo de este tipo de evolución son los dientes planos y aserrados que se observan tanto en los sebécidos mesosuquios de América del Sur como en los pristicampsinos eusuquios del hemisferio Norte.

trematocámpsidos. Parece ser que conocieron cierto auge y que se diversificaron considerablemente a principios de la era Terciaria. Algunos presentaban un hocico más bien fino, mientras que otros tenían mandíbulas y dientes bastante más robustos, que tal vez les sirvieran para alimentarse de tortugas marinas. Aunque no estaban tan adaptados a la vida marina como los teleosáuridos y los metriorrínquidos del Jurásico, es posible que los dirosáuridos pasaran gran parte de su tiempo en las aguas cercanas a la costa y que incluso fueran capaces de atravesar el Atlántico, que entonces no era tan extenso como lo es hoy en día. Como la mayoría de los cocodrilianos, los dirosáuridos sobrevivieron a los acontecimientos de finales del Cretácico y a partir de entonces se diversificaron, lo que tal vez les haya resultado más fácil por la desaparición de otros grupos de reptiles marinos depredadores. Esta última rama de mesosuquios marinos llegó a su fin durante el Eoceno, hace unos 45 millones de años. Sólo podemos especular acerca de las causas de la extinción de los dirosáuridos, pero es posible que haya alguna relación entre este hecho y la evolución de los gaviales marinos y/o de las ballenas primitivas durante el Eoceno.

LA CRISIS BIOLÓGICA CRETÁCICO-TERCIARIA

La mayoría de los cocodrilianos sobrevivieron a la crisis biológica del límite cretácico-terciario, que barrió de la faz de la Tierra a los dinosaurios y a otros muchos grupos de animales y plantas hace alrededor de 65 millones de años. La razón por la que los cocodrilianos pudieron sobrevivir mientras tantos reptiles se extinguían se desconoce, pero su supervivencia misma reviste cierta importancia para las especulaciones actuales sobre la naturaleza de los acontecimientos que provocaron la crisis.

Se sabe que los cocodrilianos actuales son sensibles a los cambios de temperatura e incapaces de sobrevivir en un clima frío. Esto significa que todas las teorías que proponen un enfriamiento del clima mundial en la época correspondiente al límite cretácico-terciario son insatisfactorias, ya que los cocodrilianos superaron la crisis, incluso en latitudes altas.

Una posible explicación de la supervivencia de los cocodrilianos es su pertenencia a una comunidad de seres vivos poco afectada por los cambios (sean cuales fueren) acaecidos hace 65 millones de años. En efecto, se sabe que el grupo de los vertebrados de agua dulce (que abarcaba peces, anfibios, tortugas y cocodrilos) resistió mucho mejor la crisis que las comunidades marinas o terrestres. Para justificar esta diferencia, se ha señalado que la cadena alimentaria del medio fluvial y lacustre no dependía del plancton marino ni de las plantas gimnospermas, dos grupos gravemente afectados por la crisis cretácico-terciaria, que podría haber sido consecuencia del impacto de un meteorito o de un cometa, o tal vez de una actividad volcánica inusualmente intensa. La disrupción de las cadenas alimentarias en el mar y en el medio terrestre pudo haber determinado las extinciones masivas en los dos ámbitos, mientras que las comunidades de agua dulce resultaron afectadas en mucho menor grado. Sea cual fuere la razón exacta, la supervivencia de los cocodrilianos al final del Cretácico constituye sin duda una prueba más de su éxito ecológico y evolutivo.

Mark Hallett

APARICIÓN DE LOS EUSUQUIOS

Los primeros cocodrilianos que pueden clasificarse con certeza dentro de las familias modernas (eusuquios) aparecieron y llegaron a ser predominantes en el Cretácico inferior, hace aproximadamente 80 millones de años, con indudables ejemplos de aligatorinos y cocodrilinos al oeste de América del Norte. Aunque como indica este dato la separación de estas dos subfamilias debe de haber tenido lugar con anterioridad, no se sabe prácticamente nada de la población ancestral común que dio origen a los aligatorinos y los cocodrilinos. Aun así, uno de los últimos representantes de aquella población podría haber sobrevivido hasta épocas históricas en Nueva Caledonia, en cuyas cavernas se han encontrado yacimientos con abundantes huesos de un eusuquio muy primitivo, con características comunes a los aligatorinos y los cocodrilinos, que ha sido descrito con el nombre de *Mekosuchus inexpectatus*.

A finales del Cretácico, los aligatorinos habían desarrollado ya el hocico corto y ancho, con los dientes inferiores perfectamente encajados entre las filas de dientes superiores cuando las mandíbulas están cerradas. En los cocodrilinos, las mandíbulas son por lo general

más estrechas y alargadas, con una muesca muy evidente en el hocico, donde se aloja un diente largo del maxilar inferior cuando el animal tiene la boca cerrada. La pieza dental más larga es la cuarta en los aligatorinos y la quinta en los cocodrilinos. Estos últimos presentan además una púa en uno de los huesos laterales del cráneo, que no se observa en los aligatorinos. Todas estas características del cráneo permiten a los paleontólogos distinguir entre los restos fósiles de cocodrilos y caimanes, que a menudo se encuentran juntos en los yacimientos de finales del Cretácico y principios de la era Terciaria de la región laurasiática, donde las dos subfamilias parecen haberse originado y diversificado. Por ejemplo, en la fauna europea del Eoceno medio, figuraban por lo menos tres especies de cocodrilinos y dos o tres de aligatorinos, además de los mesosuquios cifodontos ya mencionados, como los trematocámpsidos.

Aparte de reptiles tales como *Diplocynodon*, criatura bastante semejante a un caimán muy extendida en Europa durante la mayor parte de la era Terciaria, había pequeños aligatorinos de hocico corto, que poseían piezas dentarias trituradoras al fondo de los maxilares. Estos aligatorinos estaban ampliamente distribuidos a principios

del Terciario, pues se han encontrado sus restos desde Tailandia hasta el Ártico canadiense. Parece ser que se alimentaban sobre todo de invertebrados de concha dura.

Los representantes más inusuales de los cocodrilinos de principios de la era Terciaria fueron los pristicampsinos, animales cifodontos con patas semejantes a pezuñas, que eran probablemente depredadores o carroñeros terrestres, descendientes de cocodrilos «normales». Estuvieron ampliamente extendidos en los continentes septentrionales y parece ser que de alguna forma llegaron hasta Australia, donde ha sido hallado un eusuquio cifodonto, *Quinkana fortirostrum*. Los pristicampsinos de América del Norte, Europa y Asia desaparecieron a finales del Eoceno (tal vez como consecuencia de la competencia con los mamíferos carnívoros), pero *Quinkana* ha sido encontrado en yacimientos del Pleistoceno y es, por lo tanto, el

cocodriliano cifodonto más reciente de los conocidos hasta ahora. Su supervivencia en Australia podría guardar relación con la ausencia de carnívoros placentarios (no marsupiales).

El origen de la tercera subfamilia de cocodrilianos modernos, Gavialinae, de hocico extremadamente largo, ha sido y continúa siendo objeto de muchas controversias. Ciertas características del gavial actual han sido citadas

▲ Las lagunas en el registro fósil permiten afirmar que los primeros cocodrilianos «modernos» aparecieron de manera relativamente repentina, hace unos 80 millones de años. Eran ya reconocibles como formas actuales y podían diferenciarse las dos ramas de cocodrilos y caimanes (como puede observarse en la ilustración).

◄ Los pristicampsinos fueron un grupo aberrante de cocodrilianos con «pezuñas», que probablemente llevaron una vida de depredadores terrestres. Aunque desaparecieron del hemisferio Norte a finales del Eoceno, se han encontrado ejemplares más recientes en depósitos del Pleistoceno en Australia.

EL COCODRILO DE NUEVA CALEDONIA
(Mekosuchus inexpectatus)

JEAN CHRISTOPHE BALOUET

La fauna de Nueva Caledonia, drásticamente reducida por la intervención humana, abarcaba más de 30 especies de vertebrados terrestres hoy extinguidos. En 1980 se descubrió un cocodrilo terrestre, *Mekosuchus inexpectatus*, único representante de la extinta familia de los mekosúquidos.

Los especímenes fosilizados habían quedado atrapados en profundas cavernas de origen cárstico (piedra caliza erosionada por la presencia de agua subterránea) y se recogieron en dos yacimientos paleontológicos, uno en la isla de Pinos, con una antigüedad de 3.500 a 3.900 años, y otro en la propia Nueva Caledonia, formado hace entre 1.670 y 1.810 años. El descubrimiento de una mandíbula en un yacimiento arqueológico de Nessadiou, en la costa occidental de Nueva Caledonia, a 200 km al norte de Nouméa, es el testimonio de la participación humana en la extinción de esta especie.

Los restos fósiles de *Mekosuchus* sólo han sido hallados en las tierras bajas, cerca de las playas, donde probablemente fueron cazados por primera vez. Su extinción tuvo lugar en menos de 2.000 años y la caza incontrolada parece ser la explicación más plausible para un proceso tan fulminante. Probablemente, el reptil ya estaba extinguido antes de la llegada de los primeros colonos europeos.

Los cocodrilos terrestres son extremadamente escasos (aunque *Quinkana*, especie australiana hoy extinguida, también era terrestre), y *Mekosuchus* es la única forma insular de cocodrilo terrestre conocida hasta ahora. Su adaptación a la tierra firme resulta particularmente evidente en las aberturas anterolaterales de los conductos nasales (narinas) y en la desarrollada musculatura de los huesos de las extremidades.

La forma redondeada de las piezas dentarias posteriores indica que se alimentaba de moluscos. Se cree que medía unos 2 m de longitud y que era el mayor reptil de la isla. Sus poblaciones eran también las más numerosas dentro de la fauna de grandes reptiles extinguidos; pero al igual que otras especies voluminosas, este cocodrilo no pudo sobrevivir a la presión de los cazadores.

Mekosuchus presenta una serie de caracteres avanzados en el cráneo, como su altura, la participación del maxilar en la formación de las órbitas (un rasgo único de los cocodrilos), el gran tamaño de los pterigoides y la estrechez de los huesos palatinos. También se observan algunos caracteres primitivos del pómulo, que recuerdan a los mesosuquios, pero otras características permiten clasificar a la especie en un grupo relacionado con todos los eusuquios (cocodrilinos, aligatorinos y gavialinos).

La evolución original de este cocodrilo primitivo tuvo lugar probablemente a finales del Mesozoico, cuando Nueva Caledonia todavía estaba unida a Australia, pero su mantenimiento hasta épocas tan recientes plantea una serie de incógnitas, entre otras, su supervivencia durante el periodo de finales del Eoceno, época en la que Nueva Caledonia estaba completamente sumergida en el mar.

¿Por qué no se conocen otras formas terrestres insulares? Esta posibilidad ni siquiera se consideraba antes de 1980. Es posible que se descubran nuevas especies en otras grandes islas del Pacífico donde todavía no se han llevado a cabo investigaciones paleontológicas. Sea como sea, *Mekosuchus* es una prueba irrefutable de la colonización de las islas por parte de los cocodrilos y de su supervivencia en ambientes terrestres insulares durante millones de años, antes de su extinción.

Jean Christophe Balouet

Mekosuchus inexpectatus

por algunos autores como prueba de que los gavialinos son muy diferentes de los cocodrilinos y los aligatorinos, y de su posible relación con algún grupo de mesosuquios de hocico largo. En realidad, tanto los datos paleontológicos como los estudios bioquímicos indican que los gavialinos están estrechamente emparentados con los cocodrilinos y pueden considerarse descendientes de hocico largo de estos últimos. Diversos eusuquios de hocico alargado del Eoceno y del Oligoceno del norte de África podrían ser gavialinos primitivos. A diferencia del gavial actual, que es fluvial y lacustre, es probable que aquellos primitivos gavialinos frecuentaran las aguas costeras, lo cual podría explicar su amplia distribución geográfica en los ríos y mares del Terciario. A partir de un posible centro de origen en el norte de África, los gavialinos habrían llegado al subcontinente indio, al este, a Europa, hacia el norte, y a América del Norte, al oeste. En América del Sur, los gavialinos primitivos llegaron a conocer un breve periodo de extensión y diversificación en ríos y pantanos, durante la era Terciaria, antes de extinguirse por razones que se desconocen. Los cambios climáticos provocaron probablemente su desaparición en Europa y América del Norte, pero tampoco se conoce el motivo de su extinción en África. Sólo en Asia han sobrevivido hasta nuestros días. En la India y Pakistán se han hallado numerosos restos de diversas especies más o menos relacionadas con el gavial actual en sedimentos fluviales y lacustres de la era Terciaria.

Aunque los cocodrilianos sobrevivieron en Europa hasta hace menos de 5 millones de años, los cambios climáticos de finales del Eoceno, hace unos 38 millones de años, habían determinado ya una considerable merma de la diversidad de especies de la región, y lo más probable es que el clima progresivamente frío reinante a finales de la era Terciaria haya sido la causa principal de su extinción en Europa. Del mismo modo, en América del Norte y en China, la fauna cocodriliana nunca recuperó su variedad primitiva después del Eoceno, aunque los caimanes han sobrevivido en las dos regiones hasta el presente. A partir de finales de la era Terciaria y del Pleistoceno, la historia de los cocodrilianos se desarrolló sobre todo en las regiones tropicales, donde todavía habitan la gran mayoría de los cocodrilinos, aligatorinos y gavialinos vivientes.

ORIGEN DE LAS ESPECIES ACTUALES

El rastreo de la historia fósil de las especies vivas de cocodrilianos no siempre es tarea fácil. Los avatares de los gaviales de finales del Terciario en el subcontinente indio están relativamente bien documentados. Aunque algunos fósiles de fines de la era Terciaria y del Pleistoceno del este de Asia han sido relacionados con el género *Tomistoma*, se sabe muy poco del origen exacto del cocodrilo malayo o falso gavial (*Tomistoma schlegelii*). El género *Crocodylus* se encuentra por primera vez con certeza a principios de la era Terciaria (Eoceno u Oligoceno). Los antepasados del cocodrilo del Nilo (*Crocodylus niloticus*) y, hasta cierto punto, del cocodrilo de Guinea (*Crocodylus cataphractus*) se conocen con bastante precisión gracias a los numerosos fósiles de la

▼ El aligátor americano o caimán del Mississippi (en la ilustración) y el aligátor chino o caimán de China son capaces de tolerar una gama más amplia de temperaturas que otros cocodrilianos, por lo que pudieron sobrevivir al empeoramiento del clima de finales del Eoceno.

Ian Beames/Ardea London

era Terciaria y del Pleistoceno del norte y el este de África. Se cree que *Crocodylus lloidi*, especie de la era Terciaria y principios del Pleistoceno de Asia, es uno de los antepasados del cocodrilo del Nilo al igual que, probablemente, también del cocodrilo palustre o de los pantanos (*Crocodylus palustris*), y tal vez el extinto *Crocodylus sivalensis* de la India y Pakistán sea un eslabón intermedio entre las dos especies. Sin embargo, se sabe muy poco acerca de la evolución de las especies de *Crocodylus* del sudeste asiático y de Australasia, aunque en Australia se han hallado restos del cocodrilo marino o indopacífico (*Crocodylus porosus*), correspondientes al Pleistoceno. Tampoco ha sido posible establecer la historia evolutiva del cocodrilo americano o narigudo (*Crocodylus acutus*), del cocodrilo del Orinoco (*C. intermedius*), del cocodrilo cubano (*C. rhombifer*) ni del cocodrilo pardo o de Morelet (*C. moreletii*). Se ha hallado en Cuba un cocodrilo fósil que podría ser un representante de la población ancestral común al cocodrilo cubano y al pardo. Así pues, todavía queda mucho por hacer para descubrir la historia evolutiva del género *Crocodylus*. En cuanto al cocodrilo enano africano (*Osteolaemus tetraspis*), las únicas referencias disponibles sobre su historia paleontológica son algunos especímenes subfósiles hallados en Angola.

Hay asimismo muchas lagunas en nuestro conocimiento de la historia evolutiva de los actuales caimanes y aligatores, aunque se dispone de una cantidad relativamente importante de material fósil de América del Norte y del Sur. La ascendencia del aligátor americano (*Alligator mississippiensis*) se puede rastrear hasta la especie *Alligator olseni*, del Mioceno de Florida. Perteneciente al mismo género, el aligátor chino o caimán de China (*Alligator sinensis*) ocupa su actual área de distribución desde el Pleistoceno, pero se desconocen su historia evolutiva y sus relaciones exactas con el aligátor americano.

En América del Sur, ya en el Paleoceno, había aligatorinos. La especie *Eocaiman cavernensis*, del Eoceno patagónico, exhibía ya muchas de las características de los caimanes actuales y es muy probable que sea uno de los antepasados de los géneros *Caiman* y *Melanosuchus*. Por otra parte, la historia evolutiva del género *Paleosuchus* no se conoce. Durante la era Terciaria se produjo una importante diversificación de los caimanes sudamericanos, que dio origen a las especies actuales así como a varias ya extinguidas, entre ellas algunas formas gigantes, como *Caiman neivensis*, del Mioceno colombiano.

Esta breve panorámica de la evolución de los cocodrilianos desde sus orígenes, a finales del Triásico, demuestra el gran éxito que ha tenido el esquema básico anatómico de aquéllos, a través de las vicisitudes de la historia geológica y biológica. A partir de los sucesivos grupos de cocodrilianos que han ocupado los medios de agua dulce durante los últimos 200 millones de años, en repetidas ocasiones se han separado ramas especializadas que se han adaptado a una vida completamente marina o al medio terrestre. En este sentido, los extintos mesosuquios estaban más diversificados que los eusuquios que los reemplazaron. Sin embargo, pese a los éxitos pasajeros, las ramas especializadas se han extinguido y sólo han sobrevivido los cocodrilianos de tipo más «corriente». Los cocodrilianos han sido capaces de extenderse a todas las regiones del mundo (aunque todavía no se han encontrado restos fósiles de estos animales en la Antártida, no hay motivo para pensar que no hayan vivido en ese continente antes de que los hielos perpetuos lo dominaran); como grupo, tienen escasos competidores en el nicho de depredadores anfibios que ocupan.

▶ Los aligatores han sobrevivido en Florida desde el Eoceno, a pesar de que la caza indiscriminada para obtener su piel ha reducido drásticamente su número. En el momento actual, las principales amenazas para esta especie son la contaminación ambiental y la destrucción de su hábitat natural.

E. & P. Bauer/ZEFA, Düsseldorf

Hasta épocas recientes, la principal razón para su desaparición de algunas regiones del mundo eran los cambios climáticos a largo plazo. Sin embargo, la aparición del ser humano ha supuesto la llegada de un instrumento de extinción mucho más rápido y mortífero para los cocodrilianos. Algunas especies están en peligro inmediato de extinción, y el grupo en su conjunto está indudablemente amenazado. De nosotros depende que 200 millones de años de supervivencia de estas criaturas no tenga un final irreparable.

Leonard Lee Rue III/Bruce Coleman Ltd.

◄ Es probable que los cocodrilianos quedaran reducidos al papel de depredadores acuáticos debido al predominio de los depredadores mamíferos en tierra; por otra parte, es muy posible que los grandes mamíferos nunca hayan podido establecerse como depredadores acuáticos por la magnífica adaptación de los cocodrilianos a este nicho ecológico. Sólo el reconocimiento del importante papel de estos soberbios animales puede evitar el final de sus 200 millones de años de éxito evolutivo.

DISTRIBUCIÓN MUNDIAL DE LOS COCODRILIANOS

MAPA 1: AMÉRICA DEL NORTE Y DEL SUR

- Aligátor americano
- Caimán de anteojos
- Yacaré
- Caimán negro
- Caimán almizclado
- Caimán almizclado del Brasil
- Cocodrilo narigudo
- Cocodrilo del Orinoco
- Cocodrilo pardo
- Cocodrilo cubano

MAPA 2: ÁFRICA

- Cocodrilo de Guinea
- Cocodrilo del Nilo
- Cocodrilo enano
- Cocodrilo palustre

MAPA 3: ASIA Y AUSTRALIA

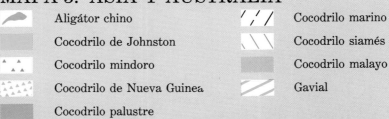

Aligátor chino

Cocodrilo de Johnston

Cocodrilo mindoro

Cocodrilo de Nueva Guinea

Cocodrilo palustre

Cocodrilo marino

Cocodrilo siamés

Cocodrilo malayo

Gavial

ANATOMÍA Y FISIOLOGÍA

FRANK J. MAZZOTTI

Los cocodrilianos son los reptiles más avanzados. La mayoría de sus «avances» son internos, como el corazón, con dos aurículas y dos ventrículos, el diafragma y la corteza cerebral, y su primitiva morfología externa es un reflejo de sus hábitos principalmente acuáticos.

Son animales alargados, acorazados y semejantes a lagartos, con una cola musculosa comprimida lateralmente, que utilizan para nadar. Las fosas nasales están situadas cerca del extremo del hocico, muy alargado, lo que permite que el animal pueda respirar cuando está sumergido en el agua. La piel está formada por una gruesa capa dérmica, cubierta de escamas córneas (o escudos) no superpuestas. Una serie de placas óseas incrustadas en la piel (osteodermos) constituyen la armadura dorsal. Los dientes son tecodontos, lo cual significa que están implantados en alvéolos del maxilar, en lugar de estar fundidos con la parte superior (acrodontos) o lateral (pleurodontos) de la mandíbula, como en otros reptiles. El cráneo cocodriliano es diápsido, con dos aberturas en la región temporal, que permiten la expansión de los músculos de la mandíbula. El hocico de los cocodrilianos puede ser muy ancho, como en los caimanes, o muy estrecho, como en los gaviales. Esta característica refleja hasta cierto punto la composición de la dieta: de hecho, los hocicos más estrechos suelen caracterizar a las especies piscívoras. Como no tienen labios, los cocodrilianos no pueden cerrar completamente la boca. Tienen dos pares de patas cortas, con cinco dedos en las delanteras y cuatro en las traseras; todos los dedos están unidos parcialmente por membranas interdigitales. El éxito de esta estructura corporal queda evidenciado por los cambios relativamente escasos que se han producido desde la aparición de los cocodrilianos, a finales del Triásico, hace unos 200 millones de años.

► El maxilar superior de los cocodrilianos es prácticamente de hueso macizo y tiene escasa flexibilidad. Sin embargo, entre los bordes del maxilar inferior, la piel está suelta y es sumamente elástica.

Wendy Shattil y Robert Rozinski/Tom Stack & Associates

► La membrana interdigital de las patas traseras de los cocodrilianos les sirve para mantener el equilibrio y maniobrar en el agua (la cola les proporciona el impulso principal para la natación). Sólo desarrollan cuatro dedos, ya que el quinto dígito es un pequeño huesecillo interno.

Ralph y Daphne Keller/Australasian Nature Transparencies

J. M. La-Roque/Auscape International

◄ Puede decirse que en el intento por atrapar el pez que le han lanzado, este cocodrilo marino está «andando sobre la cola», aunque este tipo de conducta no es corriente entre los cocodrilianos.

LOCOMOCIÓN

La forma de moverse de los cocodrilianos es en gran parte consecuencia de su estructura corporal. Aunque pasan bastante tiempo en tierra, por lo general se mueven poco fuera del agua y se limitan a tomar el sol. Sin embargo, son perfectamente capaces de desplazarse en tierra para satisfacer sus necesidades térmicas o reproductivas, pasar de una extensión de agua a otra, huir de las situaciones molestas o buscar alimento. Aunque no puede compararse con su facilidad de movimientos en el agua, su locomoción terrestre puede ser asombrosamente coordinada y veloz.

Existen tres estilos diferentes de movimiento en tierra: la marcha elevada, el galope y la carrera reptante.

En contraposición con su capacidad relativamente limitada para moverse en tierra, los cocodrilianos son excelentes nadadores. Tanto en la superficie como por debajo del agua, nadan mediante ondulaciones laterales de la cola. Mantienen las extremidades estrechamente recogidas contra el cuerpo, para conseguir unas líneas más dinámicas y reducir la fricción. Por lo general surcan el agua lentamente, con suaves y elegantes movimientos de la cola. Sin embargo, cuando huyen de un enemigo o

▼▶ Este cocodrilo marino (abajo) de las costas australianas hace gala de un movimiento natatorio sinuoso y muy eficiente, en el que la larga y musculosa cola proporciona el impulso necesario. El efecto de flotación del agua permite a este joven cocodrilo (a la derecha) mantener las fosas nasales cerca de la superficie, mientras el resto del cuerpo «flota» en posición casi vertical.

persiguen a una víctima, los cocodrilianos son capaces de moverse con bastante rapidez e incluso llegan a saltar fuera del agua, en una «marcha sobre la cola» que recuerda a los delfines. Cuando no se desplazan, mantienen las extremidades separadas del cuerpo, aparentemente para conservar o corregir la posición.

Pese a sus excelentes dotes de nadadores, la mayoría de los cocodrilianos evitan las zonas azotadas por el viento

o las olas. En aguas tranquilas, sólo tienen que mantener los orificios nasales por encima de la superficie para respirar. En aguas revueltas, en cambio, se ven obligados a levantar el hocico en ángulo agudo por encima del agua durante la inspiración, lo cual, al parecer, dificulta la natación. Por lo tanto, los cocodrilianos prefieren las aguas tranquilas y suelen buscar protección en la orilla cuando las condiciones son adversas.

CAMINAR, CORRER Y REPTAR

GEORGE R. ZUG

Tanto individual como colectivamente, los cocodrilianos presentan varias modalidades de locomoción. Cuando se desplazan sin prisas en tierra, los cocodrilos y los caimanes avanzan con una majestuosa «marcha elevada»; sin embargo, si se sienten amenazados, se precipitan hacia el agua con una carrera reptante muy poco elegante. Algunas especies son capaces incluso de galopar por la playa.

La marcha elevada de los cocodrilianos es un caso único entre los reptiles vivientes. Las tortugas y los lagartos adoptan para andar una postura extendida a lo ancho, con las extremidades proyectadas hacia los lados y no hacia abajo, de forma que el cuerpo prácticamente no se separa del suelo. Por el contrario, las patas de las aves y de los mamíferos se extienden directamente por debajo del cuerpo y los levantan del suelo. La marcha elevada de los cocodrilianos se asemeja mucho más a la postura adoptada por los mamíferos para andar que al típico desplazamiento de los reptiles. Los cocodrilianos llevan las extremidades en posición casi vertical por debajo del cuerpo, lo que les permite separar y levantar del suelo gran parte de la cola.

La marcha de los cocodrilianos presenta la misma secuencia de movimientos de las extremidades que la de todos los cuadrúpedos: delantera derecha, trasera izquierda, delantera izquierda, trasera derecha, y así sucesivamente. A medida que el animal avanza, esta secuencia diagonal produce un trípode de apoyo bien equilibrado. Cuando la velocidad aumenta, las extremidades diagonalmente opuestas comienzan a avanzar casi simultáneamente, en una especie de trote. El soporte bípedo resultante es menos estable, pero el rápido vaivén entre los pares diagonales de apoyo es suficiente para establecer un equilibrio dinámico.

Sin embargo, si las extremidades se mueven demasiado rápidamente, el equilibrio se pierde, y el cocodriliano, especialmente si se trata de un ejemplar adulto, parece derrumbarse en una nueva forma de locomoción, con el vientre a ras del suelo y las extremidades abiertas hacia los lados. Con ondulaciones laterales del cuerpo y golpes de las extremidades utilizadas casi como remos, el animal se desliza pataleando hacia el agua. Esta marcha reptante sobre el vientre es especialmente eficaz para huir velozmente en las riberas con pendientes pronunciadas.

En los cocodrilos más pequeños, la carrera se puede convertir en una especie de galope saltarín: el animal se impulsa en un brinco con las patas traseras, estira el cuerpo y cae sobre las extremidades delanteras al final del salto, mientras recoge las patas traseras y vuelve a extenderlas para lograr un nuevo impulso. Este galope permite alcanzar velocidades de entre 3 y 17 km/h, bastante menos que los 15 a 30 km/h de algunos mamíferos, pero bastante más que los 0,3 a 4,5 km/h de la marcha elevada de los cocodrilianos.

▶ Una de las configuraciones características de las riberas de los ríos tropicales es el barro aplastado por los cocodrilos al deslizarse hacia el agua. Los individuos más desarrollados, en particular, tienen muy pocas probabilidades de levantar el pesado vientre por encima del barro (arriba). Los cocodrilianos se parecen más a sus ancestrales dinosaurios cuando se desplazan en tierra. En zonas de tierra seca, la majestuosa marcha elevada, que nunca es a gran velocidad, constituye sin embargo un medio de locomoción mucho más eficaz que la carrera sobre el vientre, por lo menos para este enorme cocodrilo palustre o de los pantanos (centro). La forma más rápida de desplazamiento en tierra es el galope, que se observa muy raramente y que sólo pueden lograr unas pocas especies, como el cocodrilo de Johnston, por lo general en caso de alarma (a la derecha).

Bill Green

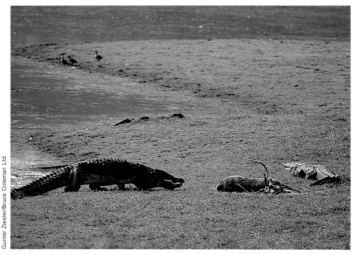

Gunter Ziesler/Bruce Coleman Ltd.

Gunter Deichmann / Auscape International

Robert C. Simpson/Tom Stack & Associates

◀ En la práctica, el interior de la boca de este aligátor americano está fuera de su cuerpo y tan en contacto con el ambiente que lo rodea como su piel. Sólo cuando pasa a través de la válvula laríngea, el alimento ingresa realmente en el «ambiente interno» del animal.

RESPIRACIÓN Y CIRCULACIÓN

Los cocodrilianos están adaptados para respirar en un medio acuático. Las fosas nasales se encuentran sobre el extremo del alargado hocico y se cierran para impedir que el agua entre durante las inmersiones. Al igual que los mamíferos, los cocodrilianos presentan un paladar secundario bien desarrollado, formado por la unión de los huesos maxilares, palatinos y pterigoides en la bóveda de la boca. Los conductos nasales se extienden por encima del paladar secundario y comunican directamente con la garganta, por detrás de una válvula compuesta de un pliegue carnoso en la parte posterior del paladar y otro pliegue similar sobre la lengua. Esta válvula separa el agua del aire inspirado y permite que el cocodrilo respire mientras está sumergido (a excepción de las fosas nasales) o mientras aferra una víctima con las mandíbulas.

Los pulmones tienen numerosas cámaras grandes, repleta cada una de ellas de numerosas cámaras pequeñas, lo cual les confiere un aspecto esponjoso, debido a las bolsas de aire atrapado. Los pulmones se llenan por succión, cuando los músculos del tórax elevan las costillas, expandiendo la cavidad corporal. Los cocodrilianos disponen de un equivalente del diafragma de los mamíferos: un tabique muscular que separa la cavidad pulmonar del peritoneo. Este sistema permite una ventilación pulmonar más eficaz.

A diferencia de otros reptiles vivos, los cocodrilianos tienen un corazón con cuatro cavidades, como los mamíferos. Los ventrículos están completamente divididos por un tabique, que separa dentro del corazón la corriente de sangre oxigenada del flujo de sangre desoxigenada. Aun así, los dos tipos de sangre se mezclan un poco cuando las arterias que transportan la sangre oxigenada del ventrículo izquierdo se «comunican» con las del ventrículo derecho a través del agujero de Panizza.

La circulación periférica de los cocodrilianos varía según la temperatura ambiental, el movimiento, las inmersiones y el miedo. Obviamente, el aumento de la circulación sanguínea periférica constituye una ventaja para un animal que se está calentando al sol, ya que incrementa la transferencia de calor desde el exterior hacia el centro del cuerpo; su disminución, por el contrario, reduce la pérdida de calor en las épocas más frescas. Los cocodrilos pueden disminuir la circulación periférica durante las inmersiones; de esta forma, reducen el aporte sanguíneo a los músculos, a la vez que mantienen el aporte de sangre oxigenada al corazón y al cerebro.

▼ El corazón de los cocodrilianos, de cuatro cavidades, único entre los reptiles, aumenta la eficiencia de la circulación sanguínea al separar la sangre oxigenada de la desoxigenada, aun cuando el agujero de Panizza permite que se mezclen hasta cierto punto. Durante la inmersión, se reduce el flujo sanguíneo hacia las arterias pulmonares, y el agujero de Panizza se cierra. De esta forma, el corazón y el cerebro siguen recibiendo sangre oxigenada, al tiempo que la sangre desoxigenada se desvía hacia órganos menos vitales.

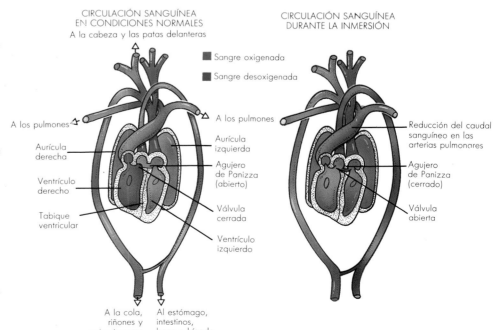

CIRCULACIÓN SANGUÍNEA
EN CONDICIONES NORMALES
A la cabeza y las patas delanteras

■ Sangre oxigenada
■ Sangre desoxigenada

A los pulmones

Aurícula derecha

Ventrículo derecho

Tabique ventricular

A la cola, riñones y patas traseras

Al estómago, intestinos, bazo e hígado

A los pulmones

Aurícula izquierda

Agujero de Panizza (abierto)

Válvula cerrada

Ventrículo izquierdo

CIRCULACIÓN SANGUÍNEA
DURANTE LA INMERSIÓN

Reducción del caudal sanguíneo en las arterias pulmonares

Agujero de Panizza (cerrado)

Válvula abierta

Los cocodrilianos disponen de dos respuestas fisiológicas para adaptar la circulación sanguínea periférica: pueden acelerar (taquicardia) o retardar (bradicardia) el latido cardiaco, o bien ensanchar (vasodilatación) o estrechar (vasoconstricción) los vasos sanguíneos. Combinando estas dos respuestas, los cocodrilianos pueden controlar eficazmente la circulación sanguínea y, en consecuencia, el aporte de oxígeno y calor a las diferentes partes del cuerpo.

TERMORREGULACIÓN

Los cocodrilianos son animales poiquilotermos, es decir, dependen de fuentes externas de calor para elevar su temperatura corporal. La temperatura corporal depende del intercambio de calor entre el animal y su ambiente y está marcadamente influida por la radiación solar y la conducción del calor en el agua. El agua puede servir como fuente de calor, en épocas de baja temperatura, y como medio refrigerante, cuando el animal está demasiado caliente.

La termorregulación de los cocodrilianos (aumento y disminución de la temperatura corporal) está determinada básicamente por el comportamiento. La selección térmica (que consiste en elegir regímenes de temperatura para regular el calor corporal) es un complejo proceso de comportamiento que varía de una especie a otra de cocodrilianos, sobre todo entre las de climas templados y las de climas tropicales, y depende además de una serie de factores que inciden sobre cada individuo. Las dimensiones, el sexo, la actividad alimentaria, la salud y el comportamiento social influyen sobre la conducta térmica. Además del comportamiento, ciertos mecanismos fisiológicos pueden influir sobre la temperatura corporal, al alterar la producción y la circulación del calor dentro

del cuerpo, así como el intercambio de calor entre el animal y su ambiente. El efecto de la producción de calor metabólico sobre la temperatura corporal es mínimo en los animales pequeños, pero puede ser importante en los más voluminosos. La circulación del calor dentro del cuerpo puede estar influida por la desviación del torrente sanguíneo de unas regiones del cuerpo a otras. Cada órgano tiene diferentes índices de calentamiento, por lo que las modificaciones cardiovasculares pueden tener efectos locales sobre el aumento o la disminución del calor. Los osteodermos de algunas especies de cocodrilianos están muy vascularizados, lo cual puede influir sobre la ganancia o la pérdida de calor. También los «bostezos» pueden servir para alterar la tasa de intercambio de calor en la región de la cabeza, al someter las membranas húmedas de la boca y del área de las mejillas a una mayor evaporación refrescante.

Hay, sin embargo, comportamientos específicos de búsqueda o rechazo del calor en tierra o en el agua, que constituyen los métodos fundamentales de regulación de la temperatura corporal entre los cocodrilianos. Las notables diferencias de comportamiento térmico entre las distintas especies provocan diferencias de la temperatura corporal. La diferencia más significativa es tal vez la observada en la selección térmica de los caimanes de las regiones templadas, frente a las especies de cocodrilianos de clima tropical.

Por ejemplo, para calentarse, los caimanes toman el sol en tierra por la mañana, mientras que por la tarde dejan que parte del dorso aflore por encima del agua para exponerlo a los rayos solares. Mantienen una temperatura corporal más o menos constante durante el día y por la noche se sumergen en el agua. Como el agua se enfría

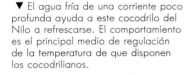

▼ El agua fría de una corriente poco profunda ayuda a este cocodrilo del Nilo a refrescarse. El comportamiento es el principal medio de regulación de la temperatura de que disponen los cocodrilianos.

Heather Angel/Biofotos

más lentamente que la tierra, la temperatura corporal de los caimanes desciende gradualmente por la noche, hasta que llega el momento de volver a tomar el sol por la mañana. Durante los meses invernales, pasan más tiempo al sol en días despejados y buscan la protección del agua en días nublados, cuando la radiación solar es menor. El comportamiento de las especies tropicales, por el contrario, se caracteriza más por el rechazo que por la búsqueda del calor. El cocodrilo marino (*Crocodylus porosus*) se desliza en el agua a primera hora de la mañana, durante un breve periodo, para luego sumergirse y permanecer sumergido durante la mayor parte del día. Para reducir la temperatura corporal, se desplaza a tierra por la noche. En invierno, esta especie, al igual que el caimán de anteojos (*Caiman crocodilus*), pasa más tiempo al sol durante el día. El caimán de anteojos y el cocodrilo narigudo (*Crocodylus acutus*) pasan gran parte del día en tierra en invierno, aun cuando la temperatura del aire sea más baja que la del agua. Como consecuencia de estos diferentes comportamientos térmicos, las especies

tropicales presentan una temperatura corporal más baja y más variable que las especies de clima templado.

Al contrario de lo que afirman muchos informes publicados, los cocodrilos no recurren a la hibernación para sobrevivir al frío del invierno. La mayoría de las especies permanecen activas durante los periodos más templados del invierno y sólo los aligatores están expuestos periódicamente a temperaturas heladas. Muchos investigadores de Luisiana y de Carolina del Norte y del Sur han observado una singular adaptación etológica para sobrevivir a estas condiciones ambientales. Cuando se aproxima un frente frío, los caimanes adoptan una postura de respiración sumergida en aguas poco profundas, asomando tan sólo las fosas nasales.

Factores externos e internos modifican la termorregulación de los cocodrilianos. Los ritmos circadianos, las condiciones climáticas, las interacciones sociales y el ciclo reproductivo son todos factores que influyen sobre el comportamiento térmico. La temperatura corporal preferida depende del estado

▲ Aunque los cocodrilianos son poiquilotermos —su temperatura sanguínea varía con la del medio ambiente—, pueden mantener la temperatura corporal dentro de unos márgenes muy limitados gracias a una serie de comportamientos, pasando de medios cálidos a otros más frescos (o viceversa), sin perder oportunidades de descansar, cazar o participar en interacciones sociales.

EN EL FRÍO INVIERNO

I. LEHR BRISBIN, JR.

El solo hecho de imaginarnos caimanes en el hielo y la nieve resulta un tanto extravagante, y, sin embargo, el área de distribución del aligátor chino y del americano se extiende hacia el norte, hasta regiones donde todos los años se registran periodos de heladas y a veces nieva. Los estudios sobre la forma en que los caimanes se han adaptado a estas condiciones invernales, breves pero muy adversas, revisten particular interés con respecto a la posible influencia de los cambios climáticos prehistóricos y a la reducción de las temperaturas ambientales como factor para la extinción de otros grandes reptiles arcosaurios.

Los estudios de laboratorio sobre los cambios estacionales de la fisiología de los caimanes han revelado que, si bien estos animales tienden a presentar menor concentración de glucosa en la sangre y prácticamente ningún apetito durante los meses de invierno, reanudan la actividad en esta época del año si las temperaturas son suficientemente elevadas y no sufren cambios estacionales de la tasa metabólica. Así pues, los caimanes no pasan por una auténtica hibernación; sin embargo, como todos los reptiles poiquilotermos, se vuelven inactivos y entran en un estado de adormecimiento cuando su temperatura corporal desciende por debajo de los niveles necesarios para mantener la actividad normal.

Los estudios radiotelemétricos de caimanes adultos libres para moverse, sometidos a breves periodos invernales fríos, con descensos de la temperatura ambiente hasta alcanzar los −3,1 °C, han revelado, asombrosamente, que ninguno de los animales estudiados buscó refugio en cuevas subacuáticas o subterráneas, como previamente se pensaba que harían. Por el contrario, ante la aproximación de cada frente frío, los caimanes buscaron en todas las ocasiones zonas de aguas tranquilas y poco profundas, donde pudieran situar las fosas nasales de manera que les fuera posible mantener un pequeño orificio de respiración en el hielo que se estaba formando sobre ellos. En muchos casos, la cola y la parte trasera del cuerpo de los adultos más voluminosos se extendían hacia aguas más profundas y templadas, lejos de la orilla, pero todos los animales trataron siempre de mantener el extremo del hocico justo por debajo del orificio de respiración en el hielo, que en algunos casos llegó a formar una capa de hasta 1,5 cm de grosor. Puesto que estos caimanes, a diferencia de muchas tortugas, ranas y otros anfibios, son aparentemente incapaces de reducir la tasa metabólica hasta el punto de subsistir únicamente mediante la respiración anaerobia, el mantenimiento de un contacto constante con un respiradero abierto en el hielo parece ser un requisito esencial para su supervivencia. De hecho, en un caso en que el orificio de respiración finalmente se heló y se cerró, el caimán en cuestión fue hallado muerto más tarde. Se han encontrado asimismo, tanto en condiciones naturales como en cautividad, algunos caimanes con el hocico incrustado en el hielo, lo que indica que el animal no fue capaz de liberarse ante el avance de la helada. Sin embargo, en todos los casos en que las fosas nasales permanecieron abiertas por encima de la superficie, los caimanes sobrevivieron y no presentaron efectos adversos después del deshielo. Los termómetros implantados en animales salvajes con collarines radiotransmisores han registrado temperaturas corporales internas de apenas 5 °C durante las épocas más frías, seguidas de una completa recuperación.

Aunque los caimanes más jóvenes necesitan al parecer el refugio que les proporciona su madre para soportar el frío, al menos durante el primer invierno, los adultos más desarrollados pueden sobrevivir sin problemas los periodos de frío relativamente intenso que se registran en las zonas más septentrionales de sus áreas de distribución. Su supervivencia se debe a la inercia térmica de sus grandes masas corporales, combinada con una selección del microhábitat y con la utilización de medios específicos de termorregulación conductual.

capa de hielo

sustrato de barro

aguas más profundas y templadas

Bill Green

◀ El barro es una defensa tan buena contra las temperaturas ambientales extremas como el agua. Mientras permanece en el barro, el cocodrilo no se calienta en exceso y se mantiene a salvo de insectos y parásitos.

nutricional, la edad, la salud, la temperatura de incubación y el contexto social de cada animal. Los cocodrilianos se desplazan entre el agua y la tierra, como respuesta a los ciclos de luz y oscuridad, así como a las diferencias estacionales de temperatura. Los animales de mayor tamaño ejercen un predominio social sobre los pequeños y los mantienen alejados de las áreas donde imperan los regímenes de temperatura preferidos. Una serie de conductas asociadas con la reproducción, especialmente el cortejo y la nidificación, pueden condicionar los comportamientos térmicos.

La termofilia (búsqueda del calor) después de la alimentación se ha observado en todas las especies de cocodrilianos estudiadas, pero su frecuencia es menor en los géneros de climas tropicales, *Crocodylus* y *Caiman*, que en el género *Alligator*, propio de zonas más templadas. El incremento de la temperatura corporal después de la ingestión de alimentos aumenta el ritmo de la digestión (paso del alimento a través del sistema digestivo) y favorece la descomposición y absorción de las proteínas. Sin embargo, en otros reptiles, y posiblemente también en los cocodrilianos, la eficiencia digestiva (cantidad de energía extraída del alimento) no sufre modificaciones apreciables en un amplio margen de temperaturas. Al parecer, la principal ventaja de la termofilia es la reducción del tiempo de la digestión, lo cual permite al animal comer más (si hay alimento disponible) y le deja más tiempo para otras actividades, como eludir a los enemigos y desarrollar comportamientos sociales. La selección de temperaturas más bajas cuando no se está alimentando reduce las exigencias de energía para el mantenimiento de las funciones básicas del animal y, por lo tanto, aumenta su ganancia energética neta.

Los estudios sobre cocodrilianos en condiciones naturales indican que la temperatura corporal de los individuos jóvenes y adultos es similar, pese a las diferencias de tamaño, que a su vez determinan diferencias en el intercambio de calor con el ambiente y en el transporte de calor en el interior del cuerpo. Esta comprobación destaca la importancia del comportamiento térmico en la termorregulación. Sin embargo, cuando los huevos acaban de hacer eclosión, es frecuente observar una característica termofilia en los animales más jóvenes. En este caso, la termofilia podría facilitar la digestión de reservas residuales de yema, fomentando así el crecimiento y, en última instancia, la supervivencia.

Tras una infección por agentes patógenos, las aves y los mamíferos suelen reaccionar con fiebre, que se acentúa por la producción interna de calor metabólico. Investigaciones recientes han revelado que también los poiquilotermos pueden desarrollar fiebres «conductuales» como respuesta a las infecciones, y que estas fiebres aumentan sus probabilidades de supervivencia. Jeff Lang, investigador de la Universidad de Dakota del Norte, ha demostrado experimentalmente que el aligátor americano (*Alligator mississippiensis*) reacciona con fiebre ante las infecciones. Los caimanes que tenían libertad para regular su temperatura mediante desplazamientos de la tierra al agua y viceversa eran más resistentes a las infecciones. Es muy probable que la mayoría de los cocodrilianos reaccionen de forma similar.

Las temperaturas de incubación de los huevos de los reptiles afectan al crecimiento y el desarrollo del embrión y, en algunos casos (especialmente en los cocodrilianos y en las tortugas), determinan el sexo del individuo. Además, la influencia térmica durante el desarrollo puede afectar a la fisiología y el comportamiento de los individuos más jóvenes. Por ejemplo, los caimanes recién salidos del cascarón que han sido incubados a temperaturas elevadas prefieren las temperaturas corporales más altas, aunque no se sabe cómo se produce este fenómeno ni si los caimanes son los únicos reptiles que lo presentan.

Jean-Paul Ferrero/Auscape International

▲ El cocodrilo marino está adaptado a la vida en un ambiente oceánico por tener, como todos los cocodrilianos, una piel gruesa que impide la pérdida de fluidos y unos riñones que concentran los detritos nitrogenados en ácido úrico. Tiene además unas glándulas salinas en la lengua (al igual que algunas especies de agua dulce) que sirven para excretar el exceso de sal.

OSMORREGULACIÓN

En los cocodrilianos, el aspecto más importante de la osmorregulación (mantenimiento del equilibrio entre la sal y el agua dentro del organismo) es la naturaleza semiacuática de las especies vivas. Los cocodrilianos viven sobre todo en agua dulce e incluso las especies más acuáticas pasan bastante tiempo tomando el sol en tierra. El cocodrilo narigudo tiene su hábitat en los estuarios, lo mismo que el cocodrilo marino, que pese a su nombre tampoco puede considerarse realmente marino.

La osmorregulación de los cocodrilianos es semejante a la de otros reptiles acuáticos, y la concentración de sal en los fluidos corporales se mantiene en los niveles típicos de otros vertebrados (alrededor de un tercio de la concentración registrada en el agua de mar). Sin embargo, los distintos hábitats (de agua dulce a estuarios) determinan diferentes estrategias para mantener el equilibrio entre la sal y el agua. Otro aspecto de la osmorregulación en los cocodrilianos, que probablemente reviste la misma importancia, es la exposición de algunas especies a temporadas periódicas de sequía. Las consecuencias fisiológicas de las condiciones deshidratantes se conocen poco, pero deben ser considerables.

Los problemas osmorregulatorios planteados por la vida en agua dulce o salobre guardan relación con las cantidades de agua y sales intercambiadas a través de diversas superficies corporales. En los cocodrilianos, las vías potenciales de absorción de agua y sales son el agua bebida deliberadamente, la ingestión de agua simultánea a la alimentación, la ingestión de alimentos y la absorción a través de la piel y de las mucosas de la boca. El animal pierde agua y sales en las heces y la orina, en el aire espirado, en las excreciones de las glándulas salinas de la lengua y a través de la piel. La importancia relativa de cada vía depende de la salinidad externa, de la permeabilidad de las distintas membranas y de las diferencias de comportamiento entre una especie y otra. Por ejemplo, el cocodrilo marino y el narigudo, habitantes de los estuarios, no beben agua de mar aunque estén deshidratados, al contrario del aligátor americano y el cocodrilo pardo (*Crocodylus moreletii*), mejor adaptados a los ambientes de agua dulce. Esta conducta, que aumenta considerablemente la concentración de sodio, ha matado a algunos ejemplares de laboratorio.

A pesar de ser el hábitat principal de los cocodrilianos, se sabe relativamente poco acerca de sus procesos de osmorregulación cuando están sumergidos en agua dulce. El aligátor americano o caimán del Mississippi es, con diferencia, la especie mejor estudiada, y hay también bastante información sobre el cocodrilo narigudo y el marino. La concentración de iones en el plasma de los cocodrilos sumergidos en agua dulce es semejante a la de otros reptiles de hábitat similar, cuyo problema clásico es la hiperosmorregulación (mantenimiento de una concentración de sal en los fluidos del organismo muy superior a la del medio que los rodea). Para superar

VARIACIONES EN LA CORAZA DORSAL

FRANKLIN D. ROSS

Muchos de los primitivos antepasados arcosaurios de los cocodrilianos poseían una coraza ósea alojada en la piel, inmediatamente por encima de la columna vertebral. Los fósiles del grupo más primitivo de cocodrilianos, los protosuquios, cuya existencia se remonta a finales del Triásico y principios del Jurásico, presentan pares de placas óseas rectangulares, situadas a caballo de las vértebras y unidas por la línea media. Cada par tiene los bordes curvados hacia abajo y ligeramente redondeados y, a partir de los pequeños elementos situados inmediatamente por detrás de la cabeza, los pares de escudos se ensanchan y forman una secuencia de lados paralelos que se extiende sobre la mayor parte del cuello, todo el tronco y gran parte de la cola, hasta estrecharse y formar los diminutos pares posteriores. La función de esta estrecha coraza dorsal no se conoce con certeza, pero puede que haya sido de apoyo: probablemente sirviera para fortalecer la columna vertebral de los protosuquios, relativamente débil, para los desplazamientos en tierra.

En los mesosuquios, grupo de cocodrilianos esencialmente acuáticos que precede a los eusuquios o cocodrilianos «modernos», las primeras filas de escudos dorsales inmediatamente por detrás del cráneo estaban reducidas o habían desaparecido, para permitir la flexibilidad necesaria para echar la cabeza hacia atrás o levantar el hocico y sacarlo del agua en el momento de tragar. Como los protosuquios, los mesosuquios mantuvieron la relación de una fila transversa de osteodermos por cada vértebra, pero muchos poseían una coraza más ancha en el tronco, a veces con grandes púas óseas en los extremos laterales, con articulaciones entre las piezas yuxtapuestas y filas de más de dos escudos extendidas hacia los lados. Esta maciza, robusta y ancha armadura era defensiva, pero también es probable que contribuyera en alguna medida en la termorregulación. Tal vez funcionara como colector solar, permitiendo que muchos capilares se aproximaran sin riesgos a la superficie para absorber la energía solar.

Entre los cocodrilianos modernos, hay especies con corazas extensas y sumamente osificadas, y otras que han reducido el tamaño o el número de los escudos (o ambos), de manera que su cuerpo resulta menos acorazado y protegido, pero también más flexible y menos aparatoso. En algunas especies, los pares de filas transversas del cuello están fundidos y forman los elementos de una especial coraza cervical; en algunas ocasiones se observa en la base del cuello y sobre los hombros un espacio de piel desnuda, debido a la pérdida de filas transversales de escamas, de

forma que la coraza dorsal resulta discontinua. De vez en cuando, esta coraza presenta asimetrías menores en la disposición de izquierda a derecha, causadas probablemente por la curvatura del embrión dentro del huevo. Los cocodrilianos de hocico medio o ancho y con diferenciación en el tamaño de los dientes suelen estar menos acorazados y ser más flexibles que las especies de hocico fino, como el gavial (*Gavialis gangeticus*) o el cocodrilo malayo (*Tomistoma schlegelii*), que se alimentan principalmente de peces y tienen todos los dientes más o menos del mismo tamaño.

El gavial posee una coraza dorsal inusual para un cocodrilo moderno, porque tiene el mismo número de escamas en las dos filas transversales pélvicas que en el tronco, sobre los hombros y en la parte posterior del cuello: seis en los individuos muy jóvenes y cuatro en los adultos. Esta pérdida de dos filas longitudinales de escamas, las de los extremos laterales, es un fenómeno único entre los cocodrilianos vivos. La mayoría de las especies actuales conservan el mismo número de escamas durante toda la vida: por lo general, cuatro escudos en las filas transversales pélvicas, entre seis y ocho en el tronco, de cero a cuatro en los hombros y la base del cuello y varios escudos fundidos en elementos mayores en la región cervical.

La coraza cervical más reducida se observa en el cocodrilo narigudo y el cocodrilo marino, las dos especies que toleran el agua salada y cuyas áreas de distribución abarcan zonas oceánicas. La coraza dorsal más extensa es la del caimán de anteojos (*Caiman crocodilus*) y la del caimán negro (*Melanosuchus niger*), que pueden presentar hasta 12 escudos en las filas transversales del tronco. También son extensas, aunque en menor grado, las corazas de los caimanes enanos o almizclados (género *Paleosuchus*), del cocodrilo enano (*Osteolaemus tetraspis*) y del aligátor chino (*Alligator sinensis*). En su caso, la masiva osificación y el contacto y superposición de las placas crean una formidable y rígida armadura sobre el dorso y el cuello. Las especies de caimanes enanos y el cocodrilo enano tienen apenas once filas transversales de doble cresta sobre la cola antes de que comiencen las caudales de una sola cresta. La mayoría de las especies tienen 14 o 17-19 filas caudales de doble cresta.

▼ La coraza del caimán negro (izquierda) no puede compararse a la de ningún otro cocodrilio moderno: cada uno de los escudos dorsales y cervicales es tan grueso y duro como el tacón de una bota. El cocodrilo marino (derecha) carece por lo general de la serie de escamas osificadas situadas inmediatamente detrás del cráneo y que se observan en otros cocodrilianos.

William E. Magnusson

Jack Green/Australian Nature Photographs

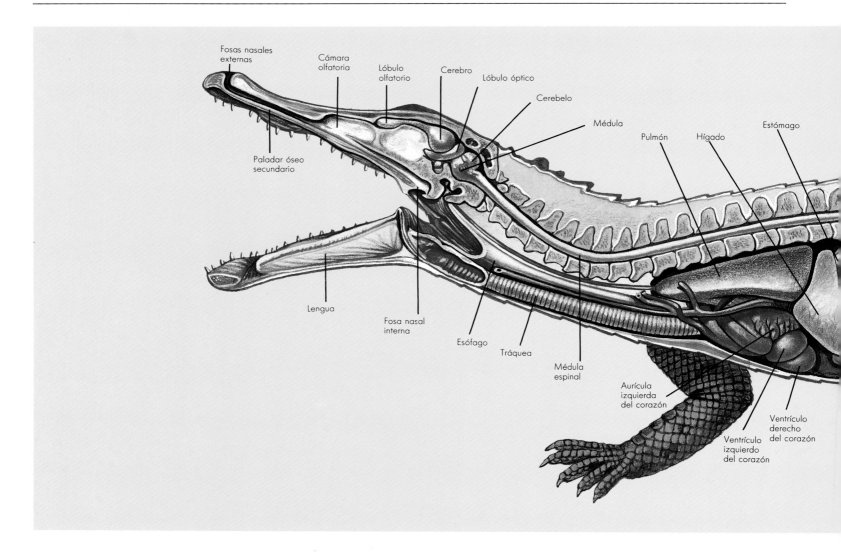

Fosas nasales externas

Cámara olfatoria

Lóbulo olfatorio

Cerebro

Lóbulo óptico

Cerebelo

Médula

Pulmón

Hígado

Estómago

Paladar óseo secundario

Lengua

Fosa nasal interna

Esófago

Tráquea

Médula espinal

Aurícula izquierda del corazón

Ventrículo derecho del corazón

Ventrículo izquierdo del corazón

▲ La anatomía de los cocodrilianos es una interesante combinación de características propias de los reptiles, de los mamíferos y de las aves. Los cocodrilianos tienen un avanzado paladar duro, un corazón con cuatro cavidades, un cerebro semejante al de un ave y un sistema respiratorio muy eficiente, pero carecen de vejiga urinaria y su sistema digestivo es prácticamente idéntico al de cualquier reptil. Sus dientes están especializados en las acciones de sujetar y desgarrar la presa, no en masticar, por lo que el estómago presenta dos partes: un buche muscular que tritura los alimentos y una sección digestiva.

este problema, deberían disponer de mecanismos para conservar los solutos (como el sodio) y eliminar el exceso de agua.

La eliminación de sodio en los cocodrilianos de agua dulce es bastante reducida y existen algunos indicios de que la conservación del sodio en los procesos renales-cloacales es bastante eficaz. Parece ser que la piel es la principal vía de pérdida de sodio. Sin embargo, los cocodrilianos son menos eficientes o están menos especializados en la retención de sodio en agua dulce que las tortugas. Ciertamente, no presentan signo alguno de la absorción activa de sodio que se observa en algunas especies de tortugas de agua dulce.

En contraposición con la eliminación relativamente escasa de sodio en los cocodrilos sumergidos en agua dulce, la pérdida de agua es muy considerable. Las variaciones en el volumen de agua eliminada son notables, pero no parecen estar relacionadas con la salinidad externa. Gran parte del intercambio de agua tiene lugar a través de la piel, siendo las membranas orales mucho más permeables que la epidermis. Es interesante señalar que la piel de los caimanes es considerablemente menos permeable que la de muchos reptiles de agua dulce, pero es similar a la del mocasín acuático anfibio, lo cual tiene que ver, probablemente, con la gran cantidad de tiempo que los cocodrilos pasan en tierra.

Cuando están en tierra, la pérdida de agua se produce no sólo mediante la respiración, sino a través de la piel y de la boca. Estudios detallados sobre la pérdida de agua por evaporación en los caimanes han revelado que el volumen de agua eliminada está directamente relacionado con la temperatura y es inversamente proporcional al tamaño corporal. El ritmo de la pérdida de agua por evaporación se sitúa entre los valores normales de los reptiles terrestres y los característicos de los reptiles acuáticos, hecho que pone de manifiesto una vez más la naturaleza anfibia de los cocodrilianos.

Los riñones y la cloaca desempeñan un papel menos importante en la excreción de cloruro sódico, pero son la vía principal de eliminación de los detritos nitrogenados. En condiciones de hidratación, los cocodrilianos excretan el nitrógeno sobre todo en forma de bicarbonato de amonio; en caso de deshidratación, el ácido úrico pasa a ser el principal medio de eliminación del nitrógeno. Al parecer, los riñones no regulan de forma notable la excreción de agua y sales, pero la regulación de la absorción de agua y sales se da en la cloaca. El cloruro sódico es absorbido casi por completo en la cloaca del cocodrilo narigudo en estado de hidratación, pero la absorción es menos completa cuando la concentración de sal es mayor. Ello podría ser importante para los reptiles terrestres que soportan temporadas periódicas de sequía.

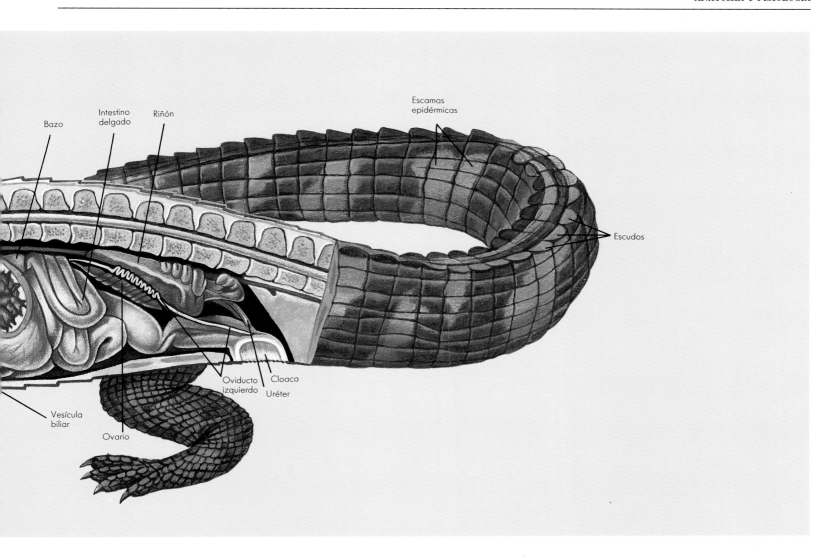

La tolerancia de los cocodrilos al agua salada guarda relación con su bajo nivel de pérdida de agua (en comparación con otros reptiles acuáticos), con su reducido índice de absorción de sodio, su capacidad para excretar el exceso de sodio y sus conductas osmorregulatorias, que consisten en no beber agua salada y en buscar agua dulce después de alimentarse en zonas de agua salada. Su capacidad para regular su estado interno ante condiciones ambientales fluctuantes es el resultado de adaptaciones fisiológicas y del comportamiento.

El hallazgo más importante en relación con la osmorregulación de los cocodrilianos en agua salada ha sido el descubrimiento, realizado por Gordon Grigg y Laurence Taplin, de la Universidad de Sydney, de glándulas salinas en la lengua de los cocodrilos, que no están presentes en la lengua de los caimanes. La capacidad de los caimanes para sobrevivir durante periodos considerables en aguas salinas se debe probablemente a su bajo índice de pérdida de agua y de absorción de sodio, pero queda limitada por su incapacidad para excretar el exceso de sodio.

Es importante señalar que los cocodrilos recién salidos del cascarón toleran mucho peor los medios salinos que los individuos jóvenes ligeramente más grandes, quizás porque la relación entre superficie y volumen es mucho mayor en los ejemplares pequeños, que necesitan un considerable aporte energético para excretar la sal.

Cabe preguntarse por qué algunas especies continentales del género *Crocodylus* poseen glándulas salinas, si éstas pueden considerarse principalmente una adaptación para la osmorregulación en agua salada. La presencia de estas glándulas en la lengua podría ser un medio para eliminar el exceso de sal acumulada durante periodos de exposición prolongada a un ambiente seco.

▼ La estructura corporal de los cocodrilos ha cambiado relativamente poco en los últimos 200 millones de años. Comprende elementos internos (abajo) y externos: la coraza dorsal (placas óseas que recubren la piel) forma el esqueleto externo.

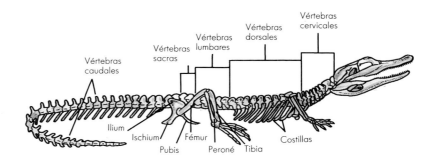

David P. Maitland/Seaphot Limited: Planet Earth Pictures/Transglobe Agency

▶ El ojo de un cocodrilo marino contempla el horizonte; a plena luz del día, la pupila es apenas una hendidura. Por la noche, la pupila puede llegar a ser casi redonda, aumentando así la admisión de luz y confiriendo al cocodrilo una agudeza visual nocturna comparable a la de un búho.

LOS SENTIDOS

El cerebro de los cocodrilianos es pequeño pero complejo. La capa superficial de la corteza cerebral contiene terminaciones nerviosas para la inteligencia o el aprendizaje. El cerebro controla además los sentidos y las acciones voluntarias, mientras que el cerebelo tiene bajo su control las acciones involuntarias de equilibrio y coordinación muscular. La médula controla la actividad de los órganos internos y de las glándulas. El lóbulo olfatorio corresponde al sentido del olfato y el lóbulo óptico, al sentido de la vista.

A diferencia de los otros sentidos, que reaccionan ante estímulos físicos, el gusto y el olfato son respuestas a estímulos químicos. El sentido del olfato está bien desarrollado en los cocodrilianos. Hay terminaciones nerviosas olfativas en las cavidades nasales, que desembocan en un par de fosas situadas en la cara superior del extremo del hocico. El órgano quimiosensible situado en el paladar de muchos reptiles está muy reducido en los cocodrilianos. En experimentos de laboratorio, caimanes jóvenes reaccionaron ante la presencia en el aire del olor de las secreciones cloacales de los machos adultos. No se conoce aún el papel que desempeña la secreción glandular en los caimanes en libertad.

Los cocodrilianos tienen el sentido del oído muy desarrollado, y presentan una gran variedad de conductas acústicas. Sus conductos auditivos externos están cubiertos por un repliegue de piel móvil, cuya función es reducir la entrada de agua durante las inmersiones. El oído interno está bien desarrollado, y el mecanismo de la audición queda asegurado por un delgado huesecillo (el estribo), que se extiende desde el oído interno hasta el tímpano. Los cocodrilianos vocalizan (o responden a las vocalizaciones) en una serie de contextos diferentes. Los adultos de algunas especies braman durante la estación de celo; los ejemplares más desarrollados silban o gruñen para alejar a los intrusos, y los más pequeños «ladran» angustiosamente para llamar a los adultos. Se han utilizado grabaciones de gritos de cocodrilos que todavía no habían salido del cascarón para inducir en los adultos la conducta de abrir los nidos.

Los cocodrilianos poseen los ojos típicos de los vertebrados, con un globo ocular rígido y esférico, donde se encuentra la retina, que es sensible a la luz. Los ojos están dispuestos lateralmente en la parte superior de la cabeza, y son más protuberantes en los caimanes que en los cocodrilos. Presentan una pupila vertical, que por las noches se dilata hasta el punto de admitir más luz de la que recogería un pupila redonda. Una adaptación añadida es la capa reflectora (tapetum lucidum), que se encuentra detrás de la retina. Las células del tapetum contienen cristales de guanina, que forman una capa semejante a un espejo, capaz de reflejar la mayor parte de la luz recibida y devolverla a las células receptoras del ojo. Entre las células receptoras figuran conos y, en mayor número, bastones, siendo muy probable que los cocodrilos puedan distinguir los colores. Los cocodrilianos tienen párpados móviles bien desarrollados y un tercer párpado transparente, la membrana nictitante, que cubre los ojos del animal durante las inmersiones, pero no le permite enfocar. Al parecer los cocodrilianos utilizan la vista para cazar en la superficie, pero dependen de otros signos sensoriales cuando están sumergidos.

▶ A través de las fosas nasales, el aligátor americano puede detectar las numerosas señales químicas del ambiente. El sentido del olfato es difícil de estudiar para los investigadores, pero se sabe que es uno de los medios que utilizan los cocodrilianos para detectar a sus víctimas y que desempeña algún papel en la reproducción.

Raymond A. Mendez/Animals Animals

RENOVACIÓN DE LOS DIENTES EN LOS COCODRILIANOS

HANS-DIETER SUES

Los dientes de los cocodrilianos modernos presentan coronas esencialmente cónicas, separadas a menudo de la raíz cilíndrica por un leve estrechamiento. Las coronas son muy puntiagudas y tienen gruesas paredes. Cada diente está implantado en un alvéolo profundo en el maxilar y queda sujeto en su sitio por tejido conjuntivo no calcificado. La dentición es por lo general más o menos isodonta, lo cual significa que todos los dientes son muy similares en forma y tamaño.

Los estudios radiográficos sobre aligatores americanos vivos, realizados por el paleontólogo canadiense A. Gordon Edmund, han determinado que la duración de la vida útil de cada pieza dentaria es de hasta dos años, aproximadamente el doble del tiempo que pasa en posición funcional. Al parecer, los dientes situados al frente del hocico se reemplazan con más frecuencia que los más cercanos a la garganta.

Los dientes de reemplazo se desarrollan a partir de material germinal en una bolsa poco profunda, situada del lado de la lengua, dentro del alvéolo dental del diente funcional. En las primeras fases de desarrollo, el diente de reemplazo migra a través de un orificio de la base cilíndrica del diente viejo y se sitúa dentro de la cavidad de la pulpa de este último, donde su corona madura hasta alcanzar el tamaño máximo. A medida que el diente de reemplazo se acerca a la madurez, los restos de la raíz del diente viejo son reabsorbidos y su corona finalmente se desprende.

En los cocodrilianos jóvenes, el reemplazo actúa según una pauta de «oleadas» que afectan a uno de cada varios dientes, desde la parte posterior de la boca hasta la anterior. En los individuos adultos, la dirección del reemplazo se invierte.

Según las investigaciones de Edmund, la regularidad del reemplazo de las piezas dentarias disminuye con la edad. En toda fila dental, las piezas contiguas se encuentran invariablemente en fases opuestas del ciclo de reemplazo.

Los múltiples episodios de reemplazo dental en los cocodrilianos y otros vertebrados no mamíferos se diferencian claramente del fenómeno observado en los mamíferos, que sólo disponen de una dentición de leche y una permanente. El sistema de reemplazo dental de los mamíferos podría ser una consecuencia evolutiva del hecho de que los dientes antagonistas del maxilar superior y el inferior encajan perfectamente entre sí (oclusión). Las repetidas renovaciones de la dentición determinarían una continua aparición de dientes más grandes que sus predecesores y perturbarían, por lo tanto, la oclusión.

▲ Todos los dientes de este cocodrilo marino están intactos; las manchas de las piezas anteriores indican probablemente la presencia de hojas, y por lo tanto de tanino, en el agua. Los dientes más largos del maxilar inferior (el cuarto a cada lado) encajan en la muesca que puede verse en el maxilar superior. Ésta es una de las principales diferencias entre los cocodrilos y los caimanes.

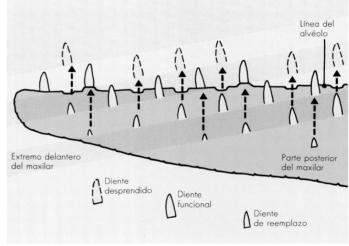

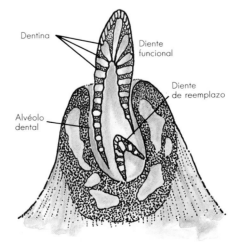

La renovación dental de los ▲◄ cocodrilos tiene lugar en «oleadas», y los dientes contiguos se renuevan en diferentes ocasiones. En cada una de estas oleadas (arriba), el diente funcional situado sobre una base elevada acaba por desprenderse, aun cuando el diente de reemplazo que le sigue no haya brotado todavía. El diente de reemplazo, adherido a láminas dentales, migra a través de un orificio en la base del diente funcional (a la izquierda), antes de madurar y adquirir su tamaño máximo. La dentina de ambos dientes está representada con bandas negras y blancas.

COCODRILIANOS ACTUALES

CHARLES A. ROSS Y WILLIAM ERNEST MAGNUSSON

Los cocodrilianos actuales se distribuyen por todas las regiones tropicales y subtropicales, allí donde existen hábitats adecuados. El género *Alligator*, sin embargo, se encuentra en las zonas más cálidas de la región meridional templada de América del Norte y de China.

Los cocodrilianos se dividen normalmente en tres grupos básicos, considerados como subfamilias por la mayoría de los taxonomistas. (Ciertas investigaciones recientes, basadas en datos bioquímicos, fisiológicos y paleontológicos, contradicen este enfoque, pero de momento sus resultados no han sido concluyentes.)

La subfamilia Alligatorinae abarca cuatro géneros con especies existentes en la actualidad: *Alligator*, al que pertenecen las dos especies de caimanes de zonas templadas; *Caiman*, compuesto por varias especies poco definidas; *Paleosuchus*, con las dos especies de caimanes almizclados, y *Melanosuchus*, el caimán negro.

La subfamilia Crocodylinae se divide en tres géneros con especies vivas en el momento actual: *Crocodylus,* los cocodrilos verdaderos; *Osteolaemus*, el cocodrilo enano, y *Tomistoma*, el cocodrilo malayo o falso gavial. (Algunos autores cuestionan la pertenencia de *Tomistoma* y *Osteolaemus* a este grupo; el cocodrilo enano, por ejemplo, comparte varias características con algunos de los caimanes.)

La tercera subfamilia, la Gavialinae, comprende sólo un género con una especie superviviente, el gavial (*Gavialis gangeticus*).

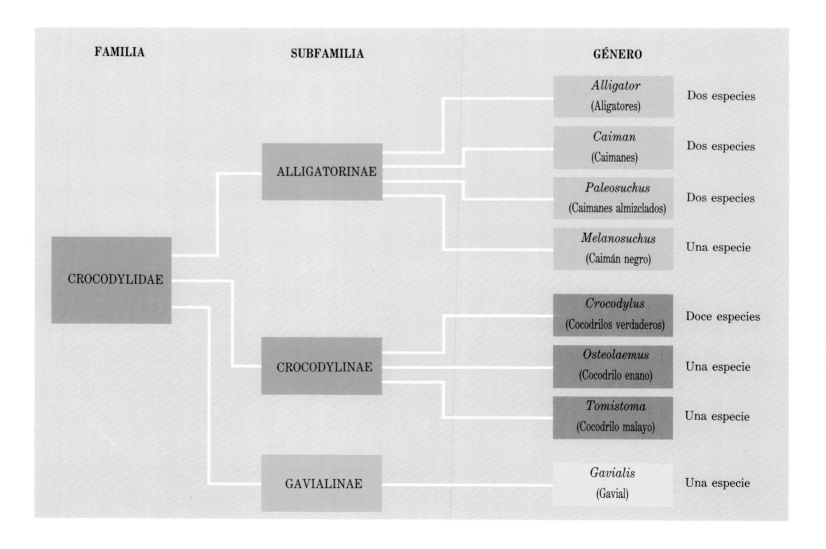

FAMILIA	SUBFAMILIA	GÉNERO	
		Alligator (Aligatores)	Dos especies
	ALLIGATORINAE	*Caiman* (Caimanes)	Dos especies
		Paleosuchus (Caimanes almizclados)	Dos especies
CROCODYLIDAE		*Melanosuchus* (Caimán negro)	Una especie
		Crocodylus (Cocodrilos verdaderos)	Doce especies
	CROCODYLINAE	*Osteolaemus* (Cocodrilo enano)	Una especie
		Tomistoma (Cocodrilo malayo)	Una especie
	GAVIALINAE	*Gavialis* (Gavial)	Una especie

SUBFAMILIA ALLIGATORINAE

Los aligatorinos actuales se diferencian del resto de los cocodrilianos por una serie de características. Los huesos nasales se extienden hacia delante para unirse con los premaxilares. Presentan una sínfisis mandibular muy corta (unión de los dos maxilares inferiores, medida por la cantidad de dientes situados a lo largo de esta unión). Los dientes de la mandíbula inferior (dientes mandibulares) encajan en cavidades del maxilar superior, de manera que cuando el animal tiene la boca cerrada, no quedan dientes mandibulares a la vista. Las escamas ventrales carecen de depresiones sensoriales.

Caimán negro
Melanosuchus niger

ASPECTO Aunque estrechamente emparentado con el caimán de anteojos y el yacaré, por su forma general recuerda más al aligátor americano. A diferencia de muchos cocodrilianos que presentan llamativos dibujos al salir del cascarón, pero pronto adquieren los colores apagados de los adultos, el caimán negro conserva una coloración y unos dibujos muy definidos durante toda su vida. Los ejemplares recién salidos del cascarón tienen la cabeza gris y el tronco negro, recorrido por líneas de puntos blancos. A medida que crecen, el gris de la cabeza se vuelve pardo y las líneas punteadas se desdibujan un poco. Aun así, incluso los adultos de más de 5 m de longitud pueden presentar una coloración más llamativa que los individuos jóvenes de la mayoría de las otras especies.
DIMENSIONES Alcanza una longitud de más de 6 m, lo cual lo convierte en el depredador de mayor tamaño del continente sudamericano.
HÁBITAT Actualmente, los adultos se encuentran sobre todo en las zonas pantanosas alrededor de los lagos y los ríos de cauce lento, pero los individuos jóvenes pueden verse a veces junto a bancos flotantes de plantas acuáticas. Antes de la caza masiva por la piel, la especie solía encontrarse en playas abiertas y otros hábitats de los que hoy en día prácticamente ha desaparecido.

DISTRIBUCIÓN Vive en toda la cuenca del Amazonas y en los ríos costeros del estado brasileño de Amapá, así como en la Guayana Francesa y en Guyana, aunque curiosamente nunca ha sido visto en Surinam. Esta distribución claramente definida puede indicar exigencias muy concretas de hábitat, escasa capacidad de dispersión o ambas cosas.
REPRODUCCIÓN No existen datos seguros sobre las dimensiones de los individuos en edad reproductora, pero probablemente las cifras son similares a las del aligátor americano. Los nidos, monticulares, son similares a los del caimán de anteojos, aunque pueden ser mucho más grandes.
DIETA Los datos existentes sobre la dieta son limitados, pero indican que los individuos jóvenes se alimentan de invertebrados y caracoles. Cuando crecen, comen preferiblemente pescado, y cuando alcanzan sus dimensiones máximas adoptan una dieta a base de mamíferos, reptiles e incluso otras especies de caimanes. Aunque es el único caimán tropical considerado peligroso para los seres humanos y el ganado, los ataques son muy ocasionales, ya que, al igual que el aligátor americano, prefiere otro tipo de víctimas. De hecho, nunca se ha ganado la reputación de «comehombres» que ostentan algunos cocodrilos de tamaño similar.

Aligátor chino
Alligator sinensis

ASPECTO El aligátor chino difiere del americano en muchas características sutiles. En el aligátor chino, los párpados están provistos de una placa ósea que no se observa en el aligátor americano. La cabeza es más robusta y el hocico es ligeramente romo y curvado hacia arriba. Las escamas ventrales del aligátor chino presentan osteodermos, que se encuentran ocasionalmente en los aligatores americanos más voluminosos. Los aligatores chinos jóvenes se parecen por el color a sus parientes americanos, pero tienen menos franjas amarillas en la cola y el tronco.

DIMENSIONES Los individuos de esta especie son más pequeños que los aligatores americanos. La antigua literatura china (que se remonta al siglo VII a.C.) registra longitudes de hasta 3 m, pero los especímenes más grandes conservados en las colecciones de los museos tienen una longitud de menos de 2 m en total.

HÁBITAT Viven en ciénagas, lagunas y lagos. Se sabe que los aligatores chinos utilizan cuevas y madrigueras, sobre todo durante los meses más fríos y secos (de octubre a marzo), cuando se encuentran en estado de letargo.

DISTRIBUCIÓN Muy restringida: sólo se encuentran en el curso bajo del río Yangtzé y sus afluentes. Probablemente, su distribución en el pasado era más amplia que en la actualidad, ya que antes de las presiones ejercidas por la agricultura y el desarrollo disponían de más hábitats adecuados.

REPRODUCCIÓN La historia natural de esta especie se conoce poco. Posiblemente, la hibernación finaliza en abril, el cortejo y el apareamiento tienen lugar en junio y la puesta de huevos en julio. Las descripciones de los nidos son contradictorias y los primeros informes, que indicaban que ponían los huevos en una depresión para dejarlos incubar al calor del sol, son probablemente erróneos. En un proyecto de cría iniciado en el Rockefeller Wildlife Refuge de Luisiana, los aligatores chinos construyeron nidos monticulares de vegetación, semejantes a los del aligátor americano de la misma reserva, aunque ligeramente más pequeños. También en otros aspectos, la biología reproductiva de las dos especies resultó ser similar, aunque el tamaño de la puesta es menor en los aligatores chinos.

DIETA Parece ser que se alimentan de caracoles, almejas, ratas e insectos. Los dientes del aligátor chino adulto indican que esta especie está adaptada para despedazar objetos duros. Se trata de un caimán relativamente tímido e inofensivo, que no supone una amenaza para los seres humanos.

Aligátor americano
Alligator mississippiensis

ASPECTO Los individuos jóvenes del aligátor americano o caimán del Mississippi son negros, con 10 u 11 franjas transversales, estrechas y de color amarillo, en la cola, y 4 o 5 en el tronco. A medida que crecen, estas franjas se desdibujan y, al llegar a adultos, muy rara vez resultan visibles. Los ojos suelen presentar una coloración levemente plateada. El hocico es moderadamente largo y ancho, por lo general de grosor uniforme, con un puente nasal óseo. Algunas de las características que varían de un individuo a otro son la presencia de placas dérmicas óseas (osteodermos) en las escamas dorsales o ventrales, la forma del hocico y el volumen del cráneo.

DIMENSIONES En el pasado se documentaron aligatores americanos de 5 a 6 m, pero en la actualidad un macho adulto de 4 m puede considerarse grande.

HÁBITAT Aunque se trata de un cocodrilio bien adaptado a la vida en ciénagas y marismas, ocupa todos los hábitats acuáticos disponibles, desde las ciénagas hasta los ríos y lagos, y, muy ocasionalmente, el mar abierto.

DISTRIBUCIÓN Sólo se encuentra en Estados Unidos, en la llanura costera que se extiende desde la frontera entre Virginia y Carolina del Norte hasta las zonas meridionales de Florida, al sur, y el río Grande, en el estado de Texas, al oeste. Sigue hacia el norte el curso del Mississippi, hasta el sur del estado de Arkansas y el condado McCurtain, en el estado de Oklahoma. La intervención humana en algunas zonas de Texas parece estar ampliando la distribución de esta especie, ya que los caimanes colonizan los pozos de agua abiertos para el ganado.

REPRODUCCIÓN Construyen nidos en forma de montículo y ponen unos 45 huevos por término medio. Al salir del cascarón, miden alrededor de 22 cm. Recientemente se han documentado cuidados de la madre a la prole.

DIETA Los aligatores americanos, como todos los cocodrilianos, son carnívoros. Los individuos recién salidos del cascarón, los jóvenes y los adultos se alimentan de insectos. A medida que crecen, adoptan una dieta de caracoles, serpientes, tortugas, peces de movimiento lento, pequeños mamíferos y aves. Los adultos más grandes devoran a veces terneras pequeñas y, muy ocasionalmente, seres humanos.

Caimán almizclado
Paleosuchus palpebrosus

ASPECTO Se diferencia del caimán almizclado del Brasil por el hocico corto y el cráneo alto, redondeado y semejante al de un perro; de hecho, es el único miembro del orden Crocodylia que presenta esta configuración de la cabeza. Los escudos dorsales no son tan protuberantes como los de *Paleosuchus trigonatus*, y los escudos dobles de la cola son pequeños y se proyectan verticalmente.

DIMENSIONES Son los más pequeños entre los cocodrilianos del Nuevo Mundo: los machos alcanzan alrededor de 1,5 m y las hembras, 1,2 m, aproximadamente.

HÁBITAT Esta especie tiene al parecer exigencias muy estrictas en cuanto al hábitat. En la cuenca del Amazonas, se encuentra en zonas inundadas alrededor de los lagos más importantes, pero no remonta el curso de las corrientes cuando el techo vegetal es demasiado espeso, ni es frecuente encontrarlo en los claros de la selva, a menos que las pendientes de las riberas sean abruptas. En las zonas norte y sur de su área de distribución, vive en los bosques en galería que siguen el curso de los pequeños ríos de sabana, pero no se encuentra en los llanos ni en el pantanal venezolanos. A menudo se ven ejemplares subadultos en extensiones de agua temporales aisladas y es probable que esta especie desarrolle gran cantidad de actividad terrestre.

DISTRIBUCIÓN Superado sólo por el caimán de anteojos en la extensión de su área de distribución, el caimán almizclado se encuentra en las cuencas del Orinoco, del Amazonas y del São Francisco, así como en la zona septentrional de las cuencas de los ríos Paraná y Paraguay. No suele formar grupos de elevada densidad.

REPRODUCCIÓN Se han hallado nidos monticulares cerca de zonas de inundación y en bosques en galería, pero no se sabe prácticamente nada de la reproducción de esta especie en condiciones naturales.

DIETA Los pocos datos disponibles indican que los individuos de esta especie se alimentan de invertebrados y peces, pero la forma del cráneo, que recuerda al de un perro, sigue siendo un enigma.

Caimán almizclado del Brasil
Paleosuchus trigonatus

ASPECTO Las dos especies del género *Paleosuchus* constituyen una rama bien diferenciada del resto de los caimanes. Algunas de sus características físicas podrían ser adaptaciones a la vida en regiones densamente selváticas. Son de pequeño tamaño, tienen la piel masivamente osificada y carecen del puente óseo entre las órbitas característico del resto de los caimanes (de ahí que se les considere «caimanes de frente lisa»). Los miembros de este género tienen la cola relativamente corta y los ojos marrones. Cuando caminan, suelen llevar la cabeza erguida, con el cuello en un ángulo semejante al adoptado por los mamíferos al desplazarse.

El caimán almizclado del Brasil tiene un hocico que puede considerarse normal entre los cocodrilianos y, en general, una configuración de la cabeza semejante a la de algunos caimanes de anteojos. Los escudos del cuello y la cola son grandes, triangulares y a menudo tan aguzados, que resulta bastante difícil sujetar a un animal que se debate para liberarse. La cola es plana en la base y achatada dorsoventralmente, a diferencia de la de otros cocodrilianos, cuyo achatamiento es lateral. Los escudos dobles de la cola se proyectan hacia los lados, lo que hace que el apéndice parezca todavía más ancho. La cola está masivamente osificada y resulta mucho menos flexible que la de otros cocodrilianos.

DIMENSIONES La mayoría de los machos no superan los 1,7 m de longitud total y las hembras rara vez miden más de 1,4 m. Para su tamaño, son mucho más fuertes que la mayoría de los caimanes.

HÁBITAT No suelen encontrarse en zonas abiertas. El hábitat típico son los pequeños cursos de agua en la selva, con un denso techo vegetal. Allí construyen sus nidos, en forma de montículo. Estos caimanes no suelen tomar el sol, ni siquiera en cautividad. Las pequeñas corrientes, que por lo general no cubren más que las patas y el vientre de los caimanes, les ofrecen muy escasa protección contra sus enemigos naturales. Los adultos pasan gran parte del tiempo fuera del agua y a menudo buscan refugio en troncos huecos o bajo montones de hojas secas, a más de 50 m del curso de agua. Hacia los 10 o 15 años de edad, los adultos viven en zonas fijas, que se extienden entre 500 y 1.000 m a lo largo del curso de agua.

DISTRIBUCIÓN Vive en las zonas selváticas de la cuenca del Amazonas y del Orinoco, así como en la Guayana Francesa, Guyana y Surinam. Teniendo en cuenta la densidad de los grupos encontrados a lo largo de pequeños cursos de agua y la abudancia de este tipo de corrientes en la enorme selva amazónica, estos caimanes constituyen probablemente una de las especies de cocodrilianos más abundantes.

REPRODUCCIÓN La mayoría de las hembras en edad reproductora miden alrededor de 1,3 m de largo. Construyen los nidos al final de la estación seca, y los huevos hacen eclosión al principio de la temporada de lluvias. La mayoría de las nidadas contienen entre 10 y 15 huevos. Los machos no suelen defender sus territorios y probablemente no se aparean antes de alcanzar alrededor de 1,4 m de longitud.

DIETA Los caimanes recién salidos del cascarón se alimentan de insectos, pero muy pronto adoptan una dieta de vertebrados terrestres, como serpientes, aves y lagartos. Los adultos se alimentan también de mamíferos, como puercoespines y pacas (roedores gigantes sudamericanos). A diferencia de otras especies de cocodrilianos, el caimán almizclado del Brasil no suele incluir en su dieta caracoles ni peces, probablemente debido a su hábitat selvático y a su estilo de vida semiterrestre.

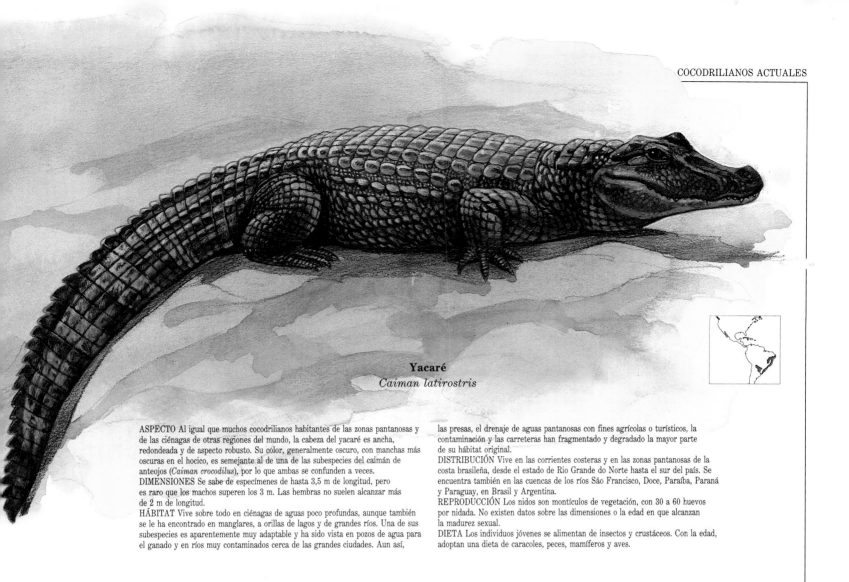

Yacaré
Caiman latirostris

ASPECTO Al igual que muchos cocodrilianos habitantes de las zonas pantanosas y de las ciénagas de otras regiones del mundo, la cabeza del yacaré es ancha, redondeada y de aspecto robusto. Su color, generalmente oscuro, con manchas más oscuras en el hocico, es semejante al de una de las subespecies del caimán de anteojos (*Caiman crocodilus*), por lo que ambas se confunden a veces.
DIMENSIONES Se sabe de especímenes de hasta 3,5 m de longitud, pero es raro que los machos superen los 3 m. Las hembras no suelen alcanzar más de 2 m de longitud.
HÁBITAT Vive sobre todo en ciénagas de aguas poco profundas, aunque también se le ha encontrado en manglares, a orillas de lagos y de grandes ríos. Una de sus subespecies es aparentemente muy adaptable y ha sido vista en pozos de agua para el ganado y en ríos muy contaminados cerca de las grandes ciudades. Aun así,

las presas, el drenaje de aguas pantanosas con fines agrícolas o turísticos, la contaminación y las carreteras han fragmentado y degradado la mayor parte de su hábitat original.
DISTRIBUCIÓN Vive en las corrientes costeras y en las zonas pantanosas de la costa brasileña, desde el estado de Rio Grande do Norte hasta el sur del país. Se encuentra también en las cuencas de los ríos São Francisco, Doce, Paraíba, Paraná y Paraguay, en Brasil y Argentina.
REPRODUCCIÓN Los nidos son montículos de vegetación, con 30 a 60 huevos por nidada. No existen datos sobre las dimensiones o la edad en que alcanzan la madurez sexual.
DIETA Los individuos jóvenes se alimentan de insectos y crustáceos. Con la edad, adoptan una dieta de caracoles, peces, mamíferos y aves.

ASPECTO *Caiman crocodilus* es el más extendido de los caimanes, y no resulta difícil confundirlo con un cocodrilo pequeño. Existen varias subespecies ampliamente reconocidas, que se distinguen por las dimensiones, la forma del cráneo o el color.
DIMENSIONES La mayoría de estos caimanes no alcanzan los 2,5 m de longitud, aunque se sabe de individuos aislados de más de 3 m de largo.
HÁBITAT Esta especie extremadamente adaptable vive prácticamente en todos los hábitats abiertos: sabanas, ciénagas, grandes ríos y lagos, y no tarda en invadir los hábitats apropiados creados por la intervención humana, como pozos de agua para el ganado, pantanos para producción de energía hidroeléctrica y desaguaderos a los lados de las carreteras. Es probablemente el único cocodrilio del mundo que reacciona tan favorablemente a la modificación del hábitat por parte del hombre.
DISTRIBUCIÓN Es la especie de caimán más difundida y el único caimán de zonas tropicales que vive fuera del continente sudamericano. Se encuentra desde el sur de México hasta el norte de Argentina, cerca del límite de la distribución de los cocodrilianos en Sudamérica.
REPRODUCCIÓN El caimán de anteojos construye nidos en forma de montículo con barro u hojas. El tamaño de la nidada oscila entre 15 y 40 huevos, según sus dimensiones. La mayoría de los nidos se encuentran entre grupos de árboles y arbustos, pero se han observado algunos en zonas de campo abierto y sobre plataformas flotantes de vegetación acuática.
DIETA Los ejemplares más pequeños se alimentan sobre todo de insectos, cangrejos y otros invertebrados; los más grandes comen caracoles y peces. La idea de que los caimanes pueden reducir la población de caracoles acuáticos hasta el punto de impedir que éstos actúen como vectores de ciertos parásitos humanos o de que los caimanes controlen el número de pirañas en los ríos no es más que un mito. De hecho, las grandes poblaciones de caimanes suelen indicar que hay también grandes poblaciones de caracoles. Por otra parte, nunca se han registrado números significativos de pirañas entre la variedad de peces que constituyen la dieta de estos caimanes.

Caimán de anteojos
Caiman crocodilus

SUBFAMILIA CROCODYLINAE

Los cocodrilinos actuales son por lo general cocodrilianos no especializados, con un hocico moderadamente cónico que no se destaca demasiado de la parte posterior del cráneo. Como en los aligatorinos, los huesos nasales están en contacto con los premaxilares. Los dientes inferiores encajan normalmente en cavidades de la mandíbula superior; sin embargo, a diferencia de los aligatorinos, el cuarto diente encaja en una muesca del maxilar superior y queda a la vista cuando el animal tiene la boca cerrada. Los escudos ventrales tienen depresiones sensoriales.

Cocodrilo cubano
Crocodylus rhombifer

ASPECTO Es la más singular de las especies de *Crocodylus* del Nuevo Mundo, el cráneo es notablemente corto para la elevación del hocico entre los ojos y las fosas nasales externas. Las protuberancias en la base del cráneo recuerdan lejanamente unos cuernos. Los flancos de las patas traseras presentan escamas masivamente carinadas, rasgo que diferencia a esta especie de todos los demás cocodrilos del Nuevo Mundo. Los ejemplares jóvenes son de color dorado claro, con zonas moteadas y franjas o manchas irregulares negras en la cola. Los adultos son de color gris oscuro o negro, con manchas de color amarillo dorado. El iris de los animales jóvenes es claro, pero se vuelve más oscuro con la edad.
DIMENSIONES Los miembros de esta especie, relativamente pequeños, pueden alcanzar hasta 3,5 m de longitud, aunque hay documentos del siglo XIX que hablan de individuos de hasta 5 m.
HÁBITAT Restringido actualmente a zonas pantanosas y canales, en zonas interiores de agua dulce o ciénagas.
DISTRIBUCIÓN Como su nombre indica, esta especie de limitada distribución está restringida a Cuba, sobre todo a la ciénaga de Zapata y a la isla de la Juventud. Durante el siglo XIX, era frecuente en los alrededores de La Habana y, al oeste de la capital, en la provincia de Pinar del Río. Asimismo, se han hallado restos subfósiles (800 años) en la isla Gran Caimán. Los informes acerca de la presencia de esta especie en la isla Cayman Brac y el archipiélago de los Canarreos todavía no están bien documentados.
REPRODUCCIÓN Se sabe muy poco de la historia natural del cocodrilo cubano, pero puede afirmarse que nidifica en agujeros, como el cocodrilo narigudo y el cocodrilo del Orinoco. Se han registrado casos de hibridación entre el cocodrilo narigudo y el cocodrilo cubano, tanto en cautividad como en condiciones naturales. Los individuos resultantes del cruce presentan características de las dos especies: se han descrito algunos que se asemejan al cocodrilo cubano por el color, y al cocodrilo narigudo por las características del cráneo.
DIETA El cocodrilo cubano se alimenta de peces, tortugas y pequeños mamíferos.

Cocodrilo pardo
Crocodylus moreletii

ASPECTO Como su nombre indica, es por lo general de color pardo, con motas y franjas negras en el tronco y en la cola. Suele presentar una coloración más oscura que el cocodrilo narigudo. El iris presenta un color entre plateado y castaño claro. Los adultos de esta especie tienen el hocico más ancho que los cocodrilos narigudos de dimensiones similares y una protuberancia plana que se eleva longitudinalmente sobre los huesos nasales. La coraza dorsal es irregular y los escudos cervicales son especialmente robustos.

DIMENSIONES Especie pequeña, que alcanza entre 3 y 3,5 m de longitud.

HÁBITAT Hasta hace poco se creía que el cocodrilo pardo sólo vivía en lagos, lagunas, marjales de agua dulce y en el curso superior de ríos y otras corrientes de agua, mientras que el cocodrilo narigudo ocupaba las marismas y los estuarios de agua salada de los mismos ríos. Sin embargo, recientemente se han hallado poblaciones de cocodrilos pardos en regiones costeras.

DISTRIBUCIÓN Comparte gran parte de su área de distribución —desde el centro de Tamaulipas, en México, hasta la península de Yucatán y el interior del estado de Chiapas, así como la zona central de Belize y la región de Petén en Guatemala— con el cocodrilo narigudo.

REPRODUCCIÓN Construye un nido monticular de vegetación. Se han observado comportamientos de cuidado por parte de los progenitores, y se sabe que los adultos vigilan los nidos. La hembra abre el nido y transporta los huevos hasta el agua, donde les rompe la cáscara con mucho cuidado.

DIETA Se alimenta de caracoles, tortugas, pequeños mamíferos y peces. Los jóvenes comen insectos, caracoles, babosas y otros animales pequeños.

ASPECTO Los individuos jóvenes son de color claro, por lo general entre amarillo y gris, con marcas transversales oscuras en el tronco y en la cola. A medida que crecen, las marcas se desdibujan; los adultos son por lo general de color marrón verdoso o castaño (aunque algunas poblaciones o individuos son más oscuros) y algunos carecen de las franjas o moteados oscuros que presentan otros. El iris es normalmente plateado. Los adultos presentan una protuberancia característica delante de las órbitas y una coraza dorsal irregular y asimétrica.

DIMENSIONES El cocodrilo narigudo puede alcanzar más de 6 m de longitud y los machos crecen más que las hembras.

HÁBITAT Esta especie era muy común en los hábitats costeros, así como en los lagos y grandes ríos de su área de distribución. Se sabe que es peligroso para los humanos, aunque son muy pocos los ataques verdaderamente documentados. Comparte su hábitat con otras especies de cocodrilos y de caimanes en gran parte de su área de distribución, lo que ha provocado algunas confusiones en la identificación de las distintas especies.

DISTRIBUCIÓN Es la única especie de cocodrilo ampliamente extendida en América. Vive en el sur de Florida (sobre todo en los Everglades y en los cayos de Florida); en el Caribe, en Cuba (incluida la isla de la Juventud), las islas Caimán (Pequeño Caimán y Cayman Brac), Jamaica, Santo Domingo, Martinica, Trinidad y la isla Margarita, y en la costa oriental de México, desde la bahía de Campeche hasta Venezuela y Colombia, pasando por los cayos de Belize. Sobre la costa del Pacífico, se puede encontrar desde Sinaloa, en México, hasta el Río Chira, en Perú, pasando por el archipiélago de las Tres Marías.

REPRODUCCIÓN El cocodrilo narigudo excava un agujero para depositar los huevos. En algunos casos, si no tiene a su disposición arena para cavar el nido, excava un hoyo entre las hojas muertas o el barro y apila materia vegetal en descomposición sobre los huevos, comportamiento que recuerda la construcción monticular de nidos entre los caimanes y los cocodrilos palustres. Los investigadores afirman que este cocodrilo excava a veces varios nidos falsos o de ensayo cerca del definitivo y creen que utilizan en repetidas ocasiones el mismo sitio para sus nidos. En Florida, varias hembras pueden utilizar el mismo nido, mientras que en Chiapas parece ser que las hembras son territoriales. En las proximidades de los lugares de nidificación se han observado madrigueras excavadas de diversos tamaños. Los adultos desarrollan conductas de cuidados parentales y, al parecer, vigilan los nidos. Las hembras excavan los nidos y, una vez eclosionados los huevos, transportan a los pequeños hasta el agua.

DIETA Los cocodrilos recién salidos del cascarón comen insectos acuáticos y terrestres, y los jóvenes se alimentan de peces, ranas, tortugas, aves, pequeños mamíferos e invertebrados acuáticos. Los individuos más voluminosos devoran mamíferos más grandes y aves, así como los otros animales que sirven de alimento a los cocodrilos más jóvenes. El pescado es un componente esencial de la dieta de los adultos en México.

Cocodrilo narigudo
Crocodylus acutus

Cocodrilo de Guinea
Crocodylus cataphractus

ASPECTO Esta especie, de hocico estrecho, difiere de los otros miembros del género en varios aspectos. La mayoría de *Crocodylus* presentan una configuración característica de escudos cervicales engrosados, dispuestos transversalmente en dos filas de cuatro y dos escudos cada una. En el cocodrilo de Guinea, los escudos cervicales están dispuestos en tres o cuatro filas de dos escudos cada una y, además, están en contacto con la coraza dorsal. Esta especie presenta una serie de manchas en el hocico, rasgo poco frecuente en el género *Crocodylus*, pero que recuerda a *Tomistoma* y algunos caimanes.

DIMENSIONES Hasta 3 o 4 m de longitud.

HÁBITAT Las preferencias de esta especie en cuanto a hábitat son inciertas. Está documentada su presencia en extensiones de agua dulce, pero también se ha encontrado en zonas costeras y se ha hallado además un individuo aislado en la isla de Bioko, a 45 km de la costa de Camerún.

DISTRIBUCIÓN Se sabe poco de este esquivo cocodrilo de las selvas africanas. Comparte la mayor parte de su área de distribución —que abarca grandes territorios de África occidental y central, desde el sur de Mauritania y Senegal hasta el norte de Angola, y por el este hasta Zaire, Zambia y el este de Tanzania— con el cocodrilo del Nilo.

REPRODUCCIÓN Tampoco se conocía bien la biología reproductiva de esta especie hasta 1985, cuando se realizó un estudio en Costa de Marfil. Parece ser que la nidificación de este cocodrilo no es sincrónica, ni siquiera en una misma localidad. Los nidos se construyen durante la estación de las lluvias, desde marzo hasta julio, de forma tal que algunos nidos están en proceso de construcción mientras que en otros ya hay crías nacidas. Los nidos se encuentran sobre la ribera de los pequeños cursos de agua de la selva. Cuando los huevos hacen eclosión, el suelo de la selva está inundado y los pequeños se pueden dispersar. El nido es un montículo de materia vegetal, y el tamaño de la nidada es relativamente pequeño: apenas 13 a 27 huevos. Se ha observado el caso de un adulto que frecuentaba el nido y, en cautividad, se sabe de una hembra que lo defendía. No se sabe si los adultos contribuyen a romper los cascarones.

DIETA Se sabe poco de la dieta de esta especie, aunque sin duda incluye cangrejos, camarones, serpientes, ranas y probablemente también peces, teniendo en cuenta la forma del hocico. Es posible que los individuos jóvenes coman insectos.

Cocodrilo del Nilo
Crocodylus niloticus

ASPECTO Parece ser que hay considerables variaciones entre las distintas poblaciones de cocodrilos del Nilo. Los rasgos que varían son las dimensiones máximas, la presencia o ausencia de osteodermos ventrales, los escudos, los hábitats preferidos para la reproducción y otras características. En consecuencia, se han clasificado numerosas subespecies de cocodrilos del Nilo. Los individuos jóvenes son de un color entre verde oscuro y marrón, con franjas transversales más oscuras, por lo general negras, en la cola y el tronco. Los adultos son por lo general uniformemente oscuros con franjas negras en la cola. El abdomen es de color claro.

DIMENSIONES Este cocodrilo alcanza 5 m de longitud y posiblemente más. Las dimensiones máximas registradas en un cocodrilo del Nilo, según los informes de cazadores y de los departamentos de caza, son de 5,5 m.

HÁBITAT Ocupa una gran variedad de hábitats de agua dulce, pero también frecuenta las regiones costeras de África occidental. En una ocasión, en el sur de África, se avistó uno de estos cocodrilos en mar abierto, a unos 11 km de la costa de Zululandia. De vez en cuando, algún cocodrilo de la desembocadura de los ríos de África oriental es arrastrado por la corriente hacia mar abierto. Algunos de estos ejemplares han conseguido nadar hasta la isla de Zanzíbar. De vez en cuando también se encuentran cocodrilos en la desembocadura de los ríos y en las playas de Kenia.

DISTRIBUCIÓN Es el cocodrilo más extendido del continente africano: se encuentra en África tropical y del sur, así como en Madagascar. En tiempos históricos vivía además en el delta del Nilo y en la costa mediterránea, desde Túnez hasta Siria. Se conocen casos de poblaciones aisladas de cocodrilos del Nilo en lagos y pozos de agua en el interior de Mauritania, en el sudeste de Argelia y en el nodeste de Chad, en pleno desierto del Sáhara.

REPRODUCCIÓN Nidifica en agujeros, y el tamaño de las nidadas es grande: entre 50 y 80 huevos. Los adultos practican cuidados parentales.

DIETA La dieta varía con la edad: los jóvenes comen insectos, arañas, ranas y probablemente serpientes, lagartos y otros vertebrados pequeños. Los peces constituyen el principal alimento de la dieta de los subadultos y adultos. Los animales más voluminosos comen antílopes, cebras, facóqueros, animales domésticos grandes y seres humanos.

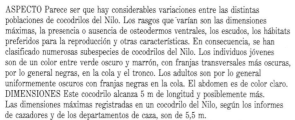

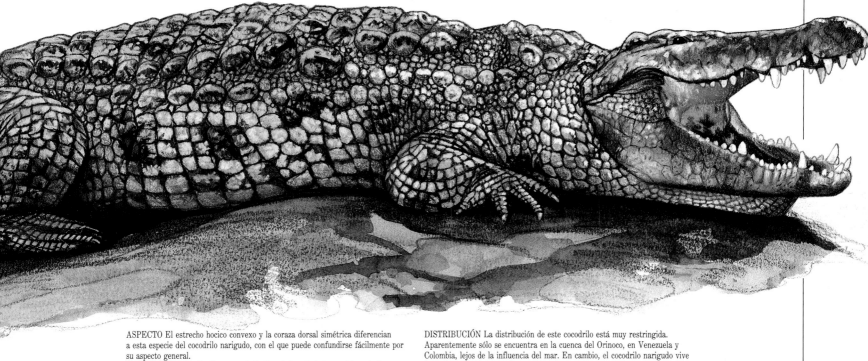

ASPECTO El estrecho hocico convexo y la coraza dorsal simétrica diferencian a esta especie del cocodrilo narigudo, con el que puede confundirse fácilmente por su aspecto general.

DIMENSIONES Puede alcanzar más de 6 m de longitud. Las crónicas de los antiguos viajeros señalan que se trata de una especie peligrosa para el hombre, lo cual es muy posible teniendo en cuenta su gran tamaño; sin embargo, no existen informes documentados de ataques de esta especie a seres humanos.

HÁBITAT Los datos sobre el hábitat no siempre son fiables, debido a la dificultad para distinguir a esta especie del cocodrilo narigudo. Sin embargo, parece ser que viven en los ríos y, en general, en agua dulce.

DISTRIBUCIÓN La distribución de este cocodrilo está muy restringida. Aparentemente sólo se encuentra en la cuenca del Orinoco, en Venezuela y Colombia, lejos de la influencia del mar. En cambio, el cocodrilo narigudo vive también en la desembocadura del Orinoco, en una zona costera.

REPRODUCCIÓN Se sabe poco de la historia natural de esta especie. Según parece, nidifica en agujeros, como la mayoría de los cocodrilos narigudos. Sin embargo, hasta el momento no se han documentado cuidados de los progenitores.

DIETA Teniendo en cuenta el estrecho hocico, es muy probable que se alimente de peces, aunque también puede ser que incluya en su dieta mamíferos pequeños, anfibios y reptiles.

Cocodrilo del Orinoco
Crocodylus intermedius

Cocodrilo marino
Crocodylus porosus

ASPECTO Esta especie se caracteriza por el tamaño de la cabeza, relativamente grande, y un hocico robusto, con un par de protuberancias longitudinales que se extienden desde las órbitas hasta el centro del hocico. La coraza dorsal es de dimensiones medias y los escudos son más ovalados que en la mayoría de las especies. La coloración de los cocodrilos marinos es bastante variable. Por lo general, los individuos jóvenes presentan llamativas marcas, con manchas y motas oscuras en la cola, que a menudo forman franjas. Presentan 4 o 5 franjas oscuras en el tronco. Los adultos pueden ser de color gris o castaño dorado. Algunos individuos pierden las características marcas con la edad, mientras que otros las conservan. El abdomen es de un color uniformemente amarillo. Se conocen formas melánicas (pigmentación oscura).

DIMENSIONES Este cocodrilo alcanza más de 7 m de longitud. Algunos individuos en cautividad pesan más de una tonelada. Los miembros de esta especie son los mayores reptiles vivos y, probablemente, los cocodrilianos más temidos. Son realmente «comehombres» y responsables de casi todos los ataques de cocodrilos contra seres humanos en su área de distribución.

HÁBITAT Vive por lo general en hábitats marinos; pero los nombres vulgares de esta especie, cocodrilo marino y cocodrilo de los estuarios, se prestan a confusiones, ya que también vive en medios de agua dulce, como lagos y grandes ríos.

DISTRIBUCIÓN El cocodrilo marino, que es el más difundido de todos los cocodrilianos modernos, se encuentra en todas las regiones tropicales de Asia y el Pacífico, allí donde existen hábitats adecuados. Su distribución todavía no se conoce con exactitud, pero las investigaciones recientes indican que el área se extiende desde las islas del océano Índico, la costa de la India y Ceilán, pasando por el sudeste asiático, las islas de Indonesia y Filipinas, norte de Australia, Nueva Guinea, hasta las islas Belau y quizá Fiji, en el océano Pacífico. La capacidad de esta especie para sobrevivir en mar abierto le ha permitido alcanzar, y en ocasiones colonizar, muchas islas pequeñas, como las islas Coco (a casi 1.000 km de tierra firme) y las Nuevas Hébridas. Abundan las historias sobre estos cocodrilos en medio del océano y se han observado algunos individuos con especies de percebes pelágicos adheridas a las escamas. En gran parte de su área de distribución, comparte el territorio con otras especies más pequeñas e inofensivas de cocodrilos, que normalmente se encuentran (aunque no de forma exclusiva) en medios de agua dulce.

REPRODUCCIÓN Construye nidos en forma de montículo, y las nidadas pueden ser de hasta 60 u 80 huevos. Las hembras anidan durante la estación lluviosa. Se han observado cuidados de los adultos.

DIETA Los jóvenes comen insectos, cangrejos, camarones, lagartos y serpientes. Los individuos más voluminosos devoran todo lo que encuentran, incluidos mamíferos y algunas aves. Los peces también forman parte de su dieta.

Cocodrilo de Johnston
Crocodylus johnstoni

ASPECTO De color generalmente pardo, con el vientre más claro, esta especie presenta franjas negras en la cola y bandas moteadas en el tronco. El hocico es estrecho, las escamas ventrales son anchas y la coraza dorsal está compuesta por filas transversales de seis escudos cada una.

DIMENSIONES Especie pequeña, de hocico alargado, que alcanza hasta 3 m de longitud. Casi todo el desarrollo tiene lugar durante la estación de lluvias. Las hembras crecen más lentamente y son más pequeñas que los machos.

HÁBITAT Investigaciones recientes han determinado que en la cuenca del río MacKinley, en Australia Septentrional, esta especie se encuentra en todos los medios de agua dulce. La extensión del hábitat varía con las estaciones: puede ser muy amplia durante la época de las lluvias, cuando el bosque y las praderas se inundan, pero muy reducida en la temporada seca, cuando sólo quedan lagunas aisladas en el lecho de los ríos.

DISTRIBUCIÓN Conocido también con el nombre de cocodrilo australiano de agua dulce, el cocodrilo de Johnston vive solamente en las regiones tropicales del norte de Australia (Australia Occidental, Territorio del Norte y Queensland).

REPRODUCCIÓN Este cocodrilo construye sus nidos en áreas más bien desprotegidas, lo cual podría ser la respuesta ante unas condiciones de vida particularmente difíciles, ya que la nidificación tiene lugar durante la estación seca, cuando el único hábitat disponible son las lagunas aisladas en el lecho de los ríos secos, y los cocodrilos no tienen acceso a la exuberante vegetación que está al alcance de otras especies habitantes de ciénagas y marjales. Se han registrado pérdidas elevadas (hasta el 96 %) de huevos e individuos jóvenes, durante los dos primeros años de vida. Los miembros de esta especie se establecen en territorios fijos.

DIETA El cocodrilo de Johnston se alimenta de peces, crustáceos e insectos terrestres y acuáticos. Ocasionalmente devora anfibios, reptiles, aves y mamíferos pequeños. Como la mayoría de los cocodrilianos, su alimentación es oportunista, pero el hocico estrecho y alargado le sirve seguramente para cazar con más facilidad los animales más escurridizos.

Cocodrilo palustre
Crocodylus palustris

ASPECTO Los individuos jóvenes son de color castaño claro o pardo, con franjas transversales en la cola y el tronco. Los adultos son grises o marrones y por lo general han perdido las franjas oscuras. El cocodrilo palustre o de los pantanos se caracteriza por un hocico ancho y robusto, y una coraza dorsal de dimensiones medias.

DIMENSIONES Se trata de una especie grande, que con frecuencia alcanza una longitud de más de 4 m.

HÁBITAT Vive en medios de agua dulce, como ríos, lagos, depósitos de agua, abrevaderos para el ganado y sistemas de regadío. Se han visto algunos individuos en agua salobre.

DISTRIBUCIÓN Ampliamente difundido en el subcontinente indio, desde el este de Irán, pasando por Pakistán, el norte de la India y Nepal (al sur del Himalaya), hasta Bangladesh y el sur de Sri Lanka.

REPRODUCCIÓN Anida en agujeros. Algunas hembras en cautividad ponen dos nidadas en una sola estación. El tamaño medio de las nidadas es de 25 a 30 huevos, aunque se han registrado nidadas de hasta 46 huevos.

DIETA Los individuos jóvenes se alimentan de insectos y pequeños vertebrados, y los más grandes comen ranas, serpientes (y posiblemente tortugas), pequeños mamíferos y aves. Los adultos más voluminosos son capaces de devorar búfalos y venados. A veces devoran el pescado de las redes de los pescadores.

Cocodrilo siamés
Crocodylus siamensis

ASPECTO Los individuos jóvenes se parecen un poco al cocodrilo marino por el color —por lo general amarillo dorado o castaño, con dibujos negros—, y presentan además una disposición similar de los escudos. Este hecho ha provocado confusiones entre las dos especies, que comparten un mismo territorio. Sin embargo, el cocodrilo siamés tiene el hocico más ancho que el marino, además de presentar más escudos cervicales transversales que cualquier otra especie.

DIMENSIONES No alcanza más de 4 m de longitud.

HÁBITAT Vive en lagos, ríos y marjales de agua dulce. No se sabe si frecuenta también las regiones costeras de agua salada.

DISTRIBUCIÓN Su área de distribución es limitada, ya que sólo se encuentra en las llanuras tropicales del sudeste asiático (Tailandia, Laos, Camboya, Vietnam y Malaysia), así como en algunas de las islas de Indonesia.

REPRODUCCIÓN Se sabe poco de la historia natural de esta especie, que probablemente sólo existe en cautividad. Aparentemente, construye nidos monticulares de vegetación. En cautividad pone entre 25 y 30 huevos.

DIETA Tampoco se conoce bien la dieta de este cocodrilo, aunque se cree que come peces. Sin embargo, el ancho hocico sugiere una dieta bastante diversificada, y lo más probable es que serpientes, ranas, insectos y otros animales pequeños figuren en grado importante en su alimentación.

Cocodrilo mindoro
Crocodylus mindorensis

ASPECTO Esta especie tiene el hocico más ancho y los escudos cervicales y dorsales más robustos que otras especies de cocodrilos de la región del Pacífico.
DIMENSIONES Su longitud máxima conocida es de menos de 3 m.
HÁBITAT Vive principalmente en medios de agua dulce, como afluentes de ríos más grandes, lagunas, zonas pantanosas y marjales.
DISTRIBUCIÓN Esta especie tiene un área de distribución reducida; sólo se encuentra en el archipiélago filipino, en las islas de Luzón, Mindoro, Masbate, Samar, Negros, Busuanga y Mindanao, así como en Jolo, en el archipiélago de Sulú. Es probable que en el pasado estuviera mucho más extendido que en la actualidad.

Por otra parte, sólo a principios de los años ochenta se registró su presencia en Visayan o en las Filipinas centrales. Se cree que esta especie vivía anteriormente en otras islas con hábitat adecuado, que ahora han sido transformadas por las labores agrícolas.
REPRODUCCIÓN El cocodrilo mindoro construye un nido de vegetación en forma de montículo y los adultos cuidan de la prole.
DIETA Se sabe poco de la historia natural de esta especie en condiciones naturales, pero probablemente se alimenta de diversas variedades de animales acuáticos y terrestres, como tortugas, serpientes, ranas, insectos y pequeños mamíferos.

Cocodrilo de Nueva Guinea
Crocodylus novaeguineae

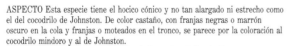

ASPECTO Esta especie tiene el hocico cónico y no tan alargado ni estrecho como el del cocodrilo de Johnston. De color castaño, con franjas negras o marrón oscuro en la cola y franjas o moteados en el tronco, se parece por la coloración al cocodrilo mindoro y al de Johnston.
DIMENSIONES Es de tamaño medio, de hasta 4 m de longitud.
HÁBITAT Vive por lo general en medios de agua dulce: ríos, lagos, zonas pantanosas y marjales no frecuentados por el cocodrilo marino, con el que esta especie comparte una zona del área de distribución. Ocasionalmente, algunos individuos se aventuran por zonas de agua salada.
DISTRIBUCIÓN Separada del cocodrilo de Johnston por el estrecho de Torres, esta especie de cocodrilo fue observada por primera vez en la cuenca del río Sepik, al norte de Nueva Guinea. El análisis morfológico de gran número de cocodrilos «de agua dulce» de ambas costas de Nueva Guinea indica que la población meridional

(de Papúa) es diferente de la del norte, aunque todavía no ha recibido un nombre propio. Las dos poblaciones de cocodrilos están separadas por la cadena montañosa que atraviesa el centro de la isla. No se conocen cocodrilos «de agua dulce» en el extremo oriental de Nueva Guinea. Al oeste, la población papuense vive en la península de Jazirah Doberai, y es muy poco probable que haya interacción genética entre los dos grupos conocidos.
REPRODUCCIÓN Los cocodrilos de esta especie construyen nidos monticulares de vegetación. La población papuense nidifica durante la estación de las lluvias, mientras que la septentrional lo hace durante la época seca. Se han observado cuidados de la prole y, en el grupo papuense, se ha visto que tanto los machos como las hembras abren los nidos y transportan las crías al agua.
DIETA Su alimentación es oportunista. En sus estómagos se han encontrado insectos, anfibios, serpientes, aves —como rascones y colimbos— y peces.

Cocodrilo enano
Osteolaemus tetraspis

ASPECTO El cocodrilo enano presenta una robusta coraza, desde los párpados óseos, pasando por la maciza coraza cervical y dorsal y las escamas laterales y ventrales, hasta el revestimiento óseo de la cola. Los individuos jóvenes son de color marrón oscuro, con franjas negras en la cola y el tronco, y llamativos dibujos amarillos a los lados. Los adultos son de color uniformemente oscuro. El iris es marrón.
DIMENSIONES Es un cocodrilo pequeño, que puede alcanzar 2 m de longitud.
HÁBITAT Esta especie se conoce poco, pero aparentemente prefiere las aguas lentas y evita los ríos importantes. Se ha registrado su presencia en medios de agua dulce de la selva y la sabana, pero nunca en aguas costeras. Es básicamente nocturno y no pasa largo tiempo al sol, como otros muchos cocodrilianos.

DISTRIBUCIÓN Vive en las regiones selváticas del centro y el oeste de África y su área de distribución es similar a la del cocodrilo de Guinea, aunque, a diferencia de este último, no se encuentra en regiones tan septentrionales como Mauritania, Chad y Mali, ni tan orientales como Tanzania. Existen dos poblaciones, una de las cuales se extiende desde Senegal hasta Angola, mientras que la otra vive solamente en el nordeste de Zaire y Uganda (donde no se encuentra el cocodrilo de Guinea). La distribución exacta y las regiones de contacto o solapamiento de estas dos poblaciones todavía no se conocen con exactitud.
REPRODUCCIÓN Esta especie construye nidos monticulares de vegetación y, aparentemente, sus nidadas son reducidas: apenas una veintena de huevos.
DIETA Se alimenta de cangrejos, ranas y peces.

Cocodrilo malayo
Tomistoma schlegelii

ASPECTO La única especie viviente de este antiguo género, cuya existencia se remonta al Eoceno de África y Asia, se caracteriza por el hocico estrecho y alargado. Es de color oscuro, con anchas franjas negras en la cola y manchas y bandas oscuras en el cuerpo. También en las mandíbulas presenta manchas oscuras. Es una de las pocas especies de cocodrilianos en las que los adultos tienen dibujos y colores tan llamativos como los individuos jóvenes.
DIMENSIONES Alcanza más de 4 m de longitud.
HÁBITAT El cocodrilo malayo o falso gavial vive en medios de agua dulce: zonas pantanosas, lagos y ríos. No se ha registrado su presencia en aguas saladas costeras. En cautividad, utiliza a veces cuevas y madrigueras.
DISTRIBUCIÓN Su área de distribución es reducida. Sólo se encuentra en Tailandia, Malaysia, Sumatra, Borneo, Java y, posiblemente, Célebes. Investigaciones recientes realizadas en China y el hallazgo de dos cráneos en unas

excavaciones en Guandong indican que el área de distribución de este cocodrilo era mucho más amplia en el pasado, posiblemente hasta la época de la dinastía Ming (1368-1644).
REPRODUCCIÓN Lo único que se conoce con certeza del comportamiento reproductivo de esta especie es su costumbre de construir nidos de vegetación en forma de montículo.
DIETA Se alimenta de peces y pequeños vertebrados.

SUBFAMILIA GAVIALINAE

Los gavialinos se caracterizan por un hocico muy estrecho, redondeado dorsalmente y claramente diferenciado del resto de la cabeza. Los huesos nasales no están en contacto con los premaxilares. Los dientes son pequeños y los de la mandíbula superior encajan perfectamente con los de la inferior.

Gavial
Gavialis gangeticus

ASPECTO La mayoría de los individuos tienen el hocico muy alargado, con lados paralelos, y los machos presentan una protuberancia característica en el extremo. Los gaviales recién salidos del cascarón y los más voluminosos tienen el hocico proporcionalmente más ancho que los individuos jóvenes y los adultos de dimensiones más moderadas. Los gaviales son por lo general de color claro, entre verde aceituna y castaño, con manchas o bandas oscuras sobre la cola y el tronco. La coraza cervical y la dorsal son contiguas. Las patas traseras presentan membranas interdigitales bien desarrolladas y los miembros son relativamente débiles, ya que este animal no se desplaza tanto en tierra firme como otras especies de cocodrilianos.
DIMENSIONES Es un animal grande, que algunas veces puede alcanzar hasta 6,5 m de longitud.
HÁBITAT Por lo que parece, sólo vive en los ríos.
DISTRIBUCIÓN El género *Gavialis* ha existido desde el Mioceno hasta nuestros días. Se han hallado ejemplares fósiles en América del Norte y del Sur, en África y en Asia, pero sólo en este último continente vive todavía la única especie moderna de este género. Actualmente, el área de distribución del gavial se reduce al norte del subcontinente indio. Su distribución reciente abarcaba las cuencas de los ríos

Brahmaputra, Irrawaddy, Bhima, Ganges, Mahanadi y Kaladan, en Pakistán, India, Nepal, Bangladesh, Bután y Birmania.
REPRODUCCIÓN El gavial excava agujeros para nidificar, en los bancos arenosos junto a los ríos o en las islas en medio de la corriente. El tamaño medio de la nidada varía entre 28 y 43 huevos, según las localidades.
DIETA Se alimenta básicamente de peces, aunque es probable que la dieta de los ejemplares más jóvenes y de los mayores difiera de la de los adultos jóvenes, que tienen el hocico más estrecho. Esto explicaría los relatos acerca de gaviales adultos capaces de devorar animales que partirían en dos el hocico de ejemplares más jóvenes. Aunque el gavial alcanza enormes dimensiones, nunca se han documentado ataques a seres humanos. Las antiguas historias sobre gaviales «comehombres» se basan en el hallazgo de objetos relacionados con los humanos en el estómago de estos animales. La mayoría de los cocodrilianos devoran y retienen objetos duros (gastrolitos), que aparentemente les facilitan la digestión. En el Ganges y en otros ríos donde vive el gavial, existe la costumbre de incinerar a los muertos sobre barcas que se dejan ir a la deriva. Por lo tanto, es fácil encontrar en el río brazaletes, sortijas y otros objetos. Más que devorar seres humanos, lo más probable es que el gavial ingiera estos materiales secundarios.

Un aligátor americano hembra monta
guardia junto a los pequeños recién
salidos del cascarón.

CONDUCTA

Y AMBIENTE

DIETA Y HÁBITOS ALIMENTARIOS

A. C. (TONY) POOLEY

▲ Para desgarrar la carne de su víctima, el cocodrilo del Nilo sólo tiene que «cortar por la línea de puntos» marcada por sus aguzados dientes. Manchadas y desgastadas por el uso, las piezas dentarias de este animal son sustituidas regularmente por otras que crecen debajo.

C on su impresionante y acorazado cuerpo, sus miembros robustos, su musculosa cola, su maciza cabeza y sus mandíbulas erizadas de dientes, los cocodrilianos parecen ser —y lo son— depredadores sumamente eficientes. Aunque son cazadores oportunistas, capaces de atacar a cualquier víctima que tengan a su alcance cuando buscan comida, también pueden practicar comportamientos más avanzados cuando se enfrentan a diferentes presas en diversos hábitats.

ANATOMÍA Y ESPECIES ATACADAS

Los cocodrilianos poseen robustos dientes cónicos y cilindrocónicos. Los enormes caninos son aguzados, presentan bordes cortantes y están adaptados para aferrar y desgarrar a la víctima. Los molares, más cortos y romos, sirven para triturar el alimento. En el maxilar inferior suele haber entre 28 y 32 piezas dentarias, y entre 30 y 40 en el superior. Una vez atrapada, la víctima tiene pocas probabilidades de escapar. Sin embargo, los dientes no tienen raíces, sino que están alojados en alvéolos de las mandíbulas y pueden desprenderse. Los maxilares no se mueven hacia los lados ni efectúan acciones masticatorias; tras aferrar a las víctimas con sus caninos, los cocodrilianos las suelen tragar enteras.

La mayoría de los cocodrilianos son principalmente cazadores nocturnos y prefieren dedicar las horas del día a tomar el sol, por lo que las observaciones de campo sobre las especies que realmente les sirven de alimento no son numerosas. La temperatura también desempeña una importante función tanto en el comportamiento alimentario como en la duración de la digestión. El consumo de alimentos es mínimo durante los meses más fríos del invierno, pero aumenta progresivamente en primavera y verano.

En África se han capturado y matado varios cientos de ejemplares de cocodrilo del Nilo (*Crocodylus niloticus*), procedentes de distintos hábitats, con el fin de examinar el contenido de su estómago. Se creía que estos

► ¡Las mandíbulas de un poderoso depredador! Cada diente de la erizada boca de este cocodrilo marino es un arma para aferrar y sujetar la presa. Los protuberantes músculos de la parte posterior de la boca le permiten cerrarla con fuerza, mientras que la coraza de la cabeza y el dorso es capaz de resistir el ataque de prácticamente cualquier enemigo natural.

Reg Morrison/Auscape International

T. Pooley

◀ Los cocodrilianos aprovechan básicamente la gravedad para hacer pasar la comida de las mandíbulas al esófago. En primer lugar sacuden el bocado hasta situarlo cómodamente entre las fauces, y a continuación echan hacia atrás la cabeza, hasta que el alimento cae literalmente hacia la garganta.

▼ El estudio del contenido del estómago de numerosos cocodrilos del Nilo revela una relación directa entre la longitud (y en consecuencia la edad) del animal y el tamaño de sus víctimas. En esta investigación, los estómagos de todos los cocodrilos de hasta medio metro de longitud contenían insectos, y hasta el 40 % de las muestras contenían también ranas y arañas. Entre los estómagos de los ejemplares maduros, el 60 % contenía mamíferos, pero en ninguno se encontraron las presas más pequeñas, lo cual indica que los cocodrilos adultos no gastan energía persiguiendo animales pequeños, insuficientes para compensar el «gasto», si tienen a su disposición víctimas más voluminosas.

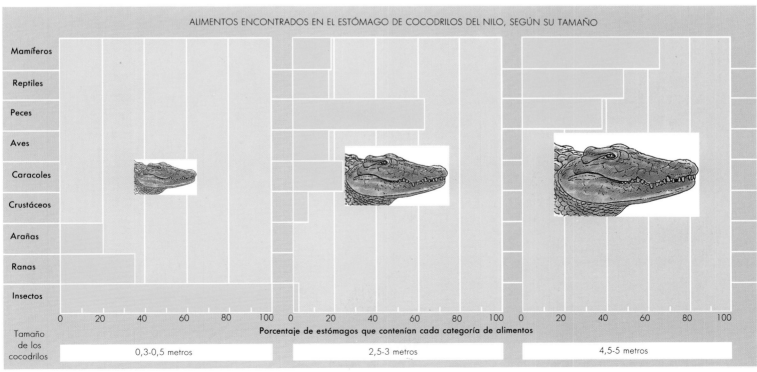

ALIMENTOS ENCONTRADOS EN EL ESTÓMAGO DE COCODRILOS DEL NILO, SEGÚN SU TAMAÑO

Mamíferos

Reptiles

Peces

Aves

Caracoles

Crustáceos

Arañas

Ranas

Insectos

0 20 40 60 80 100 0 20 40 60 80 100 0 20 40 60 80 100

Porcentaje de estómagos que contenían cada categoría de alimentos

Tamaño de los cocodrilos

0,3-0,5 metros | 2,5-3 metros | 4,5-5 metros

depredadores eran animales voraces, capaces de comer hasta hartarse cada 24 horas, y que su dieta, compuesta básicamente por peces, era perjudicial tanto para la pesca deportiva como para la comercial. Los responsables de las reservas naturales los acusaban de cazar demasiados antílopes y de causar desequilibrios en la relación entre depredadores y víctimas. Sin embargo, el análisis de la muestra estudiada reveló que el 30 % de los estómagos estaban vacíos. A partir de estos datos, los investigadores llegaron a la conclusión de que los animales adultos probablemente sólo comen hasta hartarse unas 50 veces al año.

El aligátor americano o caimán del Mississippi (*Alligator mississippiensis*) también se consideraba una amenaza para las especies piscícolas adecuadas para el consumo humano y para pequeños mamíferos de pelaje especialmente valioso, como el visón. También esta creencia resultó ser incorrecta: de hecho, el coipo (una especie de nutria que vive en Luisiana y Florida) es el mamífero más atacado por los caimanes en toda su área de distribución.

Otros análisis de cientos de estómagos de diferentes especies de cocodrilianos de todos los tamaños han revelado, como era de esperar, que los ejemplares jóvenes se alimentan principalmente de infinidad de especies de insectos acuáticos y habitantes de las orillas. En su dieta figuran asimismo ranas, renacuajos, caracoles, cangrejos, crustáceos y peces pequeños, elemento este último que se vuelve progresivamente importante a medida que el animal se acerca a la longitud de 1 m.

La dieta de los cocodrilianos también varía considerablemente con el hábitat. En aguas salobres, estuarios y lagunas marinas, los individuos jóvenes comen sobre todo cangrejos, pequeños crustáceos, moluscos y toda una variedad de pequeños peces marinos que buscan refugio entre las raíces de los manglares, así como insectos. En marjales y en zonas pantanosas de agua dulce, se alimentan de ranas, renacuajos, babosas, peces,

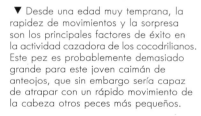

► Los cocodrilos jóvenes se alimentan sobre todo de insectos, ranas y otros pequeños animales anfibios y acuáticos. Esta pata pertenece a una rana a punto de desaparecer: hace unos segundos estaba tranquilamente sentada en los nenúfares, pero ahora está a punto de sumarse a la dieta de un joven cocodrilo del Nilo.

▼ Desde una edad muy temprana, la rapidez de movimientos y la sorpresa son los principales factores de éxito en la actividad cazadora de los cocodrilianos. Este pez es probablemente demasiado grande para este joven caimán de anteojos, que sin embargo sería capaz de atrapar con un rápido movimiento de la cabeza otros peces más pequeños.

Norman Myers/Bruce Coleman Ltd.

▲ El estrecho hocico del cocodrilo de Guinea es demasiado frágil para cazar animales grandes en tierra, pero sus afilados dientes le permiten atrapar peces de considerable tamaño en el agua.

► Ni siquiera el sólido caparazón de una tortuga es defensa suficiente contra las potentes mandíbulas de un aligátor americano adulto. La capacidad de los cocodrilianos para devorar casi cualquier animal que puedan cazar ha sido un factor determinante en su éxito evolutivo.

pequeños mamíferos y, posiblemente, de una gran variedad de insectos.

El tipo de alimentación también cambia con las dimensiones y la edad de los cocodrilianos subadultos y adultos. En la mayoría de las especies se observa un incremento del consumo de peces (hasta el 70 % de la dieta), así como un mayor consumo de cangrejos, tortugas, aves, reptiles y mamíferos grandes y pequeños.

Es importante recordar, sin embargo, que en cualquier hábitat los cocodrilianos cazan cualquier presa que tengan a su alcance. Ni siquiera los ejemplares de 3 o 4 m de longitud desprecian bocados del tipo de caracoles, cangrejos, ranas o pequeños peces de las más diversas especies y tamaños. Aunque prefieren las víctimas más grandes, no pierden la capacidad de subsistir alimentándose de animales pequeños.

Los cocodrilianos de hocico largo y estrecho, como el gavial (*Gavialis gangeticus*), el cocodrilo malayo (*Tomistoma schlegelii*), el cocodrilo de Johnston (*Crocodylus johnstoni*), el cocodrilo de Nueva Guinea (*Crocodylus novaeguineae*) y el cocodrilo de Guinea (*Crocodylus cataphractus*), son principalmente piscívoros, aunque no desdeñan pequeños crustáceos, cangrejos, ranas, serpientes, aves y pequeños mamíferos. Un hocico estrecho ofrece escasa resistencia cuando se desliza o se cierra de lado en el agua para atrapar víctimas como los peces; cuanto más estrecho y alargado sea el hocico, más rápidos y eficaces son estos movimientos laterales. Las especies que presentan este tipo de hocico son además bastante ágiles, y pueden atrapar peces, murciélagos y aves en el aire, de un salto. Indudablemente, su singular

Gary Retherford/Bruce Coleman Ltd.

Glen Threlfo/Auscape International

Joanna Van Gruisen/Ardea London

▲ Las aves acuáticas tropicales se exponen siempre a un fatal ataque por detrás. Este ganso urraca habrá tenido muy pocas oportunidades de escapar, cuando el cocodrilo marino surgió por detrás del ave, entre la vegetación.

◄ Los cardúmenes de pequeños peces son un bocado fácil para este cocodrilo palustre, que barre el agua con la boca. Para estos cazadores oportunistas, ningún bocado es demasiado pequeño si no es preciso hacer grandes esfuerzos para conseguirlo.

hocico también resulta de gran utilidad para buscar cangrejos en sus madrigueras subterráneas.

Las especies de hocico más ancho, robusto y pesado suelen cazar animales más grandes e incluyen más mamíferos en su dieta. El caimán negro (*Melanosuchus niger*) se alimenta de capibaras (roedor gigante sudamericano), nutrias, perros, cerdos, venados pequeños y reses. El cocodrilo palustre adulto (*Crocodylus palustris*) devora venados (sambares), reses salvajes, ardillas y monos. El cocodrilo marino (*Crocodylus porosus*) devora a los monos que se alimentan de cangrejos, así como a ardillas, murciélagos, canguros, caballos, reses y búfalos. El cocodrilo del Nilo tiene una amplia gama de mamíferos en su dieta, desde ratas hasta búfalos. Tanto el cocodrilo palustre como el marino y el del Nilo devoran también ocasionalmente seres humanos.

◀ Dejando fuera del agua poco más que los ojos, las narinas y los oídos, este aligátor americano puede oler, ver u oír a cualquier víctima potencial que se le acerque. Cuando se sumerge antes de atacar, las plantas acuáticas de la superficie ni siquiera se mueven.

▼ Cuando en África llega la estación seca, muchos mamíferos se ven obligados a beber en aguas donde abundan los cocodrilos del Nilo. Cada visita a la laguna se convierte en una terrible lotería por la supervivencia, ya que es muy poco lo que un animal como una cebra puede hacer para escapar del ataque de un cocodrilo grande.

Jonathan Scott/Planet Earth Pictures

CAZA Y ALIMENTACIÓN

Los cocodrilianos son más bien cazadores perezosos, que acechan la llegada de víctimas desprevenidas, en aguas poco profundas junto a la orilla. Dependen básicamente del mimetismo y de su capacidad para permanecer sumergidos durante horas, dejando solamente las fosas nasales, los ojos y los oídos fuera del agua, para oler, ver y oír a la potencial víctima. Incluso los cocodrilianos de mayor tamaño son capaces de catapultarse casi verticalmente fuera del agua hasta una altura de más de 1,5 m para atrapar aves o mamíferos a orillas de los ríos. Los ejemplares recién salidos del cascarón saltan literalmente en el aire para atrapar libélulas.

Los animales que se acercan al agua para beber resultan especialmente vulnerables si la ribera está cubierta de barro y si sus patas se hunden en el suelo

► Los pelícanos son aves pesadas que tardan mucho en levantar vuelo, demasiado lentos para este cocodrilo del Nilo. La aceleración adquirida por el cocodrilo con el impulso de la cola ha sido mayor que la generada por el aleteo del pelícano.

T. Pooley

UN METABOLISMO EFICIENTE

STEPHEN GARNETT

Es frecuente encontrar cocodrilianos con el estómago vacío, porque utilizan la energía de los alimentos que consumen de manera más eficiente que casi cualquier otro animal. Esto se debe a la forma en que consiguen la comida, al hecho de ser animales de sangre fría y a la extremada eficacia de sus procesos de digestión.

La mayoría de los cocodrilianos cazan al acecho: en lugar de ir en busca del alimento, esperan a que el alimento venga hacia ellos, lo cual supone un gran ahorro de energía. Cuando finalmente un bocado apetitoso se aproxima a la orilla del río, el cocodrilo hace un importante pero breve gasto de energía, al precipitarse sobre la víctima y devorarla; pero este despliegue no puede compararse con la cantidad de energía que necesitaría para recorrer vastas zonas en busca de alimento.

Por ser animales de sangre fría, la temperatura de los cocodrilianos varía con la temperatura ambiental. Cuando hace frío, se adormecen y a menudo buscan calor tomando el sol en una ribera soleada. A diferencia de los mamíferos y las aves, los cocodrilianos no necesitan gastar energía para mantener la temperatura corporal a un nivel constante.

El sistema digestivo de los cocodrilianos es notable por varias razones. En primer lugar, su estómago es el medio más ácido encontrado en cualquier vertebrado, lo que les permite digerir hasta el último hueso que consumen. En segundo lugar, almacenan en forma de grasa alrededor del 60 % de la energía contenida en el alimento que consumen, en la cola, en órganos mesentéricos del abdomen, a lo largo del dorso y en cualquier sitio del cuerpo capaz de almacenar grasa. Los cocodrilianos llegan a convertir en grasa parte de la energía contenida en las proteínas.

De esta forma, los cocodrilianos son capaces de sobrevivir sin comer durante periodos excepcionalmente prolongados. Un cocodrilo recién salido del cascarón puede sobrevivir durante más de cuatro meses sin comer, utilizando los restos de grasa del saco vitelino que tienen en el vientre. Un cocodrilo grande, que puede pesar más de una tonelada, es capaz de ayunar durante dos años. Los caimanes de clima templado y algunos cocodrilos ayunan todos los años durante los meses más fríos, pero los más grandes ni siquiera necesitan comer demasiado durante el verano, a menos que gasten mucha energía en la reproducción.

Naturalmente, un metabolismo tan eficiente impone algunos costes, el primero de los cuales es el ritmo de crecimiento. Con un suministro continuado de alimento, los cocodrilianos pueden crecer alrededor de medio metro al año; pero en condiciones naturales, el ritmo de desarrollo suele ser bastante más lento. Como los individuos jóvenes almacenan gran parte de la comida en forma de grasa, como defensa contra los periodos de escasez, dedican pocos recursos energéticos al crecimiento y al fortalecimiento de los músculos.

El otro coste se manifiesta cuando los cocodrilianos tienen que hacer gastos rápidos de energía, por ejemplo al capturar a sus víctimas. Los grandes despliegues energéticos requieren cierta cantidad de oxígeno en la sangre; sin embargo, como el organismo de los cocodrilianos está especializado en utilizar lentamente la energía, en ningún momento dispone de oxígeno en abundancia. Cuando falta oxígeno, el agotamiento determina la producción de ácido láctico, que una vez interrumpida la actividad se disocia gradualmente y aumenta el nivel de oxígeno. El nivel de ácido láctico en la sangre que pueden tolerar los cocodrilianos ha asombrado a los investigadores; su sangre alcanza niveles de acidez que fácilmente matarían a casi cualquier otro animal. Sin embargo, esto significa también que los cocodrilianos se cansan rápidamente y que necesitan mucho tiempo para recuperarse después del ejercicio.

Pese a sus inconvenientes, la eficacia del metabolismo cocodriliano ha contribuido sin duda al éxito evolutivo de estos animales, que prácticamente no desperdician nada de lo que comen.

blando. Las orillas de pendientes abruptas también pueden ser una desventaja para un animal que trata de saltar hacia atrás cuando se siente atacado. Cuando beben, los antílopes de casi todas las especies se ven obligados a extender hacia fuera las patas delanteras para llegar hasta el agua con el hocico; pero desde esta postura son incapaces de saltar hacia atrás con rapidez. Cuando una manada de antílopes se acerca al agua para beber, el ataque de un cocodrilo provoca gran nerviosismo y confusión, circunstancias que el reptil suele aprovechar en su beneficio.

Un animal aferrado por el hocico entre los aguzados dientes curvos de un cocodrilo, y sujeto a la presión de sus potentes mandíbulas, no suele ofrecer mucha resistencia. La sensibilidad de las terminaciones nerviosas en torno a la boca y las fosas nasales, combinada con los tirones y sacudidas del cocodrilo, determina una situación indudablemente muy dolorosa. Aferrados de esta forma por el hocico, animales domésticos y antílopes han sido vistos caminando hacia el agua sin oponer resistencia, hasta que al final, con un tremendo vuelco, el cocodrilo abate a la víctima y le hunde el hocico bajo el agua hasta que se ahoga.

A veces, el cocodrilo surge del agua en medio de una manada de antílopes sedientos y se sirve de su robusta y huesuda cabeza para distribuir mazazos a diestra y

◄▼ Con las potentes mandíbulas de un cocodrilo palustre cerradas sobre su cabeza (izquierda), este sambar no tiene más opción que avanzar hacia el agua. Al elegir un punto tan sensible para el ataque, el cocodrilo gasta un mínimo de energía en la captura de su presa. Pocos minutos después, hunde en el agua el hocico del venado (abajo), hasta que el animal se ahoga.

▶ Con las plumas de las alas demasiado cortas para volar, este polluelo de airón (página siguiente) no tiene salvación posible. Las colonias de aves acuáticas ofrecen presas fáciles a los aligatores americanos, como el de la ilustración. Los caimanes no sólo devoran los polluelos que caen de los nidos, sino que atrapan a los peces que acuden para comer los excrementos de las aves.

▼▶ En sus largas migraciones, las enormes manadas de ñúes africanos tienen que atravesar muchos ríos y corrientes. Con tantos animales entre los que elegir, este cocodrilo del Nilo ni siquiera se toma la molestia de sumergirse antes de atacar (abajo). En otro ataque similar (derecha), este ñu, elegido como víctima entre un vasto grupo, trata desesperadamente de llegar a tierra, mientras un cocodrilo del Nilo le desgarra la grupa con sus afilados dientes.

Jonathan Scott/Planet Earth Pictures

siniestra, tratando de atontar a alguna víctima, quebrarle una pata o derribarla por la mera fuerza del golpe. Parece ser que algunas especies de cocodrilos utilizan la cola con los mismos fines, cuando acechan a su presa en los senderos que suelen recorrer las manadas, pero no hay pruebas concretas en este sentido.

Muchos de los grandes cocodrilianos sacan partido de las costumbres de sus víctimas y se sitúan al acecho, en el agua, junto a los sitios habitualmente visitados por los animales sedientos o en los vados o abrevaderos de los ríos más utilizados por las personas y el ganado, especialmente si los ataques previos en los mismos sitios se han visto coronados por el éxito. Del mismo modo, montan guardia durante días y días bajo los nidos de cormoranes, grullas y cigüeñas, dispuestos a devorar a los desprevenidos pichones que caen del nido o que revolotean por las ramas bajas, cerca del agua. Se ha observado asimismo que el cocodrilo marino se sitúa al acecho entre los manglares, bajo las colonias de murciélagos que habitan algunas regiones de Australia.

Jonathan Scott/Planet Earth Pictures

► Los cocodrilos suelen dirigir sus ataques contra la parte más accesible de la anatomía de sus víctimas. En este caso, sin embargo, al aferrar por el cogote a este facóquero, el cocodrilo del Nilo ha conseguido anular la amenaza de los poderosos colmillos de su víctima.

Ian Beames/Ardea London

El cocodrilo de Johnston atrapa a los murciélagos cuando se acercan al agua para beber.

Los cocodrilianos también hacen gala de versatilidad y maestría como depredadores en sus métodos para capturar peces. Inmóvil en los bajíos, a menudo con la boca bien abierta, el cocodrilo percibe probablemente las vibraciones producidas en el agua por el pez que se acerca. Cuando llega el momento, cierra las mandíbulas bruscamente y atrapa al pez; a continuación, con un movimiento simultáneo hacia un lado y hacia abajo, lo hunde de cabeza en el barro para evitar que escape. Una vez que ha logrado aferrarlo firmemente, levanta la cabeza muy por encima del agua y, después de una serie de maniobras, traga al pez por la cabeza, para evitar que las afiladas espinas dorsales le dañen la garganta y el buche. Si los peces son muy grandes, el cocodrilo los lleva a tierra y los sujeta firmemente hasta que dejan de debatirse, o bien los golpea con fuerza contra el suelo.

Otra de las tácticas utilizadas consiste en dejar fuera de la boca una parte no deseada de la presa y destrozar el resto con una serie de vigorosas sacudidas de la cabeza. Este sistema es el que aplican los cocodrilos para separar del cuerpo la cabeza de los barbos.

Para atrapar peces, el cocodrilo de Guinea nada lentamente en paralelo a la ribera del río, con la cola curvada hacia la orilla. Los cardúmenes de pequeños peces y otros que también habitan las aguas poco profundas nadan hacia delante para huir de la turbulencia, pero el cocodrilo vuelve la cabeza hacia la orilla y los atrapa, barriendo lateralmente el agua con la boca abierta. Se ha observado que los cocodrilos del Nilo utilizan la cola para curvar los juncos y hacer caer de los nidos a los polluelos de los tejedores, que devoran en un santiamén.

COMPORTAMIENTO ALIMENTARIO COOPERATIVO Y SOCIAL

Informes bien documentados sobre el cocodrilo del Nilo respaldan la creencia de que los cocodrilianos tienen un sistema de alimentación socialmente avanzado.

En el lago Santa Lucía, en la región sudafricana de Natal, se registran todos los años migraciones de cardúmenes entre el lago y el océano Índico, ya sea para desovar o para buscar alimento. Entre las especies que así se comportan figuran la roncadera manchada y, más importante aún, el pardete (*Mugil cephalus*). El movimiento anual de los cardúmenes de pardetes es bastante constante, y todos los años, entre mediados de abril y mediados de mayo, grandes grupos de cocodrilos acuden desde las zonas más septentrionales y abiertas del lago, como respuesta a sus migraciones, mientras que otros se desplazan hasta el lugar desde sistemas fluviales situados más al sur.

Los cocodrilos se reúnen en una zona denominada Narrows, un canal de menos de 500 m de ancho. Su número alcanza el máximo en mayo, pero disminuye rápidamente a partir de entonces. Se pueden observar ejemplos de comportamiento cooperativo cuando varios cocodrilos se sitúan en formación lineal o sèmicircular, para bloquear el paso de los peces. Sin abandonar su

Michael Cermak

Jeff Foott/Survival Anglia Ltd.

▲ Los zarapitos son aves limícolas que comparten el hábitat ribereño con los cocodrilos. No resulta sorprendente que estas aves limícolas sean víctimas frecuentes en los sitios donde abundan los cocodrilos marinos, como el de la fotografía.

◄ La forma de los peces, que favorece sus movimientos en el agua, facilita también a sus captores el trabajo de tragarlos, siempre que estén correctamente colocados. Pese a las apariencias, este aligátor americano no tendrá el menor problema para devorar a su víctima.

lugar en la formación, cada cocodrilo intenta devorar todos los peces que se le acercan. No hay luchas, ya que el hecho de cambiar de posición y dejar un vacío en las filas reduciría las posibilidades de éxito en la captura.

En otros ríos de Zululandia se observan comportamientos similares en verano, cuando aumenta el caudal y se forman canales y lagunas en la ribera. En los puntos donde un canal desemboca en una laguna, los cocodrilos forman barreras, con la cabeza en dirección opuesta a la corriente. En esta posición, atrapan gran cantidad de especies del género *Tilapia* y barbos.

▶ Los cocodrilos del Nilo, cuyo estómago es del tamaño de una pelota de baloncesto, no suelen devorar de un bocado los ñúes ni otras presas grandes. A menudo almacenan la carne sobrante, para consumirla más adelante. Aun así, los cocodrilos prefieren la carne fresca y, en cautividad, no la comen si está en estado de putrefacción.

Peter Davey/Bruce Coleman Ltd.

Otros ejemplos de comportamiento cooperativo se pueden observar cuando los cocodrilos del Nilo se reúnen para devorar un animal especialmente grande, como un búfalo o un hipopótamo. Los dientes y mandíbulas de los cocodrilos no pueden desgarrar una piel dura, a menos que el proceso de putrefacción esté lo suficientemente avanzado para poder alcanzar las partes más blandas del cuerpo. (Esta incapacidad para devorar un animal grande recién muerto ha generado la errónea creencia de que los cocodrilos prefieren la carne «sazonada» y de que almacenan las víctimas en una cueva o entre las raíces de un árbol para que se pudran.)

▼ El cadáver de un elefante indio es alimento más que suficiente para varios cocodrilos palustres. A veces, el olor de la carne atrae a los cocodrilos, que abandonan el agua para alimentarse en tierra.

Dieter and Mary Plage/Survival Anglia Ltd.

Jonathan Scott/Planet Earth Pictures

Hasta 30 o 40 cocodrilos se pueden reunir en torno al cadáver de un búfalo, y existe un récord documentado de 120 ejemplares reunidos alrededor de un hipopótamo muerto, en el río Luangwa, en Zambia. En este caso, a causa de las limitaciones de espacio, no todos los cocodrilos podían comer al mismo tiempo. Para conseguir un bocado, rodeaban el cadáver esperando su turno, se adelantaban para procurarse una porción y se retiraban a la periferia del círculo para devorarla. Pese al

considerable movimiento desde y hacia el cadáver, no se registraron luchas en el nutrido grupo de cocodrilos.

Cuando un cocodrilo grande sujeta entre las fauces la pata de un antílope que acaba de ahogar, gira sobre sí mismo en el agua, hasta que la porción aferrada se desprende del resto del cuerpo. Sin embargo, este método no funciona cuando el animal abatido es más bien pequeño. En este caso, cuando el cocodrilo gira, también lo hace la presa. En estas circunstancias, un segundo cocodrilo aferra el cuerpo y lo sujeta, mientras el primero realiza sus movimientos de rotación, o bien los dos giran en direcciones opuestas. Cada cocodrilo, aun cuando sean muchos, devora la porción que ha podido desgarrar sin la menor hostilidad hacia los demás, y espera tranquilamente su turno.

Esta forma de alimentación social especializada y avanzada es muy diferente de la conducta de caza más bien estereotipada de la mayoría de reptiles.

▲ Una cebra recién capturada atrae a todos los cocodrilos del Nilo que se encuentran en las proximidades, alertados posiblemente por los desesperados movimientos del agonizante animal. Una pieza tan grande resultaría difícil de defender por un solo cazador y, de todos modos, es más fácil desmembrarla si varios animales cooperan.

MORTALIDAD Y ENEMIGOS NATURALES

A. C. (TONY) POOLEY Y CHARLES A. ROSS

El mayor riesgo de muerte por causas naturales para los cocodrilianos es el periodo embrionario en el nido y los primeros meses (o años) de vida. Mientras están en el nido, los huevos se hallan expuestos a las fluctuaciones de los parámetros ambientales y al ataque de los depredadores. Durante los primeros seis meses, e incluso durante los primeros años de vida, la mortalidad entre los individuos jóvenes es bastante elevada. De hecho, varios programas de conservación de cocodrilos africanos y del Pacífico permiten hasta cierto punto la recogida de huevos y la caza de ejemplares jóvenes, ya que la llegada de la mayoría de los individuos de este sector de la población a la fase adulta reproductora es muy improbable. Algunos expertos en la conservación de las especies en su medio natural calculan una tasa de mortalidad de hasta el 90 % durante el primer año de vida. Sin embargo, cuando un cocodrilo supera con éxito la amenaza de los depredadores en sus primeros años de vida, el número de enemigos naturales y de causas de mortalidad disminuye rápidamente. Los cocodrilos adultos tienen muy poco que temer, si se exceptúan sus propios congéneres y los seres humanos.

► La caza de cocodrilos es desde hace mucho tiempo un deporte «exótico». Después de sobrevivir a innumerables amenazas para alcanzar la edad adulta, este cocodrilo del Nilo encontró finalmente la muerte a manos del depredador más eficiente de todos, en el lago Victoria, en África central.

Nick Gordon/Ardea London

◄ La mortalidad de los cocodrilianos es muy elevada en las primeras fases de la vida. Estos huevos y crías de aligátor chino (*Alligator sinensis*) se encuentran en la etapa de mayor riesgo: tanto la fuerza de los elementos como sus enemigos naturales diezmarán su número y sólo un pequeño porcentaje sobrevivirá para alcanzar la edad adulta.

MORTALIDAD EN EL NIDO

A diferencia de la mayoría de las especies de aves, que ponen relativamente pocos huevos pero producen dos o tres nidadas en cada época reproductora (aumentando así las probabilidades de supervivencia de por lo menos una nidada), los cocodrilianos ponen gran cantidad de huevos, pero lo hacen sólo una vez al año. El tamaño medio de las nidadas varía de una especie a otra y dentro de una misma especie, pero en general se puede afirmar que los cocodrilianos ponen entre 20 y 80 huevos en cada nidada.

El periodo de incubación suele ser prolongado en comparación con el de las aves: desde unos 35 días para las especies pequeñas, hasta 90 o 100 días para las más grandes. En la mayoría de las especies, las hembras defienden el nido de los depredadores y a veces se abstienen de comer durante todo el periodo de incubación para no alejarse de los huevos. Las aves incuban los huevos y, en consecuencia, controlan hasta cierto punto los resultados. En caso de desastre natural o después del ataque de un depredador, pueden reconstruir rápidamente el nido para producir una nueva nidada. Los cocodrilianos, por su parte, no son tan afortunados. Una vez puestos los huevos —ya sea en un agujero excavado en la tierra o bajo un montículo de paja y hojas muertas—, el destino de los embriones depende de los elementos ambientales. Los cocodrilianos no tienen el menor control sobre las condiciones del nido, como la temperatura de los huevos, la humedad dentro de la cámara de incubación, las inundaciones y la gran variedad de condiciones ambientales.

Las lluvias persistentes o incluso un periodo prolongado de cielos cubiertos pueden hacer descender la temperatura de incubación por debajo del nivel necesario para la supervivencia de los embriones. Las crías en desarrollo, cuya vida depende de la difusión del oxígeno a través de la cáscara porosa de los huevos, pueden ahogarse durante periodos de lluvias torrenciales. A la inversa, la sequía y el calor producen un descenso de la humedad dentro del nido. Los huevos se calientan demasiado y se resecan, y muchos de los embriones, o la nidada entera, no llegan a desarrollarse.

Los nidos suelen estar construidos en la ribera de los ríos, junto a canales de desagüe, sobre lechos flotantes de vegetación, a orillas de los lagos y en otros sitios expuestos a las inundaciones y las devastaciones producidas por tormentas tropicales, huracanes y tifones. Aunque la hembra ponga los huevos en un momento en que las condiciones del sustrato y del aire sean ideales, y aun cuando los huevos se encuentren por encima del nivel normal de las aguas altas, todas las nidadas de un año

Bill Green

◄ Aunque los cocodrilianos hembras hacen grandes esfuerzos para situar sus nidos por encima del nivel del agua, las lluvias torrenciales o las tormentas tropicales pueden destruir los nidos y los huevos, con devastadores resultados para la estación reproductora. Los huevos depositados en este montículo inundado, en Arnhem Bay, en el Territorio del Norte (Australia), morirán probablemente por falta de oxígeno.

pueden quedar destruidas por una riada especialmente caudalosa o por la acción de las olas en un lago.

Sin embargo, los factores climáticos no son la única causa de muerte de los embriones. El exceso de humedad dentro del nido puede favorecer la proliferación de hongos, mortales para los huevos. Los gases nocivos emanados de los huevos en putrefacción, dentro de un nido pequeño y cubierto de barro, pueden determinar la muerte de embriones sanos en el mismo nido.

En las zonas donde nidifican muchas hembras, se producen también casos de mortalidad cuando una hembra excava inadvertidamente en sitios donde otras tienen sus nidadas. Ocasionalmente, un porcentaje elevado de los huevos de una nidada son perforados por las afiladas garras de las patas traseras de la hembra, y varios huevos de una nidada pueden aplastarse o quebrarse por el descuido de una hembra. Las tortugas utilizan los nidos de algunas especies de cocodrilianos para poner sus huevos, y a veces dañan algunos de los huevos que encuentran.

De vez en cuando se pueden hallar huevos de cáscara demasiado fina o incluso inexistente, puestos por lo general por hembras muy jóvenes o demasiado viejas. Hay también casos de pérdida de nidadas enteras cuando la hembra no puede regresar para liberar a sus crías, atrapadas bajo una capa de barro endurecido por el sol, de la que no pueden escapar sin ayuda.

COMEDORES DE HUEVOS

Muchos huevos se pierden por la acción de sus enemigos naturales, aun cuando los nidos estén vigilados por las hembras y a veces por los machos. Numerosas especies de reptiles, aves y mamíferos se alimentan de huevos de cocodrilo. Los depredadores de huevos varían de un sitio a otro y no se limitan a una sola especie: si en una zona nidifica más de una especie de cocodrilio, el depredador hará incursiones en todos los nidos.

En América del Norte, los nidos del aligátor americano (*Alligator mississippiensis*) pueden ser visitados por mapaches, zarigüeyas, mofetas, cerdos, osos pardos y, probablemente, nutrias. En América Central, la mangosta —no autóctona— suele hacer incursiones en los nidos de cocodrilianos, lo mismo que los mapaches, los coyotes, las zorras y los perros. Existe incluso un caso documentado de un acaltetepon o gila terrible (*Heloderma horridum*), una especie de lagarto venenoso, que excavó un nido de cocodrilo nariguido (*Crocodylus acutus*) para devorar los huevos. En América del Sur, los nidos de caimán sufren los ataques de coatíes, zorras, lagartos y monos capuchinos.

Los nidos de los cocodrilianos asiáticos están expuestos a las frecuentes incursiones de los varanos. Además, las civetas, las mangostas, los chacales, los perros, los cerdos salvajes y toda una variedad de pequeños mamíferos

▼ Aunque está clasificado como carnívoro, el mapache es un animal omnívoro que sumerge en agua los alimentos antes de comérselos. Los huevos de aligátor americano son uno de sus bocados predilectos.

Des Bartlett/Bruce Coleman Ltd.

▶ El coatí (género *Nasua*), emparentado con el mapache, vive en América del Sur y se alimenta de huevos e insectos. Con sus ágiles patas delanteras, de afiladas garras, puede abrir fácilmente un nido de caimán y retirar los huevos.

Michael Freeman/Bruce Coleman Ltd.

A. J. Deane/Bruce Coleman Ltd.

comen huevos de cocodrilo. Las ratas excavan túneles para llegar a los nidos y devorar los huevos.

En África se han descrito diversos depredadores de nidos del cocodrilo del Nilo (*Crocodylus niloticus*), en distintas regiones y hábitats. Entre ellos figuran mangostas acuáticas y de cola blanca, rateles, babuinos, nutrias, facóqueros, cerdos salvajes y hienas manchadas. Entre las aves que hacen incursiones en los nidos está el marabú, que ha aprendido a rebuscar en la arena con su pico cónico para localizar los huevos de cocodrilo librados a su suerte. Sin embargo, el varano del Nilo es

sin duda el principal depredador de huevos de cocodrilo en todo el continente africano; en algunas temporadas reproductoras, este lagarto puede devorar más del 50 % de los huevos puestos.

Los varanos están ampliamente distribuidos en África, el subcontinente indio, Asia, Australia y las islas del Pacífico. Allí donde estos lagartos comparten el hábitat con los cocodrilos, se sabe o se sospecha que los varanos dan buena cuenta de gran parte de los huevos de cocodrilo, y es muy probable que sean los principales depredadores de sus nidos.

▲ Los elegantes marabúes, como estos que se refrescan a orillas de un lago de Kenia, rebuscan en la arena con el pico para llegar a los nidos de cocodrilos. Los cocodrilos adultos suelen vigilar atentamente a las aves depredadoras, pero un nido abandonado a su suerte tiene muchas probabilidades de atraer la indeseable atención de los marabúes.

T. Pooley

◄ Uno de los principales comedores de huevos de cocodrilo en el continente africano es el varano, lagarto ampliamente distribuido en África, Asia y Australia. Su gran tamaño, el hocico alargado y la lengua bífida extensible le facilitan en gran medida la búsqueda y localización de nidos de cocodrilo.

Para los nidos hay también otros riesgos que no son de naturaleza climática ni están relacionados con los depredadores. En Botsuana, en África, los campesinos queman los juncos y las cañas de papiro durante la temporada de nidificación de los cocodrilos, con el fin de obtener pienso para el ganado. En la región de Natal, en Sudáfrica, una hormiga del género *Crematogaster* busca los huevos y destruye los embriones en los nidos subterráneos.

En varios países africanos, los seres humanos son el principal obstáculo para el éxito reproductor de las tres especies de cocodrilos del continente: el cocodrilo del Nilo, el cocodrilo de Guinea (*Crocodylus cataphractus*) y el cocodrilo enano (*Osteolaemus tetraspis*). La gente busca huevos en los nidos, ya sea por sus propiedades medicinales o, básicamente, por su valor nutritivo. La situación es similar en otras diversas regiones, como en Filipinas y Nueva Guinea. En la península australiana de Cabo York, las leyes aborígenes establecen que los huevos del cocodrilo marino (*Crocodylus porosus*) sólo pueden ser consumidos por ciertos ancianos, lo cual en la práctica sirve de protección a muchos nidos. En otras regiones, aun cuando los huevos no se destinen al consumo humano, la gente destruye los nidos de cocodrilos cuando los encuentran. Esta práctica es corriente incluso entre cazadores de cocodrilos, que, al encontrar una hembra junto a su nido, la matan para obtener la piel y destruyen el nido (y con él, las piezas que podrían cobrar en el futuro).

▶ Las hormigas destruyen los huevos y devoran los embriones y los cocodrilos recién salidos del cascarón, en las zonas de nidificación a orillas del lago Santa Lucía, en Zululandia. Guiadas por el olor de un huevo en proceso de putrefacción, las hormigas excavan túneles subterráneos y pueden destruir la nidada entera, mientras el cocodrilo adulto vigila en la superficie, sin sospechar la presencia de los diminutos depredadores.

▼ Un cocodrilo del Nilo adulto tiene escasas probabilidades de escapar cuando se declara un incendio entre los juncos y las cañas de papiro y el viento lo propaga rápidamente. Esta hembra fue alcanzada probablemente cuando trataba de huir del fuego.

T. Pooley

Anthony Bannister/NHPA

ENEMIGOS DE LAS CRÍAS

Los cocodrilianos recién salidos del cascarón forman parte de la dieta de numerosos animales tropicales y subtropicales. La mayoría de los depredadores de huevos de cocodrilo no los desdeñan si pueden atraparlos. Pero a diferencia de los huevos, las crías están expuestas a las amenazas de los depredadores acuáticos, que varían de una región a otra.

Las crías del aligátor americano son presas de ranas, serpientes, probablemente tortugas (tortuga mordedora [*Chelydra serpentina*] y las tortugas de caparazón blando, de la familia Trionychidae), garzas azules, caracarás, mapaches y osos pardos. En América Central, los cocodrilos más jóvenes sirven de alimento a algunos peces, a las garzas más grandes, a los cormoranes y a algunas rapaces, como *Buteo magnirostris* y ciertos halcones. También se exponen a los ataques de mapaches y felinos. En el sur de Asia, las crías de cocodrilo forman parte de la dieta de tortugas, peces, chacales, varanos, aves acuáticas y rapaces.

En África, en particular, la variedad de animales que se alimentan de cocodrilos recién salidos del cascarón es impresionante. Entre los mamíferos figuran la jineta —un pequeño felino nocturno—, la mangosta y el leopardo; entre las aves, dos especies de garzas (la garza goliat y la real), garcetas, el ibis sagrado, el marabú y el jabirú africano, así como diversas especies de rapaces, como el pigargo vocinglero africano, el milano negro, el búho pescador, el buitre de las palmeras y algunas especies de córvidos. Parece ser que las tortugas trioníquidas africanas también devoran cocodrilos pequeños.

Entre los peces, figuran los barbos, el pez tigre y el tiburón del Zambeze, además de otros tiburones carroñeros de los estuarios. También es muy probable que otras especies de peces marinos se alimenten de crías de cocodrilos, en las épocas en que los pequeños recién salidos del cascarón son arrastrados por las riadas hacia mar abierto.

Konrad Wothe/Bruce Coleman Ltd.

◀ La garza goliat, de largo cuello, comparte el hábitat con los cocodrilos africanos; pero como sucede con otras aves, la depredación es mutua: las garzas devoran a los cocodrilos más jóvenes y los cocodrilos adultos atrapan garzas de todos los tamaños cuando se les presenta la oportunidad.

En las zonas de nidificación, los varanos al acecho dan buena cuenta de muchos pequeños, sobre todo cuando los adultos dejan los nidos abiertos y sin vigilancia, mientras transportan parte de las crías al área de guardería.

Por otra parte, siempre hay un porcentaje de crías débiles o con malformaciones, que no tienen la menor probabilidad de supervivencia. Entre las malformaciones congénitas figuran ceguera, cola torcida o rudimentaria, mandíbulas en forma de tijera, hipotrofia y distintos tipos de tumores. En algunos cocodrilos salidos prematuramente del cascarón, el saco vitelino está distendido y no ha sido resorbido por el abdomen, lo cual limita los movimientos. Algunas anomalías se producen porque los huevos han sido incubados a temperaturas demasiado elevadas. Las crías resultantes tienen pocas probabilidades de supervivencia y a menudo son devoradas por los depredadores.

◀ El pigargo vocinglero, básicamente piscívoro, se sumerge para atrapar peces en las zonas pantanosas de Okavango, en Botsuana, pero no desdeña las crías de cocodrilo si puede atraparlas.

G. D. Plage/Bruce Coleman Ltd.

MALFORMACIONES CONGÉNITAS EN EL ALIGÁTOR AMERICANO

MARK W. J. FERGUSON

Los cocodrilianos presentan una combinación de algunos caracteres primitivos (por ejemplo, se desarrollan en un huevo calcificado exteriormente) y otros avanzados (por ejemplo, la presencia de un paladar que separa la cavidad bucal de la nasal, un corazón con cuatro cámaras y un diafragma semejante al de los mamíferos). Esta particular combinación los convierte en un punto de referencia extremadamente valioso para la investigación biomédica humana.

Los estudios realizados recientemente en embriones de aligátor americano han revelado que se producen malformaciones espontáneas y que éstas son casi siempre fatales, con excepción de algún trastorno leve, como por ejemplo en la pigmentación. Entre las malformaciones más graves figuran la espina bífida, la ciclopia (un solo ojo), la monorrinia (un solo conducto nasal), la microftalmia (ojos demasiado pequeños), la anoftalmia (ausencia de ojos), la hidrocefalia y el desarrollo de gemelos siameses. El análisis cuidadoso de los huevos producidos por hembras de diferentes edades demuestra que la prole de las más jóvenes y de las más viejas presenta los índices más elevados de malformaciones congénitas, pauta que también se observa en la especie humana. El porcentaje de malformaciones espontáneas entre estas hembras se puede hacer variar deliberadamente, alterando su dieta: los caimanes alimentados con abundante pescado producen crías con muchas más malformaciones que los alimentados sobre todo con carne roja, porque la dieta rica en pescado determina deficiencias de ciertas vitaminas liposolubles, como vitamina E, y de algunos oligoelementos, como selenio. (Actualmente se considera que la dieta materna también podría ser un factor importante en el índice de malformaciones congénitas en la especie humana.)

Las condiciones ambientales durante la incubación de los huevos también pueden producir malformaciones espontáneas. Básicamente, los embriones desarrollados sobre los límites del margen de incubación viable (entre 29 °C y 34 °C) presentan una elevada proporción de malformaciones, así como de individuos que aun siendo normales no crecen bien y finalmente acaban por ser enanos. La deshidratación de los huevos durante la incubación tiene igualmente efectos adversos sobre el desarrollo embrionario. Entre las malformaciones observadas en huevos incubados a temperaturas extremas figuran escoliosis y duplicación de las extremidades.

Actualmente se sabe también que la temperatura de la incubación determina la pauta de pigmentación del caimán recién salido del cascarón. Los embriones de caimán incubados a 33 °C presentan una franja más que los incubados a 30 °C. Esta diferencia de pigmentación se debe al mayor tamaño de los embriones incubados a temperatura más elevada, en el momento en que la pauta de pigmentación en ondas se distribuye por el embrión.

Puesto que los embriones de caimán se pueden manipular con mucha más facilidad que los de mamífero, constituyen un excelente modelo para la investigación biomédica sobre los mecanismos moleculares de la determinación del sexo, las malformaciones congénitas y el desarrollo embrionario. Es posible seguir de cerca el desarrollo de un embrión de caimán tal como se produce en el interior del huevo. Para ello, es posible extraer el embrión y cultivarlo en un medio estéril o eliminar el tercio superior del huevo, conservando los dos tercios inferiores, e incubar el huevo en una incubadora estéril. Este último procedimiento permite un desarrollo normal del embrión, que se puede observar, filmar y manipular a medida que avanza su crecimiento, algo que resultaría imposible en el caso de un mamífero.

Además, combinando esta técnica de incubación con minuciosos procedimientos microquirúrgicos para la extracción de las células que normalmente formarían el maxilar inferior del embrión, es posible obtener embriones que carecen prácticamente de maxilar inferior y de lengua, pero con un paladar completamente normal. De esta forma, se puede filmar el desarrollo y el cierre del paladar tal como se produce normalmente. Estos registros continuos del desarrollo del paladar son los primeros realizados hasta ahora en cualquier animal. En condiciones naturales, las malformaciones caracterizadas por la ausencia de maxilar inferior o lengua son corrientes y mortales. También es posible añadir diversas sustancias químicas al embrión en desarrollo para producir determinadas malformaciones, como paladar hendido, con el fin de estudiar los mecanismos de desarrollo alterados y los métodos de reparación quirúrgica de estos defectos embriónicos.

▼ Ciertas anomalías, como los gemelos siameses (izquierda) o la atrofia del maxilar inferior y la lengua (derecha), se pueden inducir en laboratorio, pero también aparecen con cierta frecuencia en condiciones naturales, donde las variaciones en la temperatura de incubación, las deficiencias en la dieta materna y otros factores determinan malformaciones que casi siempre resultan mortales.

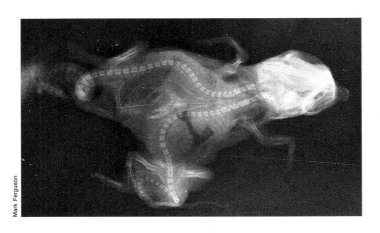

Mark Ferguson

Martin Wendler/NHPA

MORTALIDAD DE SUBADULTOS Y ADULTOS

Las mortalidad de los cocodrilianos de más de 1 m de longitud es relativamente escasa. Los cocodrilos del Nilo adultos caen ocasionalmente en las garras de los leones, sobre todo si son sorprendidos en tierra durante la noche. También se sabe de hipopótamos que han matado a cocodrilos del Nilo adultos, presumiblemente para defender sus propias crías. Hay asimismo casos de elefantes africanos que matan a los cocodrilos que encuentran en tierra firme.

En América Central y del Sur, las grandes serpientes anacondas son capaces de matar y devorar caimanes de dimensiones medianas, y se conocen casos de jaguares que han matado cocodrilos. En el sur de Asia, los tigres y leopardos matan y devoran ocasionalmente cocodrilianos subadultos o adultos.

Bill Green

▲ La anaconda (*Eunectes murinus*) es una serpiente sudamericana semiacuática, que alcanza hasta 7,5 m de longitud, bastante más que muchos caimanes. Aun así, las anacondas no figuran entre los principales enemigos de los caimanes.

◄ Con los restos de una soga en torno al hocico y una cuerda que lo ata a la orilla, este cocodrilo de Johnston (*Crocodylus johnstoni*) pereció evidentemente a manos de un cazador, que sin embargo nunca regresó para despellejar al animal y conseguir su piel.

◄ Un solitario hipopótamo macho toma el sol, aparentemente en calma, junto a un cocodrilo del Nilo de unos 3,5 m de longitud, en un río de Kenia. En otros encuentros, no siempre resulta fácil precisar quién será la víctima y quién el agresor, sobre todo cuando participa un grupo numeroso de cocodrilos. Aun así, en los combates singulares, el hipopótamo sale por lo general victorioso.

Richard Matthews/Seaphot Limited/Planet Earth Pictures

T. Pooley

▲ Aunque no es frecuente que mueran cocodrilianos adultos durante los combates territoriales de la estación de apareamiento, algunos machos débiles resultan ocasionalmente muertos, por lo general en combates con machos especialmente voluminosos y agresivos. Casi totalmente sumergido, el vencedor monta guardia junto al cadáver del rival muerto en uno de estos enfrentamientos.

CANIBALISMO

Algunos investigadores consideran que el canibalismo entre cocodrilianos, en condiciones naturales, es extremadamente raro, mientras que otros sostienen que es frecuente.

Parece ser que no se producen casos de canibalismo entre padres e hijos, ni tampoco quizás entre machos y hembras adultos. Sin embargo, existen ciertos indicios de que los subadultos devoran ocasionalmente a los individuos más jóvenes y de que los adultos se comen a los subadultos. (Por otro lado, se sabe que los adultos reaccionan rápidamente ante los gritos de alarma de las crías y que a veces ahuyentan sin violencia a los

subadultos de las áreas de guardería.) En Australia, los propios miembros de una población de cocodrilos marinos resultaron ser los peores enemigos del grupo. Después de treinta años de caza indiscriminada, se prohibió toda forma de caza. Durante los primeros años, el número de individuos jóvenes aumentó rápidamente, pero la tasa de crecimiento comenzó a disminuir en forma notable cuando los cocodrilos nacidos en esos años empezaron a comerse a las nuevas generaciones de crías.

Entre los cocodrilos del Nilo, y posiblemente en otras especies, se producen muertes a raíz de los combates librados entre machos rivales durante la estación del apareamiento. Pocas veces se encuentran los cadáveres

de los machos muertos y resulta difícil determinar
la tasa de mortalidad causada por estas luchas.

En la reserva natural de Okefenokee, al sur del estado
norteamericano de Georgia, la incidencia de heridas
graves y de colas y miembros arrancados es muy elevada.
(¡Uno de los caimanes jóvenes hallados había perdido tres
patas y la mitad de la cola!) Pero no se sabe si esta
elevada incidencia de miembros perdidos se debe al
canibalismo o a la acción de otros depredadores.

No hay casos documentados de ataques entre
diferentes especies de cocodrilianos, aunque es posible
que el cocodrilo marino mate y devore a otras especies de
cocodrilos más pequeños que habitan su misma área de

distribución. (Esta competencia interespecífica podría
explicar la existencia de numerosas poblaciones aisladas
de cocodrilos de la misma especie o de especies
estrechamente emparentadas, en la región indopacífica.)

En la actualidad, los principales enemigos de los
cocodrilos son, naturalmente, los seres humanos. La
matanza de cocodrilos por miedo, despecho o afán de
lucro es una práctica muy extendida. Ningún animal,
por muy grande que sea, está a salvo de la persecución
humana. La acción de los depredadores y la mortalidad
por causas naturales son prácticamente despreciables en
comparación con los efectos de la caza y de la alteración
del hábitat por las actividades humanas.

COMPORTAMIENTO SOCIAL

JEFFREY W. LANG

▲ Erróneamente consideradas criaturas primitivas, los cocodrilianos deben gran parte de su éxito como depredadores y de su supervivencia a una vida social asombrosamente compleja y avanzada. En sus interacciones sociales, ciertos comportamientos ritualizados, como el frotamiento del hocico efectuado por esta hembra de aligátor americano, desempeñan un importante papel regulador.

Los cocodrilianos tienen fama de ferocidad, pero un análisis más detenido revela que estos singulares reptiles representan muchos comportamientos sutiles y complejos, comparables con los de las aves y los mamíferos. Entre las conductas más inusuales e interesantes destacan las sociales, asombrosamente diversas y avanzadas. Las vocalizaciones de los cocodrilianos sembraron el terror entre los antiguos exploradores y siguen intrigando a los científicos actuales. Tanto los caimanes como los cocodrilos cuidan los huevos, ayudan a las crías a salir del nido y protegen a los pequeños durante semanas o meses.

A primera vista, resulta difícil concebir que un caimán o un cocodrilo pueda ser realmente un ser social. Supuestamente, son solitarios depredadores carnívoros, que recorren las corrientes de agua o acechan inmóviles a sus víctimas, cuando no están sencillamente echados en la playa, tomando el sol. Pero un tranquilo paseo por los Everglades de Florida es suficiente para disipar cualquier duda. En esta región abierta y pantanosa, sembrada de islas de árboles y vegetación baja, el agua llega hasta las rodillas. En una cálida mañana a principios de octubre, un grupo de caimanes de apenas un mes descansan inmóviles sobre los nenúfares de una laguna. Camuflados entre las ramas, resulta imposible distinguirlos, hasta que de pronto resuena una inconfundible vocalización, un suave y característico sonido gutural, algo así como «ung, ung, ung». De inmediato, al solitario vocalizador se suman sus vecinos, en un agudo coro de idénticas llamadas. En pocos minutos, se ven claramente dos docenas de caimanes recién salidos del cascarón, algunos de los cuales nadan en círculos, trepan a las ramas flotantes o se dejan deslizar lentamente hacia el agua. Poco después se oyen las llamadas más graves de varios individuos de un año, que hasta unos momentos antes tomaban tranquilamente el sol junto a los pequeños. De pronto, un agudo silbido seguido de chapoteos en el agua revela la presencia de un caimán de dos metros de largo, oculto tras un arbusto cercano. Hemos perturbado el descanso de una hembra que tomaba el sol acompañada de su prole de este año y del año anterior. Este tipo de grupos familiares, espectáculo frecuente en los Everglades, constituye una muestra de la complejidad de las interacciones sociales de los cocodrilianos.

Hasta 1970, nuestros conocimientos sobre el comportamiento cocodriliano se basaban únicamente en unas pocas descripciones detalladas de historia natural. El objeto de estudio de estas investigaciones eran el aligátor americano o caimán del Mississippi (*Alligator mississippiensis*), del sur de Estados Unidos, y el cocodrilo del Nilo (*Crocodylus niloticus*), del este y el sur de África; pero el resto de las especies prácticamente no se habían estudiado. El estudio del comportamiento de los cocodrilianos no es tarea fácil, ya que muchas de sus conductas tienen lugar en la superficie del agua o en sus profundidades, un ambiente extraño para el ser humano. Sin embargo, en los últimos veinte años ha aumentado considerablemente el número de investigaciones, debido en parte a los actuales esfuerzos para conservar las especies en peligro y mantener las poblaciones que viven en condiciones naturales. La matanza sistemática de muchas especies en sus ambientes naturales ha impuesto la necesidad de iniciar proyectos de cría y reproducción en jardines zoológicos y granjas. Con los animales en cautividad y acostumbrados a la presencia humana, resulta más fácil estudiar de cerca muchas de sus conductas. Aunque la elevada densidad de estas colonias artificiales determina frecuentes encuentros sociales, muchas de las interacciones observadas son típicas, estereotipadas y distintivas de cada especie.

Por conveniencia para el estudio, los comportamientos se pueden clasificar según sus funciones primarias: de mantenimiento (actividades diarias relacionadas con la supervivencia), sociales o reproductivos. Este capítulo es una breve descripción de los principales aspectos de la vida social cocodriliana: comunicación, vida en grupo, jerarquías de dominio, territorialidad y cortejo.

Jeff Foott/Auscape International

Jeffrey W. Lang

▲ Los caimanes permanecen inactivos gran parte del tiempo, tomando el sol o avanzando lentamente por las corrientes de agua, pero son capaces de reaccionar de inmediato ante una amplia variedad de estímulos, algunos de los cuales pasan inadvertidos a los seres humanos.

◄ La vida social de los caimanes comienza antes de salir del cascarón, ya que los embriones pueden comunicarse entre sí en el interior del huevo. Los miembros de una misma nidada pasan juntos los primeros meses de vida, protegidos por su madre de los enemigos naturales.

COMUNICACIÓN

Los cocodrilianos expresan mensajes sociales mediante sonidos, posturas, movimientos, olores y contacto físico. Todas las especies estudiadas hasta ahora recurren a diversas combinaciones de mensajes vocales, acústicos y visuales, combinados con signos táctiles y quimiosensibles, en determinados contextos sociales. Ciertas conductas, sobre todo en los despliegues relacionados con el cortejo y la defensa del territorio, tienen significados diferentes para cada especie. El repertorio comunicativo de cada especie está compuesto por tres tipos de señales: señales simples invariables, señales simples cuya intensidad varía según la situación y señales complejas, compuestas por una combinación de elementos acústicos y visuales.

La comunicación empieza en el huevo y continúa durante toda la vida del cocodriliano. Se sabe que los embriones de ave se comunican incluso antes de salir del cascarón, pero la idea de un grupo de huevos «hablando» entre sí suele ser tratada con cierto escepticismo. Sin embargo, en un experimento en que se incubaron huevos de caimanes y cocodrilos narigudos (*Crocodylus acutus*), los embriones de las dos especies reaccionaron a los ruidos producidos en sus proximidades, así como a los sonidos procedentes de los huevos cercanos, durante las dos semanas finales de incubación. Con un golpeteo suave en el recipiente, era posible inducir sonidos de «picoteo» en el interior de los huevos. Más adelante, un micrófono enterrado junto a los huevos permitió establecer que los golpeteos procedentes de un huevo suscitaban respuestas similares, al cabo de pocos segundos, en los huevos vecinos. Como las crías salen del nido juntas en el transcurso de una sola noche, a menudo ayudadas por uno de los padres o por los dos, es posible que la comunicación entre los huevos sirva para sincronizar la maduración de toda la nidada.

Una vez salido del cascarón, el joven cocodriliano vocaliza espontáneamente o como respuesta a cualquier perturbación o estímulo novedoso. Los pequeños de todas las especies producen gritos y gruñidos similares, pero diferenciados. Es probable que las crías emitan varios tipos diferentes de llamadas, cada una con un significado distinto. Si se levanta una cría del suelo, por lo general el animal reacciona con una llamada de alarma que sirve para alertar a los otros individuos de las proximidades sobre la presencia de un intruso o un posible depredador. Ante este tipo de llamada, los cocodrilianos adultos reaccionan con amenazas de ataque o con un ataque real.

El ataque de un cocodrilo de gran tamaño es una experiencia espeluznante. Una vez, en una granja de cocodrilos de Papúa-Nueva Guinea, varios miembros del personal se encontraban junto a los estanques de cría de los cocodrilos de Nueva Guinea (*Crocodylus novaeguineae*) cuando oyeron los gritos de un pequeño cocodrilo que se había perdido, cerca de una reja divisoria. Tras una breve búsqueda, lo localizaron y lo recogieron. El joven cocodrilo chillaba desesperadamente y, en pocos segundos, el estanque más cercano, hasta entonces en calma, estalló en un despliegue de frenética actividad por parte de unos veinte adultos, que se lanzaron al agua y comenzaron a nadar en dirección a la cría supuestamente en peligro y a los empleados de la granja. El macho dominante se precipitó hacia el rincón donde se encontraban. Golpeó repetidamente el agua con la cabeza, junto a la orilla, y se lanzó con todo el peso de su cuerpo contra la sólida reja que lo separaba de la cría y sus «captores». En el estanque, las hembras nadaban nerviosamente de un lado para otro y producían graves sonidos guturales, golpeando frecuentemente el agua con la cabeza. Varias noches más tarde, los empleados de la granja repitieron el «experimento», acercándose a

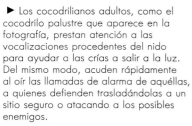

► Los cocodrilianos adultos, como el cocodrilo palustre que aparece en la fotografía, prestan atención a las vocalizaciones procedentes del nido para ayudar a las crías a salir a la luz. Del mismo modo, acuden rápidamente al oír las llamadas de alarma de aquéllas, a quienes defienden trasladándolas a un sitio seguro o atacando a los posibles enemigos.

Jeffrey W. Lang

Ernest Neal/Seaphot Limited/Planet Earth Pictures

otros estanques con una cría gritona en la mano. En un estanque donde había una hembra con su prole de los dos años anteriores, los chillidos del cautivo suscitaron rápidamente llamadas de baja frecuencia en todos los individuos jóvenes de la laguna. En otro estanque cercano habitado por numerosas crías, los gritos del joven cocodrilo recibieron como inmediata respuesta un estruendoso y sincronizado coro de gañidos.

En muchas especies, otras vocalizaciones producidas por las crías funcionan como llamadas de «contacto», para reunir a los jóvenes y mantener la cohesión del grupo. Cuando las crías de caimán reciben su alimento, suelen vocalizar profusamente. Al ser instalados en un nuevo estanque, los individuos jóvenes producen una serie de vocalizaciones, mientras se desplazan por la laguna explorando el nuevo ambiente. Estudios recientes sobre grupos de jóvenes caimanes en los marjales de Florida indican que los animales se dispersan por la noche, para comer, y luego vuelven a reunirse durante el día, para pasar gran parte del tiempo tomando el sol, en un apretado grupo. Las vocalizaciones alcanzan la máxima frecuencia e intensidad cuando el grupo se dispersa por la noche y cuando vuelve a formarse, a la mañana siguiente. Los adultos, presumiblemente los progenitores, señalan a veces a las crías la presencia de enemigos o de alimento en las proximidades, pero se desconoce la función de los adultos en la cohesión de los grupos de crías.

Las diferentes especies de cocodrilianos tienen distintas vocalizaciones, y las ocasiones en que las utilizan varían de una especie a otra. En casi todas las especies, tanto

los jóvenes como los adultos son capaces de vocalizar. Su manipulación provoca a menudo los gritos profundos y guturales («uaa») característicos de los individuos más viejos. Los caimanes son especialmente ruidosos, mientras que ciertas especies de cocodrilos sólo vocalizan en muy contadas ocasiones. Los caimanes de las regiones templadas son los más ruidosos de todos y son famosos por los atronadores coros de los machos y las hembras en celo, que reverberan a través de las ciénagas y de los marjales a finales de la primavera. Entre los cocodrilos marinos (*Crocodylus porosus*), los cocodrilos siameses (*Crocodylus siamensis*) y los cocodrilos de Nueva Guinea, las hembras adultas producen una vocalización gutural repetitiva, que a menudo se describe como un «rugido», cuando otro adulto se les acerca demasiado. Los cocodrilos del Nilo reaccionan también con rugidos y gruñidos en situaciones similares. Los cocodrilos palustres o de los pantanos (*Crocodylus palustris*) son menos expresivos, pero a veces rugen durante los despliegues agresivos o en los combates. Incluso los gaviales (*Gavialis gangeticus*) adultos vocalizan, aunque muy raramente. En una secuencia registrada durante la filmación de la apertura de un nido por parte de un gavial hembra, otros dos adultos, un macho y una hembra, se aproximaron a la madre absorta en su tarea. Cuando la otra hembra se acercó al nido que la madre estaba abriendo, ésta la ahuyentó vocalizando suavemente. Las especies que viven en mar abierto y en lagos y ríos vocalizan con menos frecuencia que las que viven en marismas y zonas pantanosas.

▲ Las crías de cocodrilo del Nilo, como las de la mayoría de las especies de cocodrilianos, se reúnen en «guarderías» para tomar el sol durante el día. Por la noche, cuando el grupo se dispersa para cazar, y por la mañana, cuando vuelve a reunirse, las crías se localizan y mantienen el contacto entre sí mediante vocalizaciones.

VOCALIZACIONES

Los cocodrilianos son los «charlatanes» del mundo de los reptiles, ya que son capaces de producir diversos sonidos, la mayoría de baja frecuencia, con las cuerdas vocales que tienen en la garganta. Mediante vigorosas contracciones de los músculos del tórax, pueden expulsar aire de manera continuada o entrecortada a través de la laringe. Las vocalizaciones varían desde sonidos de muy bajo volumen, silbidos y ronquidos apenas audibles, hasta estruendosos rugidos y bramidos. Los individuos que se comunican mediante vocalizaciones pueden expresar una serie de mensajes sociales, con distintos significados según la identidad del animal que los emite y el contexto de la actuación. En los últimos decenios, detallados estudios han comenzado a revelar que estos mensajes vocales desempeñan una función fundamental en los complejos sistemas de señales característicos de los cocodrilianos.

El bramido del caimán es un rugido sonoro y gutural, que dura entre uno y dos segundos. Tanto los machos como las hembras lo emiten repetidamente (entre cinco y siete veces), a intervalos de unos 10 segundos. Los bramidos son señales de larga distancia, fáciles de oír a unos 150 m del lugar. El sonido es intenso (entre 84 y 92 decibelios a 5 m de distancia), casi tanto como el percibido al lado de los motores de una avioneta. Además, los bramidos son un comportamiento contagioso. Aunque por lo general un solo animal comienza a bramar, la mayoría de sus compañeros no tardan en imitarlo. Durante la primavera, cuando los caimanes se reúnen en grupos reproductores, los coros de bramidos duran entre diez minutos y más de media hora, por lo general a primera hora de la mañana y última de la tarde. La voz de cada caimán al bramar resulta fácil de identificar para un observador habituado a ellos. Así pues, es muy probable que cada animal sea capaz de reconocer a sus amigos y a sus enemigos. El bramido-ronquido, que es un bramido aislado de baja intensidad, es característico de las hembras.

Otras vocalizaciones de los caimanes son asombrosamente sutiles. Durante el cortejo, los dos miembros de la pareja intercambian ronroneos de baja intensidad, semejantes a tosecitas, que sólo se pueden oír a unos cuantos metros de distancia. Los gruñidos bajos se oyen durante las interacciones agresivas e indican que el animal que los produce está dispuesto a pasar a la acción. Los caimanes adultos también emiten gruñidos como respuesta a las llamadas de las crías y producen silbidos defensivos cuando advierten que se acerca un intruso. Las crías y los individuos jóvenes emiten una serie de gruñidos, que varían según la edad y las dimensiones del animal. Las crías de caimán gruñen mientras salen del cascarón, así como cuando forman grupos o se dispersan. La llamada de alarma lanzada por una cría alerta a sus compañeros acerca de un peligro inminente y atrae la atención de los adultos, que se acercan e incluso pueden atacar a los intrusos.

Aunque el aligátor americano es el más «cantarín» de los cocodrilianos, todos vocalizan hasta cierto punto. En la mayoría de las especies, las crías son ruidosas y reaccionan con vocalizaciones frecuentes ante una gran variedad de situaciones. Sin embargo, en otras, como el cocodrilo narigudo, los individuos jóvenes y adultos se comunican básicamente mediante señales visuales y vocalizan muy raramente. Otros cocodrilianos, como el cocodrilo siamés y el caimán de anteojos, rivalizan con el aligátor americano por sus sonoras vocalizaciones. El aligátor chino (*Alligator sinensis*) emite entre dos y ocho rugidos explosivos, semejantes a los bramidos-ronquidos del aligátor americano hembra. El cocodrilo de Guinea (*Crocodylus cataphractus*) produce rugidos entrecortados, que recuerdan el escape de un camión. En el cocodrilo del Nilo se han documentado seis señales vocales, entre ellas un rugido sonoro y repetido.

Probablemente, los factores ecológicos influyen sobre el tipo de llamadas y la forma en que se utilizan, y pueden explicar las similitudes y las diferencias observadas entre las especies. La pronunciada vocalidad de los aligatores americanos podría guardar relación con su hábitat de densa vegetación, marcadamente contrastante con los ambientes abiertos donde viven otras especies de cocodrilianos, relativamente silenciosas. Los sonidos de baja frecuencia recorren largas distancias con un mínimo de distorsión, y las llamadas repetidas facilitan la localización del animal que las emite. Existen pruebas de que algunas de las señales vocales producidas por los cocodrilianos están destinadas a ser oídas bajo el agua, donde el sonido se transmite cuatro veces más rápidamente y con mayor eficiencia que en el aire.

▲ Los mensajes vocales o acústicos pueden expresar «buenas intenciones» durante el cortejo, cuando el macho y la hembra exponen la vulnerable garganta mientras se comunican con bramidos (derecha), o bien sumisión ante un adulto dominante, ya sea macho o hembra (izquierda).

Jeffrey W. Lang

La comunicación en el agua está bien adaptada a la vida anfibia de los cocodrilianos, que producen una amplia variedad de sonidos de naturaleza acústica, más que estrictamente vocal. El más destacado de éstos es el golpe con la cabeza o las mandíbulas sobre la superficie del agua. Este sonido lo producen levantando la cabeza por encima del agua, de manera que el maxilar inferior queda apenas visible. Con frecuencia, el animal permanece inmóvil durante varios minutos en esta posición, antes de abrir y cerrar rápidamente las mandíbulas, en un movimiento masticatorio dirigido hacia el agua. El resultado es un golpe repentino y fuerte, cuando las mandíbulas se cierran, seguido inmediatamente de un sonoro chapoteo, cuando se abren; el sonido es semejante al de golpear una pala de plano contra el agua. En muchas especies, esta conducta va seguida generalmente por la inmersión de la cabeza y la producción de copiosas burbujas, procedentes del aire espirado por la boca y las fosas nasales. Algunas especies emiten una serie de rugidos, justo después de golpear el agua con la cabeza, o desplazan la cola elevada de un lado a otro en el agua. Todo el despliegue es un medio muy eficaz de llamar la atención, y anuncia de manera bastante espectacular la presencia y la situación del cocodrilo que lo efectúa.

La forma y el contexto exactos de los golpes con la cabeza varían ligeramente de una especie a otra, pero casi todas las especies estudiadas hasta la fecha exhiben este comportamiento. En el caso del cocodrilo narigudo, los machos dominantes dan dos o tres golpes en rápida sucesión, siempre dentro de sus respectivos territorios. Casi todas las otras especies realizan este movimiento una sola vez, en lugar de encadenarlo en una serie de acciones repetitivas. Sin embargo, los golpes con la cabeza son una actividad contagiosa, y cuando un individuo empieza, los que están situados en sus proximidades lo imitan enseguida. La señal acústica producida por el golpe y el chapoteo se transmite por el aire y por el agua. Al oírla, los animales sumergidos salen a la superficie; los que están en el agua reaccionan acercándose o retrocediendo, y los que toman el sol en tierra se deslizan hacia el agua. Estos golpes con la cabeza, al igual que los bramidos, guardan relación con el establecimiento y el mantenimiento de relaciones sociales a largo plazo y se observan sobre todo durante las actividades de la estación de apareamiento.

Una de las especies de hocico estrecho y alargado,

el cocodrilo malayo (*Tomistoma schlegelii*), exhibe esta conducta; no así el gavial del subcontinente indio, que sin embargo efectúa movimientos masticatorios bajo el agua, con el consiguiente golpeteo, durante el periodo reproductor. Los individuos sumergidos en las proximidades parecen responder a estas señales, que podrían ser análogas a los golpes con la cabeza en otras especies. Es interesante señalar que en estas dos últimas especies mencionadas, los adultos de ambos sexos producen burbujas bajo el agua durante el cortejo.

Otro tipo de mensaje acústico, casi imperceptible para los seres humanos, son las vibraciones, a menudo calificadas de «infrasonidos», que producen muchos cocodrilianos. El animal contrae rápidamente los músculos del tronco bajo la superficie del agua y produce una serie de ondas que parten del cuerpo; como resultado, el agua sobre el dorso hace burbujas y se remueve. Estas señales de frecuencia extremadamente baja (1 a 10 hertzios) están cerca del umbral de la audición humana; pero en los casos en que es posible percibirlas, se parecen al ruido de una tormenta eléctrica lejana. Los machos de cocodrilo narigudo y de cocodrilo del Nilo producen vibraciones subaudibles durante el cortejo. Los caimanes producen vibraciones similares inmediatamente antes de rugir o bramar, y algo similar hace el cocodrilo palustre, así como otras especies, antes de golpear el agua con la cabeza. Estas señales viajan rápidamente en el medio acuático y cubren largas distancias. Sin embargo, son difíciles de registrar y documentar, sobre todo en condiciones naturales.

Entre las restantes señales acústicas figura una variedad de sonidos producidos por exhalaciones a través de la garganta o de las fosas nasales. Los caimanes emiten una especie de suaves ronroneos («chunf, chunf»), espirando el aire por la nariz, en los encuentros a escasa distancia durante el cortejo. En muchas especies, las exhalaciones bajo el agua producen burbujas, cuyo aspecto varía desde una corriente continua de finas burbujas hasta una serie explosiva de varias burbujas grandes. Fuera del agua, el aire espirado por la garganta puede producir sonidos guturales graves y el exhalado por las fosas nasales, silbidos. El gavial recurre con frecuencia a los silbidos y ronquidos para comunicarse fuera del agua. Los machos poseen una llamativa protuberancia bulbosa en el extremo del alargado hocico, donde se encuentran las fosas nasales. Este abultamiento oculta una tortuosa cavidad que se comunica con las fosas

◀ Este territorial cocodrilo narigudo manifiesta su posición dominante golpeando con la cabeza la superficie del agua dos o tres veces en rápida sucesión.

▼ Después de los ritualizados golpes con la cabeza, los machos —como este cocodrilo marino— se sumergen en el agua y producen burbujas, mientras que la hembra (en este caso con la mandíbula herida, posiblemente como resultado de una interacción social anterior) mantiene la cabeza fuera del agua.

Jeffrey W. Lang

◀ Los machos de aligátor americano emiten vibraciones subaudibles mediante contracciones de los músculos del tórax. Aunque sólo se detectan en la superficie por las burbujas y ondas que producen, estas vibraciones se transmiten fácilmente bajo el agua.

Jeffrey W. Lang

nasales y que, al parecer, transforma los silbidos en una especie de zumbidos, cuando el aire resuena en su interior.

Las posturas corporales (dentro y fuera del agua) y determinados movimientos son las principales señales de comunicación visual. En todas las especies, la exposición de la cabeza, el dorso y la cola por encima de la superficie del agua expresa importantes datos sobre la jerarquía social y las intenciones de un individuo. Los animales dominantes hacen gala de su enorme mole nadando descaradamente con medio cuerpo fuera del agua. A la inversa, los individuos subordinados no suelen exponer más que la cabeza y siempre están dispuestos a sumergirse en el agua para retirarse. Las luchas no son frecuentes, ni siquiera en los grupos de mayor densidad durante la estación del apareamiento. En muchas especies, la actitud de amenaza consiste en inflar el cuerpo y asumir una postura erguida y estática, para exagerar el volumen corporal.

Otro comportamiento consiste en levantar el hocico de manera lenta y exagerada. Cuando un animal observa que un macho dominante se le acerca, levanta el hocico fuera del agua en ángulo agudo, abre la boca y mantiene la cabeza inmóvil durante cierto tiempo. Si el otro animal se le acerca todavía más, el individuo repite el movimiento tantas veces como sea necesario, hasta que el otro se detiene. Entre los cocodrilos marinos y los de Nueva Guinea, las hembras realizan una serie de levantamientos del hocico seguidos de vocalizaciones. Esta conducta de levantar el hocico se observa también en los machos subordinados y en las hembras de cocodrilo

del Nilo. Entre los cocodrilos narigudos, sólo las hembras la practican durante las interacciones sociales corrientes y, aun así, lo hacen sin vocalizaciones. Se trata claramente de una señal de sometimiento, que probablemente comunica información sobre el sexo del individuo que la realiza, además de contribuir al reconocimiento individual. En muchas de estas especies, el levantamiento del hocico es una conducta muy frecuente durante las fases iniciales del cortejo. En las etapas preliminares, macho y hembra suelen levantar al unísono los hocicos y a veces los entrecruzan al tiempo que tocan la cabeza del compañero.

La conducta de batir la cola es una señal visual dinámica que consiste en mover la cola lateralmente. Este comportamiento suele ir precedido de golpes con la cabeza en el agua, pero también se emplea por sí solo durante los encuentros agresivos. En tierra, los animales dominantes baten la cola de un lado a otro, como fase preliminar de un encuentro agresivo. En ocasiones, sólo se observa que el extremo de la cola se mueve rápidamente, antes de que el animal se aleje de un atacante o ahuyente a otro individuo.

Los cocodrilianos emplean asimismo mensajes táctiles y químicos, pero se sabe poco sobre la forma en que estas señales se envían y reciben o acerca de su significado. Durante el cortejo, antes del apareamiento, hay prolongados contactos táctiles, sobre todo en la cabeza y la zona del cuello de los dos miembros de la pareja. En estas áreas del cuerpo hay gran concentración de receptores táctiles, que además de facilitar la percepción de ciertas formas de contacto, como los frotamientos con

▼ Los machos dominantes ahuyentan a sus rivales de las zonas más aptas para encontrar alimento y para la reproducción. Aunque la probabilidad de sufrir un ataque y heridas graves es remota, este caimán de anteojos perseguido no duda en huir a toda prisa, saltando casi fuera del agua en su precipitación.

Jeffrey W. Lang

el hocico, favorecen posiblemente la captación del otro tipo de señales, como la producción de burbujas en el agua.

Los cocodrilianos tienen glándulas excretoras bajo la mandíbula y en la cloaca. Las secreciones aceitosas de estas glándulas podrían actuar como sustancias defensivas, para repeler a los enemigos potenciales, o como mensajes químicos entre los individuos. Otros reptiles se localizan entre sí, marcan sus territorios, encuentran a sus parejas sexuales y determinan la condición reproductora de los otros individuos a través de señales químicas. Los aligatores americanos de un año reconocen las secreciones glandulares de los machos adultos, y los caimanes jóvenes de las regiones tropicales son capaces de percibir los productos glandulares de otros caimanes. En cautividad, los cocodrilianos adultos presentan muchos comportamientos que permiten pensar que los olores son un importante medio de comunicación.

Es evidente que los adultos de la misma especie que viven juntos se reconocen individualmente y reaccionan en consecuencia. El reconocimiento de cada individuo depende probablemente de ciertas señales y despliegues,

en particular de las vocalizaciones, que difieren de un animal a otro de manera predecible. Con un poco de práctica, resulta fácil distinguir el bramido de un caimán determinado. Los machos de mayor tamaño tienen voces más profundas y sonoras que los más pequeños, y entre los machos más viejos, cada voz tiene características singulares. Del mismo modo, los golpes con la cabeza efectuados por los cocodrilos narigudos son característicos y reconocibles, debido a pequeñas diferencias en la forma en que cada macho realiza la serie de movimientos.

Hasta las crías son capaces de reconocer a diferentes individuos y de distinguir entre sus hermanos y las otras crías. Los estudios de marcado y recaptura de individuos evidencian que la mayoría de los grupos familiares están realmente compuestos por hermanos. Las nuevas técnicas, como la identificación genética mediante el estudio del ADN, revelan que existe un «código de barras» único para cada animal. Esta información permite establecer el grado de parentesco genético entre individuos y constituye un medio para determinar objetivamente las relaciones entre parentesco y comportamiento.

▲ Las interacciones sociales entre los cocodrilianos (en este caso, dos cocodrilos siameses adultos) no siempre tienen que ver con la agresión, la afirmación del predominio o el cortejo. De hecho, la conducta social de los cocodrilianos es sumamente compleja, hasta el punto de que resulta tentador postular que algunos encuentros están motivados por el mero reconocimiento individual.

VIDA EN GRUPO

Las crías suelen permanecer en las cercanías del nido, formando grupos sociales denominados «guarderías». Aunque esta conducta suele ir asociada a la presencia de la madre o de otros adultos en las proximidades, las crías se mantienen en grupo aun cuando no haya adultos presentes. Presumiblemente, la vida en grupo disminuye el riesgo de cada individuo de acabar en el estómago de un depredador y, por lo tanto, no es sorprendente que esta conducta sea especialmente corriente entre las crías, que son las más vulnerables. Los individuos jóvenes de todas las especies cocodrilianas exhiben hasta cierto punto este comportamiento, pero hay diferencias entre las especies en cuanto a la duración del periodo en que las crías permanecen juntas. Puede haber también diferencias dentro de una misma especie, relacionadas con el hábitat y los distintos regímenes estacionales. En los Everglades de Florida, por ejemplo, los aligatores americanos permanecen en grupos familiares durante

años, y no es raro encontrar una hembra junto a su nido, rodeada de la prole de varias temporadas anteriores. Sin embargo, en otras zonas de su área de distribución, los jóvenes caimanes se dispersan a una edad más temprana. En muchas especies, las hembras son las encargadas del cuidado de las crías una vez que han salido del cascarón; pero en algunas, también los machos permanecen cerca del nido y cuidan de los pequeños.

Los chillidos de las crías atraen a sus padres, a otros adultos, a subadultos e incluso a individuos muy jóvenes. Los machos grandes (sobre todo los machos dominantes en los grupos criados en cautividad), lo mismo que las hembras, reaccionan expresivamente, acercándose, amenazando y a veces atacando a los intrusos. Se han observado asimismo actividades de defensa de las crías contra miembros de la misma especie. En cautividad, los padres protectores se empeñan en mantener a los jóvenes, los subadultos y otros adultos apartados de los grupos formados por las crías. En una ocasión, en cautividad, los individuos jóvenes de un grupo de cocodrilos pardos (*Crocodylus moreletii*) fueron amenazados repetidamente y atacados por una hembra que cuidaba a sus crías. Por lo general, ante las amenazas de la hembra, los jóvenes se alejaban rápidamente de la zona de guardería. Si la retirada no era inmediata, la hembra aferraba con las mandíbulas al joven transgresor y lo sacudía vigorosamente antes de soltarlo.

Los individuos jóvenes y los adultos son menos gregarios que las crías, pero también forman grupos sociales laxamente organizados. Los miembros de algunas especies, entre ellas el aligátor americano y el cocodrilo del Nilo, suelen reunirse para tomar el sol en tierra, a determinadas horas del día. También se forman grupos para aprovechar la concentración localizada de alimento, como los cardúmenes de peces. Recientemente, al sur de Luisiana, se observaron grupos de caimanes de entre 1 y 3 m, reunidos para alimentarse de peces pequeños a primera hora de la noche. Cada pocos cientos de metros, sobre un canal costero, resultaba fácil descubrir el brillo revelador de los ojos rojizos de entre ocho y doce caimanes, a tan sólo unos cuantos metros de distancia entre sí. Desde una embarcación, los observadores pudieron contemplar cómo los caimanes se alimentaban desplazándose perezosamente entre cardúmenes de peces que saltaban sobre la superficie del agua.

En las zonas sometidas a sequías periódicas, los cocodrilianos forman grupos de edades mixtas en los sitios donde hay extensiones de agua permanentes. En estos casos, las interacciones sociales, sobre todo las motivadas por la territorialidad y el dominio, disminuyen considerablemente o desaparecen. En el norte de Australia, en las épocas de mayor sequía, los cocodrilos de Johnston (*Crocodylus johnstoni*) se reúnen en las lagunas aisladas dejadas por el curso de los ríos en estiaje. Aun cuando cada laguna esté temporalmente habitada por numerosos adultos y subadultos, las interacciones sociales son poco frecuentes y los animales por lo general se ignoran entre sí. En los llanos venezolanos, el caimán de anteojos (*Caiman crocodilus*) recorre vastas distancias por tierra, a medida que las ciénagas retroceden durante la estación seca. Grandes

▼ La permanencia junto a la madre reduce el riesgo de mortalidad para las crías de cocodrilo de Nueva Guinea (bajo estas líneas). Durante la estación seca, los caimanes (abajo) se reúnen en grandes grupos en las extensiones permanentes de agua, pero también en otras situaciones se forman grupos más o menos estables de animales de distintas edades.

Jeffrey W. Lang

Richard Matthews/Seaphot Limited/Planet Earth Pictures

Gordon Langsbury/Bruce Coleman Ltd.

grupos se reúnen entonces en las escasas lagunas permanentes. En una de estas temporadas, 200 caimanes adultos vivían en un estanque de apenas 50 m de diámetro y menos de 2 m de profundidad. Aunque los individuos chocaban unos contra otros al nadar, la mayoría de las interacciones sociales eran amistosas. Varios machos grandes impusieron su dominio, pero las luchas y persecuciones no eran frecuentes.

▲ No es raro que una serie de nidadas de aligatores americanos de varias generaciones seguidas permanezcan junto a su madre. Los individuos jóvenes y los adultos, en cambio, forman grupos sociales con una estructura más laxa.

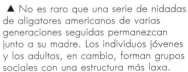

Jeffrey W. Lang

◄ Incluso en situaciones de elevada densidad durante la estación seca, cuando quedan pocas extensiones de agua permanentes, los caimanes de anteojos mantienen relaciones sociales amistosas. Los machos más grandes manifiestan su posición dominante, pero los combates son menos frecuentes que en condiciones normales, posiblemente a causa de la escasez de recursos alimentarios y la ausencia de actividades de cortejo.

JERARQUÍAS DE DOMINIO

Los estudios sistemáticos de grupos de adultos y subadultos en cautividad indican que las jerarquías de dominio constituyen un rasgo constante en la vida social de los cocodrilianos. Un gran volumen corporal y un temperamento agresivo parecen ser las características más frecuentes entre los individuos dominantes, que tienen bajo su control el acceso a las parejas para el apareamiento, los lugares de nidificación, la comida y el espacio vital. Puede haber actitudes de desafío, pero los combates físicos son poco frecuentes. Las relaciones de dominio se vuelven especialmente evidentes durante el periodo reproductor estacional, pero persisten durante todo el año. El predominio se afirma y se mantiene mediante señales y manifestaciones sociales que varían de una especie a otra. La sumisión se expresa mediante inmersión, retiradas subacuáticas o alejamiento.

En cautividad, los machos más grandes son los individuos dominantes y, por lo general, las hembras asumen actitudes de sumisión en presencia de uno de estos machos. Las hembras también adoptan jerarquías de dominio, pero las actitudes amenazadoras entre hembras cautivas guardan relación casi siempre con disputas acerca de los lugares de nidificación, más que con el acceso a la pareja. Los machos subadultos y las hembras pequeñas ocupan posiciones de bajo rango en las jerarquías. Bastante menos se sabe acerca de las relaciones de dominio entre los cocodrilianos que viven en condiciones naturales, pero se ha comprobado que adoptan jerarquías basadas sobre todo en el sexo y la edad, cuando los adultos se reúnen en grupos para la reproducción o en las zonas de agua permanente durante la estación seca.

Los individuos dominantes atacan a los de menor rango aferrándolos y mordiéndolos por la base de la cola, justo por detrás de las patas. Las heridas y las cicatrices indican por lo general que el animal se encuentra en una

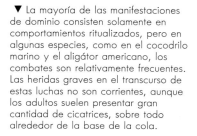

▼ La mayoría de las manifestaciones de dominio consisten solamente en comportamientos ritualizados, pero en algunas especies, como en el cocodrilo marino y el aligátor americano, los combates son relativamente frecuentes. Las heridas graves en el transcurso de estas luchas no son corrientes, aunque los adultos suelen presentar gran cantidad de cicatrices, sobre todo alrededor de la base de la cola.

posición inferior y es incapaz de sustraerse a los repetidos ataques de los individuos dominantes.

Los grupos de jóvenes y subadultos pueden adoptar jerarquías, en las que los animales más grandes controlan el acceso al alimento y los refugios disponibles, pero parece ser que esta conducta varía de una especie a otra y depende de la densidad de los grupos.

TERRITORIALIDAD

El comportamiento territorial es una expresión del dominio relacionado con el entorno. En condiciones naturales, los machos dominantes defienden un territorio, del que tratan de excluir a los otros machos. Los recursos susceptibles de ser defendidos varían de una especie a otra, pero pueden ser la competencia por la pareja, los lugares de nidificación, las zonas donde se encuentra alimento, los sitios para tomar el sol, los refugios invernales o alguna combinación de estos factores. En algunas especies (por ejemplo, el cocodrilo marino), los territorios se defienden durante todo el año, pero su extensión varía con los cambios estacionales del hábitat acuático y la temporada reproductora. En algunas regiones, los machos de cocodrilo del Nilo defienden territorios muy poco solapados, que se suceden a lo largo del río; lo hacen durante todo el año, pero el comportamiento territorial se vuelve especialmente evidente durante la temporada de reproducción. Las hembras mantienen zonas propias solapadas entre sí, donde nidifican. En otras regiones, como en el lago Rodolfo, de Kenia, los miembros de esta especie se reúnen en densos grupos reproductores, cerca de las zonas de nidificación. En estos agregados, los machos grandes sólo defienden sus territorios durante la estación reproductora. Las hembras de algunas especies defienden territorios más o menos vastos donde se encuentran sus nidos; en otras especies, en cambio, nidifican muy cerca unas de otras, en zonas comunales.

E. Robinson/Oxford Scientific Films Ltd.

Romulus Whitaker

◀ La conducta territorial y defensiva de los cocodrilianos se manifiesta sobre todo durante la época de reproducción y nidificación. Incluso en las especies más tímidas, las hembras defienden enérgicamente sus nidos. En cautividad, también los machos defienden ocasionalmente los nidos, como lo hace el cocodrilo enano de la ilustración, aunque no se sabe con certeza si esto sucede también en condiciones naturales.

En grupos reproductores en cautividad, la defensa de los territorios depende de la densidad y varía de una especie a otra. Cuando la densidad es baja, los individuos dominantes mantienen territorios separados, que pueden variar en dimensiones y situación según la jerarquía. Las hembras y los machos subadultos pueden ser tolerados dentro del territorio de un macho adulto, pero los otros machos quedan excluidos. En situaciones de gran densidad, el mantenimiento de territorios exclusivos se vuelve progresivamente difícil. Los individuos dominantes regulan el acceso a los recursos, pero permiten que los de menor rango se les acerquen. En situaciones de elevada densidad, las jerarquías de dominio reemplazan al comportamiento territorial.

▼ En situaciones de alta densidad, como en este estanque de jóvenes cocodrilos de Nueva Guinea en cautividad, las conductas territoriales y de predominio se atenúan, aunque los individuos más grandes y dominantes sustituyen la defensa del territorio por el control de la comida y el agua.

Jeffrey W. Lang

CORTEJO

En todas las especies estudiadas hasta la fecha, el sistema de apareamiento es poligínico, lo cual significa que cada macho en edad reproductora se aparea con varias hembras. Algunas especies forman, durante la estación reproductora, grupos grandes o pequeños de adultos. En estas reuniones, los machos grandes marcan territorios para el apareamiento o establecen jerarquías de dominio. En otras especies, el apareamiento tiene lugar en los territorios ocupados durante todo el año. El número de machos en edad reproductora en relación con el número de hembras en la misma condición recibe el nombre de índice sexual operativo. En los cocodrilianos, este índice varía según la estructura social y las dimensiones de los grupos. En el cocodrilo del Nilo, es de alrededor de un macho por 20 hembras en los grandes grupos reproductores que se forman en la isla central del lago Rodolfo, mientras que en otros hábitats, como por ejemplo en ríos, el índice sexual operativo es mucho más bajo, de una a tres hembras por cada macho. La defensa territorial se intensifica en la estación reproductora.

El establecimiento de los territorios y las jerarquías precede al cortejo y al apareamiento. Los machos grandes expresan su posición predominante nadando de forma muy llamativa dentro de su territorio, con gran parte del cuerpo fuera del agua, y periódicamente realizan despliegues de afirmación de dominio, característicos de cada especie: golpes con la cabeza o chasquidos explosivos con los dientes sobre la superficie del agua, acompañados a menudo de vocalizaciones, exhalaciones o vibraciones subaudibles. Para afirmar su dominio en los grupos reproductores, los machos recorren los límites de sus territorios y se acercan a otros individuos. Mantienen a raya a los machos de rango inferior mediante amenazas y ocasionales arremetidas con las fauces abiertas. En las luchas por el dominio, los machos se embisten con la

Jeffrey W. Lang

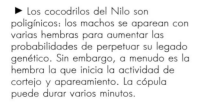

▲ Durante el cortejo, cuando los machos están dispuestos a combatir a cualquier otro macho que amenace su territorio, se producen sutiles cambios en las relaciones. Sin embargo, esta hembra de aligátor americano puede acercarse al macho (marcado aquí con una cinta roja), comportándose de tal manera que éste convierta su conducta agresiva en manifestaciones de cortejo.

► Los cocodrilos del Nilo son poligínicos: los machos se aparean con varias hembras para aumentar las probabilidades de perpetuar su legado genético. Sin embargo, a menudo es la hembra la que inicia la actividad de cortejo y apareamiento. La cópula puede durar varios minutos.

Adrian Warren/Ardea London

Jeffrey W. Lang

cabeza o las mandíbulas y se amenazan inflando el cuerpo y asumiendo una postura erguida.

Las embestidas con la cabeza constituyen una manifestación de fuerza particularmente brutal, característica de los cocodrilos marinos. En estos casos, dos machos de dimensiones similares se sitúan en paralelo y orientados en la misma dirección. Una vez en esta posición, cada cocodrilo balancea la cabeza hacia los lados, para ganar impulso, y la entrechoca con la del contrario, con gran estruendo. Estos combates no parecen tener consecuencias graves y se prolongan más de una hora. Entre los cocodrilos nariguidos y los del Nilo, los machos luchan por el predominio tratando de morder las fauces de sus rivales. Estos «mordiscos» no provocan heridas graves, pero sirven para sujetar y neutralizar al rival.

Las hembras son toleradas dentro de los territorios de los machos y, para indicar sumisión cuando se acercan a ellos, levantan el hocico, emiten vocalizaciones específicamente sexuales o se sumergen. En algunas especies, las hembras permiten que otras hembras se les acerquen durante el cortejo, pero a veces forman grupos que establecen jerarquías de dominio dentro de los territorios de los machos. En otras especies, varias hembras defienden sus respectivos territorios individuales, dentro del territorio de un macho.

Por lo general, las hembras receptivas inician el cortejo y toleran la presencia de otras hembras en las proximidades mientras proceden al cortejo y al apareamiento. Los machos dominantes no dudan en interrumpir los intentos de cortejo de los machos de rango inferior. Cuando así sucede, la hembra suele reanudar el cortejo con el macho dominante, una vez que éste ha desplazado al de menor rango. En los grupos más grandes, las hembras se mueven impunemente entre los territorios de diferentes machos y en ocasiones se aparean sucesivamente con los dueños de varios territorios. En cautividad, los machos dominantes se aparean a menudo con una serie de hembras receptivas, efectuando un prolongado cortejo y repetidas cópulas con una hembra, durante días, antes de proceder al mismo comportamiento con otra. Aunque la agresión entre hembras es menos frecuente durante la época de cortejo que en la de nidificación, las jerarquías sociales de las hembras durante el primer periodo son más evidentes y pueden determinar cuándo y con qué frecuencia una hembra se aparea con el macho dominante.

▲ La agresividad es una constante de la conducta de los cocodrilos machos durante la época reproductora, por lo que incluso las potenciales parejas para el apareamiento deben adoptar actitudes de sumisión cuando se acercan a ellos. Para iniciar el cortejo o indicar sumisión, esta hembra de cocodrilo nariguido neutraliza la agresividad del macho levantando el hocico mientras pasa nadando a su lado.

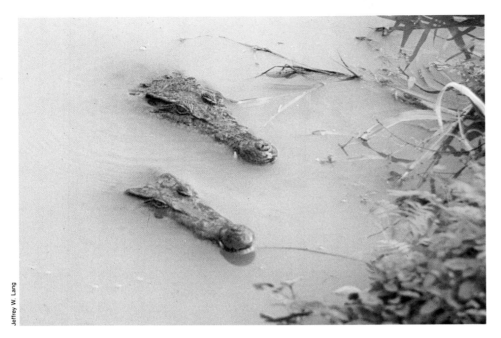

Jeffrey W. Lang

Jeffrey W. Lang

El cortejo y el apareamiento consisten en una secuencia de conductas destinadas a señalar la presencia del animal y atraer la atención del otro, seguidas de la formación de la pareja, comportamientos precopulatorios y, finalmente, la cópula. Los machos dominantes se acercan a las hembras para iniciar el cortejo, o bien las hembras se acercan a ellos, por lo general después de una interacción agresiva entre machos o tras una manifestación destinada a llamar la atención. Durante la formación de la pareja y la actividad precopulatoria, machos y hembras adoptan diversos comportamientos: contacto entre los hocicos, elevación del hocico, frotamiento de cabezas y cuerpos, encabalgamiento de uno sobre el otro, llamativos despliegues del macho, vocalizaciones, exhalaciones, producción de burbujas por la boca y la nariz, natación en círculos y series de inmersiones y reapariciones sobre la superficie del agua. El apareamiento se produce cuando el macho monta a la hembra; situándose sobre el dorso de su pareja, coloca la cola y la cloaca bajo la cola de ella y penetra el pene curvado por delante en la cloaca de la hembra. El acto del apareamiento es difícil de observar, porque tiene lugar bajo el agua; pero al parecer, para tener éxito, una cópula debe durar unos cuantos minutos y puede prolongarse durante 10 o 15 minutos e incluso más.

Las diferencias entre especies en cuanto a conductas de cortejo y apareamiento son muy notorias. En algunas especies, como el cocodrilo narigudo, la secuencia de acciones sigue un orden predeterminado, es decir, la cópula se produce siempre una vez que la pareja ha realizado determinados actos precopulatorios. En otras, como el aligátor americano, la secuencia es más flexible y menos predecible: las conductas precopulatorias se producen con frecuencia, pero muchas secuencias se interrumpen antes de que la pareja llegue a la cópula. Estos comportamientos cumplen probablemente la función de permitir a los individuos apreciar los atributos de sus parejas potenciales, así como de sincronizar la actividad reproductora. Las conductas de cortejo pueden servir también como mecanismo previo al apareamiento, para evitar los cruces entre especies y mantener el aislamiento reproductivo.

▲▶ El cortejo y el apareamiento pueden desarrollarse según una secuencia estricta o de forma más aleatoria. En el cocodrilo de Nueva Guinea, las conductas precopulatorias, como la formación de la pareja (arriba) o la producción de burbujas bajo el agua por parte de la hembra (centro), son seguidas por la cópula (derecha).

▶ Las vocalizaciones, elevaciones del hocico y manifestaciones con las mandíbulas abiertas que caracterizan el comportamiento social de los cocodrilianos pueden parecer expresiones de ferocidad, pero en la práctica son tan poco mortales como las expresiones territoriales y de cortejo de las aves o de los mamíferos terrestres, como los ciervos o las cabras montesas. Son conductas destinadas a impresionar, afianzar la posición social o indicar intenciones que no necesariamente son agresivas.

Jeffrey W. Lang

REPRODUCCIÓN

WILLIAM ERNEST MAGNUSSON, KENT A. VLIET,
A. C. (TONY) POOLEY Y ROMULUS WHITAKER

Los estudios de campo, tanto en condiciones naturales como en cautividad, revelan que el ciclo reproductivo de los cocodrilianos es largo, complejo y el más avanzado entre los reptiles.
La madurez sexual de los cocodrilianos depende tanto de las dimensiones como de la edad. En la mayoría de las especies, se observa un dimorfismo sexual en cuanto al tamaño: los machos crecen más rápidamente y alcanzan mayores dimensiones en la madurez que las hembras. En general, los aligatorinos y algunos cocodrilinos pequeños alcanzan la madurez reproductora con dimensiones relativamente reducidas, mientras que los grandes cocodrilinos y el gavial no son aptos para la reproducción hasta que no alcanzan unas dimensiones bastante considerables.

A diferencia de las aves y de los mamíferos, en los que el sexo de los embriones queda determinado en el momento de la fertilización, el embrión contenido en un huevo de cocodriliano recién puesto es asexuado. La temperatura de incubación del huevo durante las primeras semanas determina el desarrollo del embrión como macho o hembra. La temperatura crítica varía de una especie a otra, pero todas las especies de cocodrilianos, tanto los que viven en los fríos torrentes del Himalaya como los de las selvas tropicales o los de las ciénagas de las regiones templadas, incuban sus huevos a temperaturas que rondan los 30 °C. La exposición prolongada a temperaturas inferiores a 27 °C y superiores a 34 °C es mortal para los embriones de la mayoría de las especies. Resulta bastante enigmática la forma en que los cocodrilianos se las arreglan para construir nidos que funcionan como incubadoras sumamente precisas; para ello trabajan con una amplia variedad de materiales y en condiciones que van desde la exposición directa a la luz solar, el viento y la lluvia, hasta una protección casi completa contra las inclemencias del tiempo, bajo el denso techo vegetal de la selva.

▶ Aunque más artística que científica, esta ilustración permite apreciar la correosa cáscara que hasta cierto punto protege al embrión de cocodriliano de los elementos. Pese a esta protección, los embriones no sólo están expuestos a la acción de los depredadores, sino a las condiciones climáticas: de hecho, el sexo de las crías queda determinado por variaciones mínimas de la temperatura durante las primeras fases de la incubación.

De la *Encyclopédie* de Diderot/Roger-Viollet, Paris

Michael Cermak

◄ Mientras que los nidos de caimán son grandes montículos de vegetación, cuidadosamente construidos y ocultos entre los juncos de los pantanos o los arbustos del sotobosque, el cocodrilo de Johnston se limita a excavar un agujero en la arena, sobre la ribera del río. Los adultos de esta especie cuidan mucho menos de los pequeños que otros cocodrilos y, en comparación, la mortalidad de las crías es elevada.

CAIMANES

El cortejo entre los caimanes sólo se ha estudiado en poblaciones que habitan en las sabanas, como el caimán de anteojos (*Caiman crocodilus*). En los llanos venezolanos y el pantanal brasileño, los caimanes de anteojos forman grupos concentrados en lagunas aisladas durante la estación seca. El cortejo y el apareamiento tienen lugar al final de la estación seca, antes de la dispersión del grupo y la nidificación. En esa época, se ha observado que los animales más grandes, presumiblemente machos, levantan muy alta la cabeza y mantienen la cola en posición casi vertical sobre el agua. En ocasiones describen con la cola un movimiento de vaivén hacia los lados. Normalmente la cópula se produce con el macho sobre el nivel del agua y la hembra totalmente sumergida, aunque en condiciones de aguas poco profundas la hembra monta al macho y curva la cola por debajo de la de su compañero.

Los caimanes de anteojos recurren menos a las vocalizaciones en los llanos o en el pantanal, posiblemente porque en un ambiente abierto y a escasa distancia las señales visuales son mucho más eficaces que las vocales. El caimán negro (*Melanosuchus niger*), lo mismo que el aligátor americano (*Alligator mississippiensis*), emite sonoros bramidos durante el cortejo, y existen algunos informes sin confirmar acerca de la misma costumbre entre los caimanes de anteojos que viven en el Amazonas. Al parecer, los caimanes almizclados (género *Paleosuchus*) no producen vocalizaciones sonoras durante el cortejo.

Los caimanes, al igual que el resto de los aligatorinos, construyen nidos monticulares con hojas frescas, tierra y mantillo. Ningún aligatórido excava agujeros para nidificar en playas abiertas o terrenos friables, como hacen muchos cocodrilinos y gavialinos. Este hecho resulta sorprendente, ya que muchas tortugas marinas y fluviales nidifican de esta forma en las playas oceánicas sudamericanas y en los vastos bancos de arena que afloran en la cuenca del Amazonas durante la estación de aguas bajas.

Al parecer, el tamaño y el material de los nidos de caimán dependen más del hábitat y de la disponibilidad de materiales que de la especie que los construye. Los nidos miden por lo general entre 1,5 y 2 m de diámetro y entre 40 y 100 cm de altura. Los que se construyen en las ciénagas, donde abundan las cañas y las hierbas altas, suelen ser más grandes que los construidos en la selva, donde la tierra y los desechos vegetales son los únicos materiales disponibles.

Tanto en los llanos como en el pantanal, el caimán de anteojos nidifica durante la estación en que las tierras bajas quedan inundadas por la crecida de los ríos. La región de los llanos se inunda durante el verano del hemisferio Norte, y la del pantanal, durante el verano del hemisferio Sur, por lo que las dos poblaciones de caimanes nidifican en diferentes épocas del año. En cuanto a los caimanes de anteojos de la cuenca del Amazonas, los informes indican que nidifican durante la estación seca, durante la de lluvias o durante todo el año, según la zona. Aunque es probable que las poblaciones más meridionales no puedan nidificar en invierno a causa de las bajas temperaturas, la estación reproductora parece depender más bien de los ciclos de lluvia y del nivel de los ríos. Todavía queda mucho por investigar acerca de los factores que influyen en los ciclos reproductivos del caimán de anteojos.

La información acerca de la temporada de nidificación del caimán negro y de los caimanes almizclados (*Paleosuchus palpebrosus* y *P. trigonatus*) es escasa, pero parece ser que las tres especies construyen sus nidos al final de la estación seca y al principio de la lluviosa, en las regiones más cálidas. Gran parte del área de distribución del yacaré (*Caiman latirostris*) está sujeta a bajas temperaturas invernales. Su costumbre de nidificar en primavera ha evolucionado probablemente con el fin

DETERMINACIÓN DEL SEXO

JEFFREY W. LANG

El sexo de un ave o de un mamífero queda determinado por los cromosomas en el momento de la concepción. Sin embargo, no todos los vertebrados tienen este tipo de cromosomas; en algunos, la determinación del sexo tiene lugar en una etapa más avanzada del crecimiento o desarrollo. Ciertos peces, por ejemplo, cambian de sexo incluso siendo ya adultos, según las circunstancias sociales o el ambiente. En los reptiles, la determinación del sexo puede ser genética o ambiental. En los cocodrilianos, en las tortugas y en algunos lagartos, la temperatura experimentada por el embrión dentro del huevo es uno de los principales factores para la determinación del sexo del individuo, un tipo de determinación ambiental denominada determinación del sexo dependiente de la temperatura (DST). Mediante el simple control de la temperatura de los huevos durante la incubación, es posible la obtención de individuos del sexo deseado o una proporción predeterminada de cada sexo.

Entre los cocodrilianos, la DST se documentó por primera vez en 1982, para el aligátor americano, a partir de experimentos de incubación artificial a temperaturas constantes, en laboratorio, y del estudio de los nidos naturales en las regiones costeras de Luisiana. Las temperaturas elevadas, de 32 a 34 ºC, producen aligatores americanos machos, mientras que las temperaturas más bajas, entre 29 y 30 ºC, producen hembras. A temperaturas intermedias, las crías se dividen entre machos y hembras, en diferentes proporciones. En Luisiana, en condiciones naturales, los machos representaban entre el 60 y el 80 % del total de jóvenes aligatores estudiados, mientras que entre los animales criados en granjas, sólo entre el 10 y el 25 % eran machos. En este caso, la incubación artificial de los huevos se había llevado a temperaturas relativamente más bajas y, en consecuencia, predominaban las hembras.

Hasta la fecha, la DST se ha demostrado en cinco especies de cocodrilinos y en tres especies de aligatorinos. Puesto que todas las especies de cocodrilianos carecen de cromosomas sexuales, es muy probable que la DST sea un rasgo común a todas las especies. Sin embargo, existen importantes diferencias en las pautas de determinación del sexo presentadas por cada especie. En todas las especies, las temperaturas de incubación más bajas producen exclusivamente hembras. En los cocodrilos, sin embargo, también las temperaturas altas producen hembras, y los machos sólo aparecen en las temperaturas intermedias. En cambio, en el caso del aligátor americano y del caimán de anteojos, las temperaturas elevadas producen exclusivamente machos.

En todos los casos, diferencias muy pequeñas en la temperatura de incubación (de 0,5 a 1 ºC) tienen como resultado diferencias muy pronunciadas en la proporción de los dos sexos. El periodo crítico de sensibilidad térmica (cuando la temperatura determina el sexo del embrión) comienza en una etapa precoz del desarrollo y se extiende hasta la mitad de la incubación. El sitio donde la hembra construye el nido y la fecha del año en que deposita los huevos obran efectos determinantes sobre el sexo de su prole. Al nidificar, muchas hembras construyen nidos «de prueba» y parecen ser muy selectivas en la elección del sitio de nidificación. La temperatura del aire y del suelo desempeña probablemente un papel de gran importancia en el proceso de elección y construcción del nido. En Luisiana, algunos aligatores americanos construyen nidos monticulares sobre diques cálidos, mientras que otros nidifican en marjales más bien frescos. Los nidos más cálidos producen básicamente machos, mientras que en las zonas frescas nacen principalmente hembras. Al sur de la India, los cocodrilos palustres

que nidifican tempranamente producen sobre todo hembras, ya que la temperatura de la tierra donde cavan sus nidos es más baja. Más avanzada la temporada de nidificación, cuando la temperatura del suelo es más alta, las crías son predominantemente machos.

No es sorprendente comprobar que en muchos nidos de cocodrilianos, todos los miembros de la nidada son del mismo sexo. En algunos casos, la temperatura de incubación en el interior del nido varía lo suficiente para producir machos en la capa superior de huevos y hembras en la capa inferior, o viceversa. Pese a los hábitats y climas diferentes en que viven los cocodrilianos, las condiciones de incubación para todas las especies son notablemente similares, ya se trate de constructores de nidos monticulares o de nidificadores en cavidades. Durante los dos o tres meses de incubación, la temperatura de los huevos depende en gran medida de las condiciones climáticas. Las sequías y el nivel bajo de las aguas determinan un ambiente más seco y temperaturas de incubación más altas; las lluvias y el nivel elevado del agua hacen que las temperaturas de incubación desciendan. En condiciones naturales, la proporción entre los sexos está fuertemente inclinada en favor de las hembras, pero fluctúa de un año a otro. Es concebible la posibilidad de un cambio climático a largo plazo que determinara la superproducción de uno de los sexos y, en último término, la extinción de una especie. Sin embargo, el de los cocodrilianos es un linaje ancestral, y su continuada supervivencia es un argumento en contra de previsiones tan simplistas.

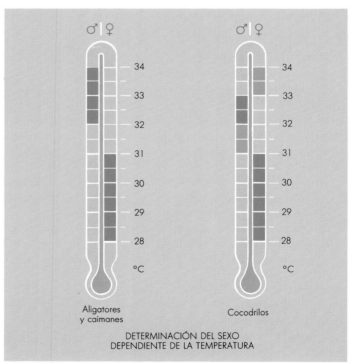

DETERMINACIÓN DEL SEXO
DEPENDIENTE DE LA TEMPERATURA

▲ Las pautas de la determinación del sexo dependiente de la temperatura para el aligátor americano y el caimán de anteojos (a la izquierda) permiten apreciar que las bajas temperaturas producen hembras y las temperaturas elevadas producen machos. Las pautas observadas en cinco especies de cocodrilos (derecha) son menos directas. Las temperaturas bajas producen exclusivamente hembras y también son predominantemente hembras las crías incubadas a las temperaturas más altas. Los machos, que aparecen en proporciones variables en torno a una máxima, se desarrollan en las temperaturas intermedias.

William E. Magnusson

William E. Magnusson

de aprovechar la época más cálida del año para la incubación de los huevos y el desarrollo de las crías. Además, es posible que las actividades de nidificación sean bastante costosas en términos energéticos. Las hembras del caimán almizclado del Brasil no nidifican todos los años, y es probable que otras especies necesiten también un año o más para recobrar fuerzas después de cada nidificación.

Aparte del trabajo necesario para elaborar estadísticas de temperatura, los investigadores emplean mucho tiempo en encontrar los nidos de los caimanes. Además, el alboroto provocado por la presencia de los naturalistas suele atraer al nido a los depredadores, circunstancia que puede poner un fin prematuro a los experimentos. Pese a estos problemas, el estudio de las relaciones térmicas en el interior de los nidos de caimán promete ser un área de investigación de gran interés en el futuro. Estudios preliminares sobre el caimán de anteojos y los caimanes almizclados indican que, por lo general, incuban los huevos a temperaturas que oscilan entre 28 y 32 °C, pero sólo se ha intentado cuantificar las diferentes fuentes de calor para los huevos en los nidos del caimán de anteojos, en los llanos venezolanos, y en los del caimán almizclado del Brasil, en la cuenca amazónica.

Los llanos venezolanos son un hábitat abierto, que se inunda año tras año con la crecida de los ríos. Muchos caimanes construyen nidos de hierba y paja en medio de la llanura, pero otros los fabrican con tierra, ramas y materia vegetal en descomposición, al pie de árboles aislados o en un claro del bosque. La materia vegetal en descomposición y la radiación solar deberían producir más calor en los nidos más expuestos a los elementos; de hecho, los investigadores han comprobado que estos nidos conservan temperaturas entre 0,5 y 3 °C superiores a las registradas en los nidos de tierra, dependiendo de

la hora del día. Si bien se cree que la radiación solar y la descomposición de la materia vegetal determinan hasta cierto punto la temperatura del nido, el aislamiento del montículo protege los huevos del calor o del frío extremos. Los efectos de los diferentes materiales, y en consecuencia de las temperaturas, sobre el sexo de las crías de estos cocodrilianos no se han estudiado.

Muchos animales se alimentan de huevos de caimán, entre ellos lagartos, coatíes, zorros y monos, aunque los dos primeros parecen ser los principales depredadores. Las hembras de caimán de anteojos, yacaré, caimán negro y caimán almizclado del Brasil permanecen cerca del nido para protegerlo de los depredadores, por lo menos durante la primera fase de la incubación, cuando resulta fácil descubrir los nidos recién construidos. En cautividad, también los machos protegen el nido. Las inundaciones, que constituyen una causa primordial de mortalidad entre los embriones de otros cocodrilianos, no parecen revestir especial importancia para los caimanes de las regiones tropicales. Para las especies

▲ Una de las consecuencias de nidificar junto a termiteros, como lo hace el caimán almizclado del Brasil, es que las termitas pueden cubrir los huevos. Si esto sucede, como ocurrió con esta nidada, la hembra rompe el material duro fabricado por las termitas y abre el nido.

◀ El caimán de anteojos es una de las especies de caimán más ampliamente distribuidas. Su ciclo reproductor parece estar estrechamente relacionado con las fluctuaciones del nivel del agua. En la cuenca del Amazonas, prefiere construir sus nidos en las alfombras de vegetación que cubren las zonas de aguas bajas de las grandes lagunas.

NIDOS EN TERMITEROS

WILLIAM ERNEST MAGNUSSON

El caimán almizclado del Brasil sólo nidifica en la espesura de la selva; por lo tanto, la radiación solar directa contribuye poco al mantenimiento de la temperatura de los nidos. Esta especie suele construir sus nidos junto a los termiteros, donde se benefician del calor metabólico generado por las termitas. Al principio, los investigadores creyeron que en el sombrío suelo selvático los caimanes dependían completamente del calor generado por las termitas para mantener las temperaturas necesarias para la supervivencia de los huevos y la producción de crías de los dos sexos. Sin embargo, recientemente se ha demostrado que la temperatura del aire, la producción metabólica de calor por parte de los embriones y, posiblemente, el calor generado por la materia vegetal en descomposición desempeñan también un papel importante en el mantenimiento de la temperatura del nido.

La temperatura crítica para la producción de machos es de 31 a 32 °C en el caimán almizclado del Brasil. De hecho, muchos nidos que alcanzan estas temperaturas en las fases tempranas de la incubación no se encuentran asociados con termiteros, o bien aparecen junto a antiguos termiteros en los que la colonia de termitas se ha extinguido y, por lo tanto, ya no generan cantidades significativas de calor. Estos nidos suelen estar construidos sobre otros nidos utilizados en años anteriores. Aparentemente, el aislamiento entre el nido y el suelo fresco, proporcionado por el nido antiguo, es suficiente para permitir que otras fuentes de calor mantengan la temperatura del nido por encima de los 31 °C.

Al cabo de 100 días o más de incubación, los huevos suelen estar rodeados por una maraña de raíces, que han crecido debido a la gran cantidad de nutrientes que les ofrece el montículo de vegetación en descomposición. A menudo las termitas extienden el termitero hacia la zona donde se encuentran los huevos y rodean el nido de material duro, que ninguna cría podría romper sin ayuda. Así pues, la intervención de los adultos es vital para que las crías puedan salir a la superficie desde la cámara del nido.

▲ Al construir sus nidos en la espesura de la selva, el caimán almizclado del Brasil no puede aprovechar la luz solar para regular la temperatura de incubación. Como compensación, utiliza el calor generado por los termiteros: deposita los huevos cerca de un termitero, en un sitio donde predomine la temperatura óptima.

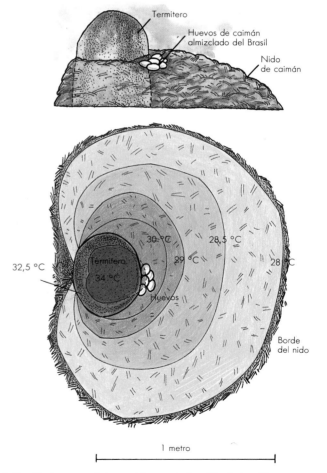

▲ Sección transversal de un nido, con indicación de las diferentes zonas de temperatura. El centro del termitero, a unos 34 °C, es probablemente demasiado cálido para los embriones, mientras que el borde del nido, a unos 28 °C, es quizá demasiado frío. En consecuencia, los huevos han sido depositados donde la temperatura, de 32 °C, es exactamente la adecuada para el desarrollo de los embriones.

más pequeñas, la defensa del nido contra los grandes depredadores puede ser peligrosa, del mismo modo que la protección del nido contra los seres humanos en el caso del caimán negro. Existe un caso documentado de un caimán de anteojos muerto por un jaguar y numerosos informes de otros caimanes muertos a tiros mientras vigilaban sus nidos.

En cautividad, las hembras de caimán de anteojos, yacaré y caimán almizclado abren los nidos cuando oyen los gritos de las crías y las transportan hasta el agua. Entre los caimanes de anteojos también se han visto machos colaborando en la apertura de los nidos y el transporte de las crías. Aunque la salida de las crías del nido no siempre requiere ayuda, muchos caimanes recién salidos del cascarón no podrían arreglárselas sin la intervención de un adulto. Esto es especialmente relevante para el caimán almizclado del Brasil, que nidifica en la espesura de la selva y a menudo deposita los huevos en termiteros.

Jany Sauvanet/NHPA

◀▼ Es probable que las madres de estas crías de caimán almizclado (izquierda) y de caimán de anteojos (abajo) las hayan ayudado a salir del cascarón, abriéndoles el nido y transportándolas hasta el agua. Las vocalizaciones procedentes de los huevos en el interior del nido son la señal para que los adultos entren en acción.

Jane Burton/Bruce Coleman Ltd.

William E. Magnusson

► En Brasil, las crías de caimán almizclado reciben el nombre de «caimanes coronados», por la vistosa mancha dorada que presentan en la cabeza. Con la excepción de esta mancha, las crías están bastante bien mimetizadas y se confunden con el fondo lleno de hojas de las corrientes de agua poco profundas. Su capacidad para mantenerse inmóviles bajo el agua durante varios minutos les sirve también para eludir a muchos depredadores.

El grado de cuidados parentales una vez que las crías han salido del cascarón varía de una especie a otra y depende también de las condiciones locales. Las hembras de caimán almizclado del Brasil permanecen junto a las crías durante unas semanas antes de la dispersión de los jóvenes caimanes, aun cuando no cambie el nivel de las aguas en las corrientes donde nidifican. En los llanos y el pantanal, los caimanes de anteojos hembras acompañan a sus crías hasta que la disminución del nivel de las aguas las obliga a dispersarse. Este periodo varía entre un par de semanas y cuatro meses, o incluso más. En Surinam, la hembra puede quedarse con las crías hasta siete meses y los jóvenes caimanes permanecen en grupos durante un máximo de dieciocho meses. Existe un estudio, realizado en el pantanal, que describe con todo detalle la conducta de la hembra y de sus crías. Durante el día, las crías observadas permanecían relativamente inactivas, a menudo con los ojos cerrados, cerca de la hembra o encima de ella, junto a la desembocadura de un pequeño canal en un lago. Por la noche, los pequeños se dispersaban por las orillas del canal en busca de los insectos que les servían de alimento. Mientras las crías comían, la hembra se adentraba en el lago, donde podía interceptar a otros caimanes o grandes depredadores que trataran de entrar en el canal. Al alba, las crías comenzaban a vocalizar y volvían a la desembocadura del canal, donde se reunían con la hembra en su sitio de descanso diurno. Es probable que la protección por parte de los adultos sea un factor importante para la supervivencia de las crías durante sus primeras semanas o meses de vida fuera del huevo.

No sólo los progenitores protegen a las crías. También otros adultos e incluso los jóvenes reaccionan ante sus llamadas de alarma. Un investigador ha informado que la barca hinchable en la que viajaba con otros tres colegas fue hundida por un caimán almizclado del Brasil adulto, que reaccionó ante la imitación humana de las llamadas de alarma de las crías del caimán de anteojos: toda una hazaña para una de las especies de cocodrilianos más pequeñas del mundo.

ALIGATORES

Los aligatores necesitan un ambiente cálido para el desarrollo adecuado de los embriones. Las variaciones estacionales de la temperatura en los climas templados limitan las posibilidades reproductoras de estos cocodrilianos a los meses del verano. Como consecuencia, la estación reproductora del aligátor americano es mucho más breve que la de cualquier otro cocodriliano. En febrero y marzo, cuando la temperatura empieza a aumentar y los días se hacen más largos, las hormonas comienzan a correr por la sangre de los machos y sus testículos aumentan de volumen. También en las hembras se registra una mayor concentración de hormonas, que llega a su máximo a principios de abril. El aumento de la concentración hormonal estimula al hígado para producir vitelogenina, que es la sustancia precursora del vitelo o yema del huevo. Los folículos de los ovarios comienzan a crecer y

APARATO UROGENITAL FEMENINO

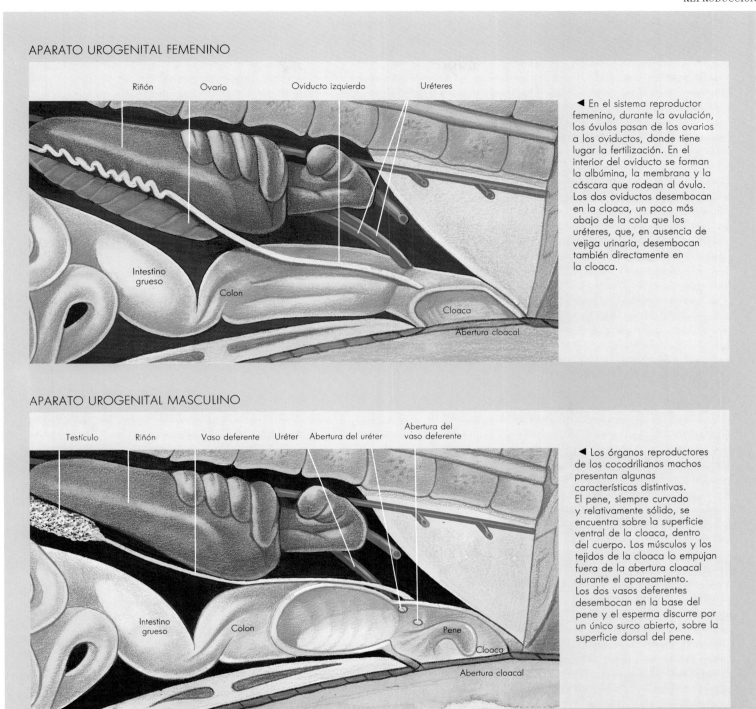

Riñón   Ovario   Oviducto izquierdo   Uréteres

Intestino grueso

Colon

Cloaca

Abertura cloacal

◄ En el sistema reproductor femenino, durante la ovulación, los óvulos pasan de los ovarios a los oviductos, donde tiene lugar la fertilización. En el interior del oviducto se forman la albúmina, la membrana y la cáscara que rodean al óvulo. Los dos oviductos desembocan en la cloaca, un poco más abajo de la cola que los uréteres, que, en ausencia de vejiga urinaria, desembocan también directamente en la cloaca.

APARATO UROGENITAL MASCULINO

Testículo   Riñón   Vaso deferente   Uréter   Abertura del uréter   Abertura del vaso deferente

Intestino grueso

Colon

Pene

Cloaca

Abertura cloacal

◄ Los órganos reproductores de los cocodrilianos machos presentan algunas características distintivas. El pene, siempre curvado y relativamente sólido, se encuentra sobre la superficie ventral de la cloaca, dentro del cuerpo. Los músculos y los tejidos de la cloaca lo empujan fuera de la abertura cloacal durante el apareamiento. Los dos vasos deferentes desembocan en la base del pene y el esperma discurre por un único surco abierto, sobre la superficie dorsal del pene.

llegan a multiplicar por diez su diámetro original. En los machos, la producción máxima de esperma se registra a finales de mayo, coincidiendo con la ovulación de las hembras.

En Florida, prácticamente todas las hembras en edad reproductora desovan dentro de un periodo de dos semanas, a principios de junio. En otras regiones se ha comprobado también que la puesta de los huevos tiene lugar durante un periodo de unas dos semanas, pero las fechas dependen de las temperaturas y de la duración del día, por lo que varían ligeramente de un año a otro. Las lluvias no parecen ser un factor determinante, pero si las zonas de nidificación están inundadas, los efectos sobre el esfuerzo reproductor general son adversos. Un máximo de dos tercios de las hembras adultas se reproducen todos los años, proporción bastante inferior a la observada en muchas especies de cocodrilianos. Las razones de esta pasividad reproductora se desconocen. Probablemente, las exigencias energéticas de producir una nidada grande son excesivas para muchas de las hembras, incapaces de recobrar fuerzas de una temporada a la siguiente.

Los aligatores americanos llegan a la madurez sexual cuando alcanzan una longitud total de 1,9 m aproximadamente. Los machos crecen algo más rápidamente que las hembras, por lo que alcanzan antes estas dimensiones. En Luisiana, los machos maduran

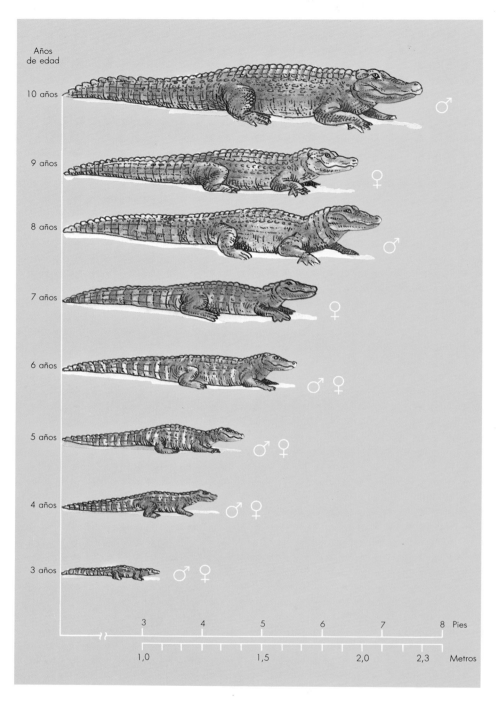

Años de edad

10 años ♂

9 años ♀

8 años ♂

7 años ♀

6 años ♂ ♀

5 años ♂ ♀

4 años ♂ ♀

3 años ♂ ♀

3 4 5 6 7 8 Pies

1,0 1,5 2,0 2,3 Metros

▲ Los aligatores americanos crecen rápidamente durante los cuatro primeros años de vida. Ambos sexos alcanzan la madurez sexual al llegar aproximadamente a los 1,9 m de longitud, pero los machos inician antes la actividad sexual porque alcanzan esta longitud antes que las hembras.

▶ Los huevos de un cocodriliano —como éstos, depositados por un cocodrilo marino— pueden medir hasta 10 cm de longitud. Son de color blanco cremoso y por lo general tienen una cáscara suave y dura, aunque los huevos de aligátor americano tienen la cáscara sembrada de hoyuelos.

sexualmente al cabo de unos siete años, mientras que las hembras tardan nueve y hasta diez años. En el límite septentrional de su área de distribución, donde la época de crecimiento es mucho más breve, los machos tardan unos quince años y las hembras alrededor de dieciocho en llegar a la edad reproductora. Sin embargo, las interacciones sociales suelen impedir que los machos realmente se apareen antes de alcanzar los 2,4 o 2,8 m de longitud.

El cortejo comienza en los primeros días de abril y se intensifica hasta alcanzar su máxima actividad durante las dos últimas semanas de mayo. El cortejo es un proceso lento y de ritmo lánguido, consistente en roces, presiones y golpecitos en la cabeza y en el cuello de la pareja. Las hembras suelen iniciar estas interacciones (al menos durante el periodo de máxima actividad) e incitan

a los machos a reaccionar. En algunos casos, el cortejo se prolonga durante varias horas. Ambos miembros de la pareja tratan de hundir al otro en el agua, en una especie de amistoso combate que al parecer sirve para determinar las dimensiones y la fuerza del otro. Finalmente, el macho consigue que la hembra se sumerja y la monta. El apareamiento se produce, por lo general, en el agua y no dura más de uno o dos minutos. Los caimanes son polígamos y pueden acoplarse con varias hembras durante la época del cortejo. Aunque este periodo puede durar alrededor de dos meses, los machos sólo disponen de esperma viable durante un mes, aproximadamente. En el caso de las hembras, el intervalo entre la ovulación y la nidificación es de unas tres o cuatro semanas.

Las hembras amontonan tierra y vegetación para construir el nido y pasan repetidamente, con todo el peso de su cuerpo, sobre la pila resultante, hasta formar un montículo compacto. A continuación preparan una cámara para los huevos en el centro del montículo, excavando un agujero con las patas traseras. Cuando el nido está listo, la hembra se dispone a desovar. Con las patas traseras en la cavidad del nido, deja caer los huevos (uno cada medio minuto, aproximadamente) hasta completar la nidada. Algunos investigadores sostienen que la hembra recoge los huevos con las patas traseras y los deposita en el nido; aun cuando esto fuera cierto en algunos casos, es seguro que no siempre sucede así. La hembra permanece totalmente inmóvil durante el proceso. Los observadores humanos pueden acercarse al nido e incluso recoger los huevos recién depositados, sin temor a ser atacados.

Los huevos son grandes, más o menos del tamaño de los de ganso, y de color blanco amarillento. Una hembra de dimensiones medias pone entre 35 y 40 huevos. Las hembras de más edad y más voluminosas producen nidadas más grandes. Se han hallado nidos que contenían hasta un centenar de huevos, aunque es probable que pertenecieran a más de una hembra. Al cabo de un día, se forma una manchita blanca en la parte superior del huevo, señal de que el embrión acaba de adherirse a la cáscara. La manchita no tarda en convertirse en una franja completa alrededor del centro del huevo. A medida que el embrión se desarrolla, la franja aumenta en grosor, hasta abarcar toda la cáscara.

Frithfoto / Australasian Nature Transparencies

Durante su desarrollo en el interior del huevo, los embriones exhalan dióxido de carbono hacia la cámara del nido. El gas se disuelve en el aire húmedo de la cavidad y forma un compuesto ligeramente ácido que impregna la superficie de los huevos. Es posible que este ácido erosione gradualmente la cáscara, volviéndola más delgada y aumentando el diámetro de los poros a través de los cuales respiran los embriones. Al crecer, los embriones necesitan más oxígeno, y el mayor diámetro de los poros permite el paso del vital elemento. Al cabo de 65 días de incubación, cuando la cría empuja con el hocico, la debilitada cáscara suele resquebrajarse con facilidad.

El cortejo comienza hacia el final de la estación seca y principios de la lluviosa. La nidificación tiene lugar al comienzo de esta última, y los nidos se sitúan fuera del alcance del nivel que suelen alcanzar las aguas durante las crecidas. Los embriones se desarrollan durante la época más lluviosa, de manera que cuando las crías abandonan los nidos, el nivel del agua es máximo y la comida, más abundante.

Los cuidados parentales están bien desarrollados entre los cocodrilianos, y el aligátor americano es un típico ejemplo. Después de construir el nido y desovar, la hembra suele permanecer junto al nido durante todo el periodo de incubación, para proteger los huevos contra los depredadores. Cuando las crías están listas para salir del cascarón, emiten gruñidos desde el interior de los huevos. Al oír sus llamadas, la hembra abre el nido, recoge cuidadosamente los huevos que todavía no se han abierto y con la lengua los hace rodar, uno a uno, contra el paladar. De esta forma quiebra la cáscara de los huevos y libera a las crías. Una vez que todas han salido del cascarón, la hembra las transporta hasta el agua y a menudo permanece junto a ellas durante varios meses o, en algunos casos, durante años.

David Hughes/Bruce Coleman Ltd.

Anthony Bannister/NHPA

▲ El cortejo de los aligatores americanos es prolongado y displicente, y por lo general lo inician las hembras. Después de una serie de golpes y suaves empujones, cualquiera de los dos miembros de la pareja (en este caso, una hembra en cautividad) pone a prueba la fuerza del otro tratando de empujarlo y sumergirlo.

◄ Estrechamente curvado en el interior del huevo, este cocodrilo del Nilo tiene un papel activo en su propio desarrollo. Exhala dióxido de carbono, que mediante reacciones químicas aumenta la porosidad de la cáscara y deja pasar más oxígeno a medida que el embrión crece.

Dale Jackson

◄ Los cocodrilianos hembras cuidan de la prole en un grado muy poco corriente entre los reptiles. Este aligátor americano hembra está vigilando su nido; cuando llegue el momento, romperá cuidadosamente los huevos para ayudar a las crías a salir del cascarón.

COCODRILO DEL NILO

En las regiones tropicales de África, en países como Uganda y Kenia, los cocodrilos del Nilo (*Crocodylus niloticus*) pueden poner huevos en dos épocas diferentes del año —algunas hembras desovan en agosto o a principios de septiembre, mientras que otras lo hacen en diciembre o enero—, ya que en las proximidades del ecuador las variaciones de temperatura a lo largo del año son muy leves y se registran diferentes regímenes de lluvias. Sin embargo, en las regiones más templadas, como la zona subtropical de Natal, en Sudáfrica (la actual frontera meridional del área de distribución de la especie), hay solamente una temporada de nidificación al año, que se prolonga desde finales de septiembre hasta mediados de diciembre. Los huevos de cocodrilo incubados en nidos de arena necesitan temperaturas de entre 28 y 34 °C, así como elevados niveles de humedad, y sólo pueden desarrollarse con éxito en las regiones templadas, durante los meses más calurosos del verano.

En las zonas subtropicales, los preliminares del cortejo pueden comenzar entre cuatro y cinco meses antes de nidificar. Durante este periodo, algunos animales viajan muchos kilómetros desde los lugares donde suelen invernar hasta las playas de nidificación. Las actividades de cortejo se intensifican a principios de la primavera (septiembre), como reacción ante las mayores temperaturas del aire y del agua, el aumento de la humedad, la llegada de las primeras lluvias y, probablemente, la mayor duración del día.

Al llegar a las áreas de nidificación, los machos más desarrollados compiten por el predominio y establecen sus territorios, después de lo cual se dedican a recorrer sus

◄ Cuando las crías de aligátor americano han salido del cascarón, la madre permanece junto a los pequeños durante varios meses para protegerlos de los depredadores, entre los que figuran otros aligatores, garzas, serpientes, zarigüeyas y mapaches. Las crías suelen tomar el sol sobre la cabeza o el dorso de la madre, a salvo de sus enemigos.

▼ Los cocodrilos del Nilo machos establecen su posición dominante en las zonas de reproducción mediante una serie de conductas agresivas. Los machos de mayor tamaño atacan a los más pequeños y les impiden el acceso a las hembras sexualmente receptivas. La mayoría tienen que esperar a crecer lo suficiente para «conquistar» un territorio propio.

Adrian Warren/Ardea London

respectivas zonas y a anunciar su presencia. Los machos dominantes suelen ser voluminosos y de temperamento agresivo. Si se les acerca un intruso, golpean el agua con la cabeza, se yerguen tanto como pueden sobre la superficie con las fauces abiertas y finalmente se desploman con gran estruendo, a la vez que entrechocan las mandíbulas. El ruido de este despliegue se oye desde una distancia bastante considerable, y puede anunciar su presencia incluso por la noche.

Otra conducta destinada a intimidar a los adversarios consiste en levantar la cabeza y gran parte del tronco por encima de la superficie del agua, al tiempo que el animal hincha el cuello y entreabre la boca. A continuación, el cocodrilo se lanza sobre el intruso en una breve y veloz persecución, con vigorosos coletazos que lo impulsan por el agua y producen grandes olas. Este despliegue suele ser suficiente para obligar al adversario a ganar la ribera del río o del lago y, en ocasiones, durante la persecución, el intruso recibe algún mordisco en la cola. Cuando un macho joven es atacado de esta forma, reacciona a veces con la señal de sumisión, consistente en levantar la cabeza en posición casi vertical fuera del agua, dejando expuesta la vulnerable garganta y permaneciendo en actitud pasiva. El macho dominante puede nadar amenazadoramente en círculos a su alrededor o bien aferrarlo por la base de la cola y proceder a morderlo y sacudirlo vigorosamente, antes de soltarlo. Si el joven cocodrilo no da muestras de sumisión, se arriesga a sufrir heridas graves o, en muy raras ocasiones, a morir.

El cortejo puede comenzar por iniciativa de las hembras, que se desplazan libremente de un territorio a otro. Un hembra puede acercarse a un macho con la cabeza y la cola sumergidas en el agua, presentando solamente las ancas. El macho nada en círculos alrededor de la hembra y, tras mutuos frotamientos del hocico, se sumerge y levanta a su compañera sobre la superficie del agua. También puede frotar repetidamente la cabeza y el dorso de la hembra con la mandíbula inferior y la garganta. Es posible que esta acción sirva para presionar las glándulas situadas detrás de los maxilares y liberar así una sustancia almizclada, que probablemente actúa como estímulo olfativo para la hembra. Ésta indica que acepta el cortejo de un macho levantando la cabeza fuera del agua, en la postura típica de la sumisión, con las mandíbulas entreabiertas, al tiempo que emite un prolongado ronquido gutural. A veces un macho puede cortejar sin éxito a una hembra durante días, antes de que ésta lo acepte; mientras tanto, el mismo macho puede cortejar y aparearse con otras cuatro o cinco hembras.

La cópula tiene lugar en el agua, a cerca de un metro de profundidad. El macho monta a la hembra y curva ligeramente la cola hacia abajo y hacia un lado, de manera que la base de su cola queda situada justo por debajo de la cloaca de la hembra. El apareamiento puede durar desde 30 segundos hasta varios minutos.

Los nidos se sitúan entre 1 y 50 m del agua, por encima del nivel más alto que alcanzan las aguas, junto a un lago, en playas arenosas o en la ribera de un río. Los cocodrilos utilizan los rastros de los hipopótamos o los senderos abiertos por las manadas de herbívoros para ir y volver de los nidos al agua.

A veces las hembras acuden a las playas de nidificación una semana, o incluso más, antes de desovar, y en ocasiones se producen luchas para conseguir los mejores sitios. En estos combates, las dos hembras se yerguen sobre las patas traseras y cada una trata de desplazar a la otra empujando hombro con hombro. Las más agresivas suelen infligir graves mordiscos en el cuello de sus rivales y, por lo general, las hembras más grandes y pesadas salen victoriosas. Marcan olfativamente los sitios de los nidos restregando repetidamente las mandíbulas contra la arena y la hierba. Se cree que las excreciones de las glándulas de la cloaca sirven también para este fin.

Para excavar el nido, mueven la arena y la lanzan hacia atrás mediante movimientos alternos de las poderosas patas traseras. Una vez que la cavidad ha alcanzado la profundidad necesaria (la longitud de las patas traseras de la hembra), el animal se arrastra hacia delante y sitúa la cloaca sobre el hoyo; estira hacia atrás las patas traseras y comienza a desovar. El proceso puede durar entre 20 y 30 minutos en el caso de una hembra joven, que sólo pone de 16 a 20 huevos, pero puede llevar casi una hora si la hembra está más desarrollada, pues las nidadas son a veces de hasta 80 huevos. Una vez finalizado el desove, el animal echa tierra sobre los huevos y la apisona con golpecitos de las patas traseras.

Parece ser que la hembra ayuna durante los 84 a 90 días de la incubación. A la sombra de los árboles o de pequeños arbustos durante el calor del día, se mantiene cerca del nido para defenderlo de sus enemigos naturales. Las hembras sólo abandonan momentáneamente los nidos para ir a beber. En días de lluvias torrenciales, yacen directamente sobre el nido para proteger los huevos.

Hacia el final del periodo de incubación, algunas hembras se vuelven torpes y de movimientos lentos, pero otras se muestran particularmente agresivas ante las intrusiones humanas. Cuando alguien se les acerca, exhalan sonoramente el aire; si el intruso persiste en su actitud, abren parcialmente las mandíbulas y gruñen. Finalmente, cierran las mandíbulas dos o tres veces en rápida sucesión, o bien se lanzan amenazadoramente contra el enemigo. La mayoría de las hembras, sin embargo, se alejan silenciosamente de sus nidos mucho antes de que una persona se acerque.

▼ Como respuesta a los gruñidos y chillidos de sus crías bajo la superficie de la tierra, este cocodrilo del Nilo hembra abre el nido, excavando con las patas delanteras. De ser necesario, utilizará sus aguzados dientes para cercenar las raíces que puedan haber crecido entre los huevos.

▲ Al señalar que acepta al macho mediante el gesto de levantar la cabeza fuera del agua —una conducta de sumisión que expone la vulnerable garganta e indica que los avances del «pretendiente» no suscitarán una respuesta agresiva—, la hembra de cocodrilo del Nilo emite un prolongado y sonoro rugido.

► El cocodrilo del Nilo hembra recoge delicadamente entre los dientes los huevos que no se han abierto. Para romper las cáscara, los hace girar repetidamente entre la lengua y el paladar.

Anthony Bannister/NHPA

Pese a sus esfuerzos para proteger los nidos, el varano del Nilo y otros depredadores consiguen devorar alrededor del 50 % de los huevos puestos en la mayoría de las temporadas. Para lograr su propósito, estos depredadores esperan pacientemente, ocultos cerca de los nidos, hasta que una de las hembras se aleja para beber.

La apertura del nido comienza cuando la hembra oye los gruñidos y chillidos de las crías, enterradas a unos 20 o 30 cm por debajo de la superficie. El animal excava con las patas delanteras y a veces utiliza los dientes para cortar las raíces que puedan haber crecido entre los huevos. Cuando éstos quedan a la vista, las crías salen del cascarón y siguen chillando con todas sus fuerzas, al tiempo que elevan el cuerpo tanto como pueden y agitan la cola de un lado a otro. La hembra mete la cabeza en la cavidad del nido y con suma delicadeza recoge las crías, así como los huevos que no han hecho eclosión. Los manipula entre sus afilados dientes y se los mete en la boca. El peso hace que la lengua descienda y forme una cavidad capaz de albergar hasta 20 huevos y crías vivas. Una vez dentro de este saco bucal, las crías siguen chillando; de esta forma, durante la noche, las otras crías pueden localizar a la madre con facilidad.

La hembra transporta entonces a las crías al agua, por lo general a una laguna tranquila, con abundante vegetación. Una vez allí, el animal sumerge la cabeza, abre la boca y, con lentos movimientos laterales de la cabeza, deja que las crías salgan al agua. En cuanto a los huevos que no han hecho eclosión, los hace girar con mucho cuidado entre la lengua y el paladar, aplicándoles una suave presión suficiente para quebrar el cascarón.

T. Pooley

Este proceso puede durar unos 20 minutos, hasta que finalmente la cría sale del huevo.

Durante las primeras semanas, las crías permanecen cerca de la madre y a menudo utilizan su espalda como plataforma para tomar el sol. A la menor señal de peligro, como por ejemplo el vuelo en círculos de un ave rapaz, la madre hace vibrar rápidamente los músculos del tronco y las crías se sumergen de inmediato en el agua. La hembra, al igual que el macho, que permanece en las proximidades del grupo de las crías, puede salir del agua y enseñar amenazadoramente las fauces a la rapaz, si el ave se atreve a acercarse demasiado. Cuando considera

▲ La legendaria ferocidad del cocodrilo del Nilo queda compensada por su abnegación en el cuidado de la prole. La hembra transporta las crías y los huevos hasta el agua, en un saco dentro de la boca (abajo). Tanto la hembra como el macho protegen a las crías frente a las aves rapaces, los lagartos y otros enemigos.

que el peligro ha pasado, la hembra se sumerge y probablemente se comunica con su prole bajo el agua. Finalmente, las crías vuelven a trepar una a una sobre el dorso de su madre, para seguir tomando el sol.

Durante las primeras semanas de vida, las crías se alimentan de insectos acuáticos y de la orilla, así como de pequeñas ranas y cangrejos. Se mantienen juntas mediante vocalizaciones de contacto, pero cuando una de las crías se aleja demasiado de la zona de «guardería», emite sonoras llamadas de alarma bisilábicas. La madre, u otra hembra cercana, responde inmediatamente: por lo general recoge entre las mandíbulas al pequeño perdido y lo lleva de regreso a la guardería.

Las crías pueden permanecer en la zona de guardería durante varias semanas; a veces se alejan en busca de alimento, pero siempre entre los juncos o bajo los árboles junto al río. Sin embargo, una vez que abandonan la protección de la zona de guardería, son presa fácil para numerosos depredadores. Tras la dispersión de las crías, los adultos abandonan las playas de nidificación en busca de alimento. Las hembras, en particular, suelen estar famélicas después del largo periodo de ayuno.

Pese al tiempo y la energía invertidos por los adultos en asegurar la supervivencia de la prole, se calcula que sólo cerca del 2 % de los embriones supera el obstáculo de los enemigos naturales, las condiciones ambientales y los seres humanos, y alcanza la madurez. Pero indudablemente, si no fuera por los cuidados parentales, no tendríamos ya el placer de contemplar a estos espléndidos animales en condiciones naturales.

COCODRILO PALUSTRE

El cocodrilo palustre (*Crocodylus palustris*), también llamado cocodrilo de los pantanos o de la India, de dimensiones medianas, se parece mucho por su aspecto al cocodrilo del Nilo, bastante mejor estudiado. Estos cocodrilos se adaptan perfectamente a hábitats tan diferentes como torrentes montañosos, grandes ríos, lagunas artificiales y extensiones salinas costeras.

El macho del cocodrilo palustre alcanza la madurez hacia los diez años de edad, cuando mide unos 2,5 m de longitud. En diciembre, los machos establecen sus respectivos territorios mediante una serie de actividades: por ejemplo, patrullan por el perímetro de su territorio con el dorso y la cola fuera del agua, para que no queden dudas sobre su posición dominante, en caso de que un macho más pequeño se aventure por la zona. Su manifestación más espectacular, el golpe con las mandíbulas o la cabeza, sirve para alejar a otros machos, pero su propósito básico es probablemente el de atraer a las hembras.

▼ Al igual que el cocodrilo del Nilo, el cocodrilo palustre macho compite ferozmente por el acceso a las hembras en disposición reproductora y ataca a los rivales que se aventuran por su territorio.

G. Ziesler/Bruce Coleman Ltd.

Cuando una hembra está lista para la reproducción (en enero o febrero, en la India), suele iniciar el cortejo con un macho nadando en círculos a su alrededor, con la cabeza erguida. En ocasiones, incluso monta al macho. A veces es el macho quien inicia el cortejo, y entonces nada en círculos alrededor de la hembra, le frota el hocico con el suyo, se sumerge y con frecuencia produce burbujas debajo de la hembra. Si su compañera se muestra receptiva, el macho procede a montarla. En este caso, la pareja comienza el apareamiento sobre la superficie del agua, con el macho encima, y luego se sumerge entre 5 y 15 minutos. Las burbujas y el lodo removido son entonces los únicos indicios de lo que está sucediendo.

Unos 40 días después del apareamiento, la hembra ha elegido ya una zona de la ribera para desovar y la defiende de otras hembras en su misma situación. El éxito de esta defensa depende de sus dimensiones, de su experiencia y de una cualidad que sólo puede definirse como «coraje». Durante unas cuantas noches antes de desovar, la hembra excava varios nidos de prueba, que tal vez le sirvan para comprobar las condiciones de temperatura.

Esta actividad terrestre podría ser útil también para inducir el desove. Finalmente, cuando la temperatura ronda los 27 o 28 °C, la hembra excava un hoyo en forma de L, tan profundo como sus patas traseras. Allí deposita entre 25 y 35 huevos, de unos 85 gramos cada uno. Tras el desove, cubre y oculta laboriosamente el nido con arena o tierra, en un proceso que puede durar una hora o más. Durante los dos meses siguientes, permanece cerca del nido: entre los cocodrilos palustres, una «buena madre» defiende con gran agresividad el nido frente a los intrusos. (Si bien esta conducta debe de haber contribuido en el pasado a la supervivencia de la especie, la llegada de los seres humanos no tardó en convertir el comportamiento protector en garantía de muerte, ya que un cocodrilo fuera del agua es presa fácil para cualquier cazador experimentado.)

Si bien la biología reproductora de esta especie es similar a la de las otras, hay un aspecto singular, observado en una colonia reproductora en cautividad en el Madras Crocodile Bank: hasta el 80 % de las hembras en edad reproductora cuidan de dos nidadas en cada temporada. Hasta el momento, no existen otros casos documentados de nidadas dobles entre los cocodrilianos (excepto como aberración). Aparentemente, este fenómeno es el resultado de la existencia de dos máximos diferentes en la actividad sexual, registrados entre diciembre y abril todos los años. Es posible que las temperaturas constantemente elevadas de Madrás y la abundancia de alimento induzcan las dobles nidadas.

Ambos padres abren los nidos cuando llega el momento de que las crías salgan del cascarón, y lo hacen como respuesta a los chillidos que les llegan desde el interior de los huevos enterrados. Tanto el macho como la hembra recogen los huevos, los abren con la boca y transportan a las crías hasta el agua. En ocasiones, un macho se arroga el derecho exclusivo de abrir un nido y ahuyenta a todos los demás adultos, incluida la madre.

Ambos progenitores cuidan de las crías y, al cabo de uno o dos años, toleran la presencia de sus hijos en sus proximidades. Parece ser, por lo menos en cautividad, que la presencia de las crías inhibe el comportamiento reproductor en las temporadas siguientes. En general, el cocodrilo palustre es un animal sociable y gran cantidad de adultos y subadultos pueden vivir juntos sin grandes roces, incluso en densas concentraciones. Aun así, para las crías resulta más seguro no alejarse del territorio de sus padres, durante los primeros años de vida.

◄▼ La nidificación (izquierda) es un proceso sumamente laborioso para el cocodrilo palustre hembra, que sólo excava el nido propiamente dicho después de cavar varios hoyos de «prueba». Deposita entre 25 y 35 huevos (bajo estas líneas) y finalmente cubre y oculta cuidadosamente el nido. Durante el desove, la hembra se encuentra en una especie de trance y no se inmuta ante la proximidad de observadores humanos. Sin embargo, una vez depositados los huevos, ataca ferozmente a todos los intrusos (abajo).

S.C. Bisserot

▲ Aunque puede ser tan voluminoso como un cocodrilo marino o del Nilo (algunos machos alcanzan más de 7 m de longitud), el gavial es un comedor de peces relativamente inofensivo. Las hembras sólo atacan a los seres humanos cuando están cuidando sus nidos.

Romulus Whitaker

► Los gaviales machos alcanzan la madurez sexual hacia los 15 años de edad, cuando miden alrededor de 4 m de longitud. Cuando el macho adulto se dedica al cortejo o a vigilar su territorio, produce con la protuberancia nasal o *ghara* una especie de zumbido que sirve de disuasión para los machos más pequeños. Se trata de un sistema de alarma sonora de gran eficacia, en ausencia de grandes dientes y poderosas mandíbulas.

GAVIAL

Considerando la precaria situación del gavial (*Gavialis gangeticus*), se puede afirmar que ha sido una suerte que la más extraña de las especies de cocodrilianos todavía se conserve.

Un macho grande puede alcanzar los 7 m de longitud y una hembra, más de 4 m, lo cual coloca a la especie entre los cocodrilianos de mayor tamaño, junto con el cocodrilo del Nilo y el cocodrilo marino (*Crocodylus porosus*). Las hembras alcanzan la madurez en torno a los 7 u 8 años, cuando miden 2,6 m de longitud. Un macho sexualmente maduro mide por lo menos 4 m, tamaño que alcanza hacia los 15 a 18 años.

Cuando el macho ronda los 10 años de edad, comienza a desarrollar la característica protuberancia nasal o *ghara* (palabra hindi que significa «puchero de barro», y de ahí pasó a denominarse gharial en otras lenguas y gavial en castellano). Esta protuberancia cartilaginosa acaba por formar un colgajo sobre las fosas nasales, que se mueve cuando el animal espira, produciendo un zumbido perfectamente audible. Los silbidos y zumbidos son muy frecuentes cuando un gavial macho adulto patrulla por su territorio o corteja a las hembras. Si bien los machos propinan débiles golpes con la mandíbula sobre la superficie del agua, los individuos de uno y otro sexo realizan un movimiento parecido bajo el agua, que produce un sonido similar al de un aplauso seco, claramente audible en el medio subacuático.

Durante el cortejo, los gaviales se frotan mutuamente los hocicos, los machos montan a las hembras y viceversa, nadan en círculos uno alrededor del otro y siguen a las parejas potenciales por todo un territorio, hasta que llegan el momento y la pareja adecuados. El cortejo comienza en diciembre y el apareamiento tiene lugar entre enero y febrero. La hembra indica su receptividad para el apareamiento levantando verticalmente el hocico, tras lo cual el macho procede a montarla y la pareja se sumerge durante un periodo de hasta 30 minutos.

Los gaviales son reptiles fluviales del norte de la India, Pakistán, Nepal y Bangladesh, y prefieren las amplias extensiones de agua, con muchos sitios donde tomar el sol. Al igual que el cocodrilo palustre, depositan los huevos en cavidades que excavan previamente y, por lo tanto, eligen para nidificar las riberas arenosas altas y de pendientes abruptas. La conducta de nidificación, estrictamente estacional, se manifiesta desde finales de marzo hasta principios de abril. Como la hembra del cocodrilo palustre, el gavial hembra suele excavar también varios hoyos de prueba en la zona elegida de la ribera, antes de poner los huevos por la noche, a entre 3 y 5 m de la orilla. Deposita entre 35 y 60 huevos de 100 gramos cada uno, en una cavidad de unos 50 cm de profundidad, que excava con las patas traseras. Al ser los más acuáticos de todos los cocodrilianos, los gaviales tienen un aspecto torpe fuera del agua, y la hembra parece especialmente vulnerable durante el proceso de nidificación. Suele dedicar varias horas a la tarea de cubrir y ocultar el nido y permanece cerca de él durante los 60 a 80 días que dura la incubación. A medida que el momento de la eclosión se aproxima, visita el nido por la noche con creciente frecuencia.

Es probable que los adultos no sean capaces de recoger las crías recién salidas del cascarón: sus dientes son demasiado afilados y se ha observado que tienen problemas para recoger peces fuera del agua. Pero abren el nido y ayudan a las crías a salir al exterior, en respuesta a sus gruñidos. Durante varias semanas (o incluso más, si las inundaciones monzónicas anuales no alteran demasiado las condiciones del hábitat), las crías permanecen en grupo, protegidas por la hembra. Por ejemplo, en una zona de nidificación junto al río Chambal, en Rajastán, se observó, a mediados de julio, un gavial hembra de 4,5 m de longitud, acompañado por 34 crías que nadaban a su alrededor, trepaban a su cabeza o tomaban el sol en la orilla cercana.

La llegada de las lluvias monzónicas supone la dispersión del grupo de crías, un hecho que sin duda afecta negativamente a las probabilidades de supervivencia de las delicadas crías de gavial, que pierden muy pronto la protección de sus padres.

Romulus Whitaker

Mike Price/Bruce Coleman Ltd.

▲ ◀ ▼ Los gaviales hembras prefieren excavar sus nidos en riberas arenosas de pendientes abruptas (arriba). Al igual que el cocodrilo palustre, el gavial suele excavar varios nidos de prueba antes de depositar los huevos, que pueden ser entre 35 y 60. Aunque la hembra no puede transportar las crías en la boca, desentierra los huevos cuando llega el momento de que salgan del cascarón (izquierda). Además, protege a los pequeños hasta que llega el momento de la dispersión, con las primeras lluvias monzónicas (abajo).

Mike Price/Bruce Coleman Ltd.

HÁBITATS

ÁNGEL C. ALCALÁ Y MARÍA TERESA S. DY-LIACCO

En términos sencillos, un hábitat es el sitio donde un organismo vive. El hábitat abarca el ambiente físico o abiótico (como el suelo y el agua) y los seres vivos (como plantas y animales) que normalmente se asocian con el organismo en cuestión. Mediante los procesos fundamentales para la vida de circulación de nutrientes y de energía, los organismos vivos de cada hábitat están inextricablemente relacionados entre sí. En la medida en que los seres humanos interactúan directa o indirectamente con los cocodrilianos, también ellos forman parte de su hábitat. De hecho, en algunas regiones del mundo, los humanos son los principales competidores de los cocodrilianos por el espacio y otros recursos.

La mayoría de los cocodrilianos modernos son habitantes de las zonas tropicales. Las excepciones son las dos especies de aligatores —el aligátor americano (*Alligator mississippiensis*), que vive en la región sudoriental de Estados Unidos, y el aligátor chino (*Alligator sinensis*), que se encuentra en el curso bajo del río Yangtsé— y otras cinco especies de cocodrilianos, cuyas áreas de distribución se extienden desde las zonas tropicales hasta las regiones templadas. En épocas recientes, los cocodrilianos han quedado restringidos a las tierras bajas, aunque es probable que nunca hayan vivido por encima de los 1.000 m de altitud, donde las temperaturas medias anuales alcanzan valores entre 5 y 6 °C más bajos que en las llanuras tropicales.

Los cocodrilianos son vertebrados anfibios, que pasan parte de su vida en el agua y parte en tierra firme. Viven en ríos, lagos, estanques, marjales, zonas pantanosas y estuarios. Estos hábitats, donde la calidad del agua, la concentración salina y otras características son muy variables, están ecológicamente relacionados con diferentes ambientes terrestres, como desiertos, praderas, sabanas, bosques y selvas. La mayoría de estos hábitats se hallan en las regiones tropicales, aunque algunos se extienden hasta las zonas subtropicales.

▼ El hábitat preferido del caimán negro, el mayor de los caimanes sudamericanos, son las selvas inundadas (como la que aparece en la ilustración), o las aguas tranquilas a orillas de los grandes lagos.

HABITANTES DEL AGUA

Los bordes de los lagos y de las lagunas de agua dulce, donde el agua es poco profunda, reciben abundante luz solar y, por lo tanto, son ricos en plantas acuáticas enraizadas y flotantes, que a su vez permiten la proliferación de una fauna variada. Tanto estas zonas como los marjales constituyen uno de los sitios preferidos por los cocodrilianos, que necesitan agua y tierra para sus actividades. Las tranquilas aguas de lagos y lagunas ofrecen a los cocodrilianos un hábitat donde abunda el alimento.

El curso bajo de los ríos, donde la corriente avanza lentamente y el agua es relativamente más cálida, más salina y está bien provista de vida vegetal, es también un medio ideal para los animales acuáticos más voluminosos, entre ellos los cocodrilianos. En estas zonas suele haber también manglares y ciénagas, mientras que en el curso alto de los ríos la corriente es más rápida y el agua es más fría y limpia de limo. Son menos las plantas que pueden arraigar en el fondo de las corrientes más rápidas y, como consecuencia, en este hábitat se encuentran menos formas de vida superiores.

Bill Green

◀ Mangles que dan mucha sombra, riberas arenosas para tomar el sol y aguas bullentes de peces y cangrejos: todas estas características hacen de los ríos de Australia septentrional un ambiente ideal para el cocodrilo marino.

▼ El aligátor americano, que aquí se puede apreciar en las aguas claras de un torrente, rodeado de abundante alimento, es capaz de tolerar las bajas temperaturas invernales del sudeste de Estados Unidos.

Peter Parks/Oxford Scientific Films Ltd.

► El mundo subacuático del caimán almizclado del Brasil abarca cursos de corriente rápida, donde el agua es más fría que la preferida por la mayoría de los cocodrilianos.

Xavier Desmier

Así pues, los microhábitats de agua dulce ofrecen una amplia gama de condiciones, a las que distintas especies de cocodrilianos se han adaptado. Pero esta gama de hábitats es sin duda más restringida de lo que fue en el pasado. El hábitat actual de cualquier especie viviente no refleja la diversidad de posibles ambientes para esa especie, sino que indica simplemente el hábitat en el que esa especie en concreto ha conseguido sobrevivir.

Las dos especies de caimanes almizclados viven actualmente en Sudamérica, en corrientes de aguas rápidas y cristalinas. Se encuentran con frecuencia cerca de las cascadas y todo hace suponer que prefieren aguas más frías que la mayoría de los cocodrilianos. Otros caimanes sudamericanos viven en las aguas más cálidas, tranquilas y turbias de los lagos y lagunas, así como en el curso bajo de los ríos. Tanto el gavial (*Gavialis gangeticus*) como el cocodrilo malayo (*Tomistoma schlegelii*), que presentan hocicos finos y alargados, adaptados para atrapar peces, suelen vivir en ríos de corriente rápida, pero el primero prefiere aguas más

► Los gaviales prefieren vivir en los ríos donde abundan los peces, su alimento básico. Sin embargo, a lo largo de los ríos del subcontinente indio se ven obligados a competir por el espacio con los seres humanos. Los asentamientos, el desarrollo y el tráfico fluvial han reducido drásticamente los hábitats disponibles para el gavial.

Peter Jackson/Bruce Coleman Ltd.

Joyce Wilson/Seaphot Limited/Planet Earth Pictures

profundas. El aligátor chino vive en aguas fluviales turbias, junto a ciénagas o praderas que se inundan cuando llegan las lluvias, mientras que su pariente más cercano, el aligátor americano, ocupa una variedad de hábitats, desde ríos y lagos hasta ciénagas, con aguas claras o turbias. La mayoría de las especies del género *Crocodylus* son también habitantes de las frescas aguas de ríos, lagos y marjales, aunque algunas prefieren ambientes más salinos, como las marismas costeras y los estuarios.

Uno de los riesgos de permanecer en un medio de agua salada es la absorción de iones de sal por el organismo, a través de la piel y por la boca al comer, y la pérdida de agua. El resultado es la deshidratación. Es necesaria mucha energía para la eliminación de los nocivos iones salinos. Aunque todas las especies de *Crocodylus* disponen de glándulas salinas, cuya misión

consiste en excretar el exceso de sal de los fluidos corporales, sólo unas pocas son capaces de conseguir suficiente alimento para que la vida en agua salada les resulte viable. El cocodrilo marino (*Crocodylus porosus*) parece ser el que mejor aprovecha este mecanismo de excreción de la sal. La gran cantidad de energía necesaria para conseguir alimento y excretar la sal ha sido probablemente el factor decisivo que ha impedido que otras especies de *Crocodylus* compitan con éxito con el cocodrilo marino en los hábitats de agua salada.

Sin embargo, si el cocodrilo marino no ocupara este ambiente, otras especies de *Crocodylus* —el cocodrilo de Johnston (*Crocodylus johnstoni*), el cocodrilo mindoro (*Crocodylus mindorensis*), el cocodrilo siamés (*Crocodylus siamensis*), el cocodrilo de Nueva Guinea (*Crocodylus novaeguineae*) y posiblemente el cocodrilo palustre

▲ Las necesidades ambientales del aligátor americano no son tan precisas como las de otras especies de cocodrilianos. Estos reptiles se adaptan perfectamente tanto a las cristalinas aguas de ríos de corriente rápida como a las turbias aguas de las ciénagas.

Rod Salm/Seaphot Limited/Planet Earth Pictures

► El cocodrilo marino ha ocupado
con éxito hábitats de agua salada.
El factor determinante de su expansión
podría ser su avanzado mecanismo
de excreción de sal o bien su
comportamiento agresivo hacia
otras especies de cocodrilos que
podrían vivir en el mismo ambiente.

GLÁNDULAS SALINAS

LAURENCE TAPLIN

El cocodrilo es uno de los muchos vertebrados capaces de vivir en agua salada y, como todos los demás, tiene que solucionar de alguna forma el problema del exceso de sal en su ambiente. Las sales que un animal absorbe a través de la piel y del alimento se concentran excesivamente en sus fluidos corporales, por lo que es preciso excretarlas. Sin embargo, los riñones de los cocodrilos y de otros reptiles son poco eficaces y no pueden excretar una cantidad importante, a menos que dispongan de un buen suministro de agua dulce.

Los cocodrilos, las tortugas, las serpientes marinas y otros reptiles marinos pueden solucionar este problema gracias a que poseen unas glándulas excretoras del exceso de sal. En el caso de las tortugas, estas glándulas constituyen una modificación de las antiguas glándulas lacrimales. El amblirrinco marino, de las Galápagos, tiene las glándulas excretoras de sal en la cavidad nasal, y expulsa una fina lluvia de gotitas saladas por las fosas nasales. El cocodrilo marino tiene las glándulas sobre la lengua. Esta localización puede parecer extraña, pero las glándulas salinas de esta especie son glándulas salivares modificadas. Además, la lengua del animal es parte de su superficie exterior y está separada de la garganta por un tabique cartilaginoso.

Uno de los principales enigmas de la biología de los cocodrilos es la presencia de glándulas salinas en animales que viven todos ellos en medios de agua dulce. Algunos biólogos han sugerido que las glándulas excretoras de sal habrían evolucionado en una población primigenia de cocodrilos marinos, que luego habrían invadido los hábitats de agua dulce. Es interesante señalar que los caimanes carecen de este tipo de glándulas y que nunca, en su prolongada historia, han vivido ni se han reproducido en medios de agua salada.

Laurence Taplin

▲ En este primer plano de la boca de un cocodrilo marino se ven claramente las gotas de solución salina excretadas por las glándulas de la lengua. También puede verse el tabique cartilaginoso al fondo del paladar, que bloquea el ingreso del agua y permite al cocodrilo respirar mientras permanece casi completamente sumergido.

o de los pantanos (*Crocodylus palustris*)— ocuparían probablemente microhábitats salinos. Se ha tenido prueba de ello en el norte de Australia, donde la caza del cocodrilo marino en los años cincuenta y sesenta diezmó la población de esta especie y permitió que el cocodrilo de Johnston extendiera su área de distribución hasta la desembocadura de los ríos. Cuando en los años setenta y ochenta la población del cocodrilo marino se recuperó, los cocodrilos de Johnston dejaron de verse en el curso bajo de los ríos.

Las estaciones pueden afectar a la distribución local de los cocodrilianos dentro del hábitat acuático. En las estaciones secas, las poblaciones de los ríos suelen concentrarse en las lagunas permanentes. En algunas regiones de América del Sur, los caimanes quedan confinados a unas pocas lagunas durante 4 a 5 meses al año, a la espera de que vuelvan las inundaciones en la estación de las lluvias. En los llanos venezolanos, hasta un 95 % de la llanura puede inundarse durante la temporada lluviosa, y entonces los caimanes alcanzan una amplia distribución. Durante la estación seca, en cambio, se concentran en las escasas lagunas permanentes, que se transforman en reservorios para otros organismos acuáticos. En estos casos, la densidad de la población de caimanes puede ser muy elevada. En el archipiélago filipino, en la isla Negros, donde prácticamente no llueve entre diciembre y febrero, en los años cincuenta y sesenta se encontraban ejemplares de cocodrilo mindoro en las lagunas más profundas dejadas por los ríos. En algunas zonas de la meridional isla filipina de Mindanao, donde llueve uniformemente durante todo el año y la selva todavía es densa, los ríos no se secan ni crecen excesivamente, y en ninguna época del año se observan concentraciones de cocodrilos en las lagunas.

▼ Durante la estación seca, grandes grupos de caimanes de anteojos se congregan en las pocas lagunas de agua permanente, en los llanos venezolanos. Pese a la elevadísima densidad, las interacciones sociales son por lo general amistosas.

Sullivan y Rogers / Bruce Coleman Ltd.

▶ El efecto de flotación del agua permite a los cocodrilianos —como por ejemplo a este cocodrilo marino fotografiado en el parque nacional de Kakadu, en Australia— conservar la energía. El agua permite además que estos animales mantengan casi todo el cuerpo oculto de la vista de las posibles víctimas.

Al vivir en hábitats acuáticos, los cocodrilianos aprovechan dos propiedades básicas del agua. La primera es la capacidad del agua de absorber grandes cantidades de calor con escaso aumento de su propia temperatura. Esta propiedad tiene un efecto amortiguador, que permite a los cocodrilianos permanecer activos dentro de unas condiciones óptimas de temperatura en el agua, mientras se registran amplias fluctuaciones en la temperatura del aire. La otra propiedad del agua favorable para los cocodrilianos es el efecto de flotación de los objetos que se encuentran en su interior. La flotación permite a los cocodrilianos desplazarse con mayor facilidad en el agua que en tierra, con un gasto menor de energía.

▶ En los Everglades de Florida, los aligatores americanos contribuyen a mantener los llamados «gator holes», unos pozos donde siempre hay agua, incluso durante la estación seca. Gracias a estos pozos, muchas especies acuáticas pueden sobrevivir hasta el regreso de las lluvias.

François Gohier/Ardea London

HÁBITATS TERRESTRES

La tierra no es menos importante que el agua para los cocodrilianos. En tierra permanecen la mayor parte del día tomando el sol, que es sumamente importante para aumentar su temperatura corporal hasta alcanzar los niveles óptimos. Las visitas periódicas a tierra firme resultan particularmente beneficiosas para los cocodrilianos que viven en estuarios o marismas, ya que constituyen una forma de reducir la absorción de iones salinos.

Los cocodrilianos buscan alivio contra las temperaturas extremas en tierra. Allí pueden refrescarse, dejando que se evapore la humedad de su boca abierta. El cocodrilo palustre elude el frío y el calor excesivos refugiándose en cuevas. El cocodrilo narigudo (*Crocodylus acutus*) excava agujeros o cavidades para aliviar los efectos de la sequía. Algunos cocodrilos permanecen totalmente inactivos cuando sus lagunas se secan durante la estación calurosa. El aligátor americano y el aligátor chino se retiran en invierno a cuevas o se entierran en el barro para sobrevivir a las bajas temperaturas que otros cocodrilianos no podrían tolerar. La observación del cocodrilo marino y del cocodrilo mindoro indica que estas especies recurren a la práctica de enterrarse para eludir las presiones de la población humana.

El medio terrestre cumple otra importante función

Dieter and Mary Plage/Bruce Coleman Ltd.

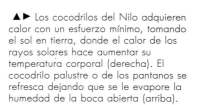

▲► Los cocodrilos del Nilo adquieren calor con un esfuerzo mínimo, tomando el sol en tierra, donde el calor de los rayos solares hace aumentar su temperatura corporal (derecha). El cocodrilo palustre o de los pantanos se refresca dejando que se le evapore la humedad de la boca abierta (arriba).

Anthony Bannister/NHPA

para los cocodrilianos: es el sitio donde depositan sus huevos. Muchos cocodrilos marinos y de Nueva Guinea nidifican sobre lechos flotantes de vegetación. Estos nidos están expuestos a las inundaciones y al recalentamiento, a causa del tipo de vegetación utilizado para su construcción. En algunas regiones del norte de Australia, los búfalos ramonean en las riberas donde la vegetación flotante queda parcialmente anclada y, como consecuencia, muchos de estos lechos se van a la deriva,

lo cual obliga a los cocodrilos a buscar sitios menos satisfactorios para sus nidos. Aun así, los sitios más corrientes para la nidificación son las riberas arenosas y los pequeños islotes o montículos que sobresalen por encima del agua. Algunos cocodrilianos necesitan material vegetal para construir sus nidos, ya que el calor generado por la vegetación en descomposición acelera la incubación de los huevos. Otros buscan riberas arenosas que no corran riesgos de inundación, y allí excavan sus nidos.

LAS TORTUGAS APROVECHAN LOS NIDOS DE ALIGATORES

DALE JACKSON

En el sudeste de Estados Unidos, el aligátor americano construye sus nidos a finales de mayo y en junio, cuando termina la primavera y comienza el verano. Situados en tierras bajas o entre la vegetación acuática de lagos y marjales, estos nidos consisten básicamente en barro y material vegetal que las hembras recogen y apilan para formar montículos de hasta un metro de altura, que a menudo constituyen los puntos más altos en las extensas «praderas» cenagosas características de esta región. La utilidad potencial de estas construcciones tan grandes y elevadas, dentro del ecosistema acuático, no ha pasado inadvertida a otros miembros de la comunidad reptiliana, muchos de los cuales se reproducen en la misma época que los aligatores. Los nidos no sólo constituyen plataformas adecuadas para que las tortugas y las serpientes acuáticas tomen el sol, sino que resultan un refugio ideal para los huevos o las crías de estos mismos animales. Se sabe por lo menos de tres especies de tortugas, una de serpiente y una de lagarto que depositan sus huevos en los nidos de aligátor.

En Florida, donde las tortugas de agua dulce alcanzan su mayor diversidad en el hemisferio occidental, hay una especie en particular que utiliza regularmente los nidos de aligatores para poner sus huevos. La jicotea de Nelson (*Pseudemys nelsoni*) puede alcanzar densidades muy elevadas en ciertas regiones pantanosas, donde en ocasiones los sitios adecuados para la nidificación son limitados. Estudios recientes realizados en tres lugares separados dentro del Estado han revelado que las hembras de esta especie de tortuga buscan y utilizan regularmente los nidos de aligátor para depositar sus propios huevos. De hecho, en uno de estos estudios, la mitad de los nidos de aligátor examinados contenían huevos de jicotea de Nelson. Uno de los nidos fue abierto por los investigadores sólo después de que un mapache (*Procyon lotor*) lo hubiera excavado y hubiera devorado varios huevos de aligátor. Aunque ningún huevo de tortuga quedó a la vista en ese momento, los investigadores habían registrado previamente la destrucción por parte de depredadores de cuatro nidadas de huevos de tortuga, depositados antes de que el aligátor desovara. En los ocho días siguientes, las jicoteas de Nelson depositaron otras cuatro nidadas. En total, más de 200 huevos de tortuga fueron puestos en el nido en un periodo de dos semanas.

El hecho de depositar los huevos en nidos de aligátor tiene probablemente muchas ventajas para las tortugas. La abundancia de huevos de ambas especies en un mismo sitio puede ser suficiente para saciar a los depredadores, de manera que por lo menos algunos huevos sobrevivan. Además, el material del nido es fácil de excavar, lo cual reduce el tiempo en que la tortuga queda expuesta a los depredadores

Dale Jackson

▲ Alrededor de la nidada central de huevos de aligátor, más grandes, pueden verse siete nidadas de jicotea de Nelson (*Pseudemys nelsoni*), depositadas probablemente por siete hembras diferentes, y una sola nidada de tortuga de caparazón blando (abajo, a la derecha).

terrestres y le permite enterrar los huevos más profundamente. La temperatura y la humedad en el interior del nido, relativamente estables, son ideales para incubar huevos de tortuga, que además quedan más protegidos de las inundaciones. Por otra parte, los huevos de tortuga reciben una involuntaria protección contra los depredadores por parte de los aligatores adultos que cuidan el nido. Aun así, la relación no está completamente libre de inconvenientes. Las nidadas depositadas antes de que el aligátor desove suelen ser destruidas durante la reestructuración del nido realizada por el propio aligátor hembra. Se han observado ataques de aligatores adultos contra jicoteas de Nelson que intentaban depositar sus huevos en sus nidos.

Jean-Paul Ferrero/Auscape International

▲ Por la fragilidad de la ecología, cuando se destruyen las selvas o los manglares, los cursos de agua adyacentes y los microhábitats que albergan son también indirectamente destruidos.

Los huevos depositados en hoyos en la arena obtienen calor de la propia arena.

Tanto los nidos monticulares como los excavados pueden sufrir los efectos de las inundaciones, ya sea por el adelanto de las lluvias en plena estación seca o por crecidas excepcionales durante la estación lluviosa. En este caso, las nidadas pueden perderse. La vida en tierra tiene también otras dificultades: los huevos y las crías están más expuestos a los peligros y con frecuencia caen víctimas de aves, de mamíferos y de otros reptiles.

El tipo de vegetación terrestre característica de las áreas de distribución de los cocodrilianos es por lo general la propia de las selvas tropicales. En las zonas cálidas, los manglares se extienden en torno a las áreas adyacentes a los estuarios sujetas a la acción de las mareas, pero también llegan hasta las regiones templadas. En las regiones tropicales afectadas por los monzones, donde la estación lluviosa contrasta con una prolongada estación seca, los árboles más corrientes son caducifolios, es decir, pierden sus hojas durante la estación seca. Los bosques y selvas de las llanuras, incluidos los manglares y las selvas monzónicas y tropicales, son de gran importancia para la mayoría de los cocodrilianos. La selva asegura unas condiciones favorables en los hábitats adyacentes o incluidos en ellas, con agua durante todo el año. Cuando las condiciones de un hábitat se alteran, los cambios repercuten sobre la fauna de cada microhábitat, que desempeña una importante función ecológica. La alteración de las condiciones no siempre es el resultado de la intervención directa sobre el microhábitat, sino de acciones que perturban la selva adyacente.

LA IMPORTANCIA ECOLÓGICA DE LOS COCODRILIANOS

Los cocodrilianos se encuentran en la cima de la cadena alimentaria de sus respectivos hábitats. La cadena alimentaria transfiere energía, en forma de alimento, de las plantas a los herbívoros (animales que comen plantas), de éstos a los carnívoros (animales que se alimentan de otros animales), y de éstos, finalmente, a los omnívoros (animales que comen plantas y otros animales).

El científico alemán Ernst Josef Fittkau ha estudiado la importancia ecológica de los caimanes como depredadores superiores en la cadena alimentaria de los hábitats de la Amazonia central, donde los indígenas estaban sorprendidos de ver que la pesca, en lugar de aumentar con la progresiva disminución de los caimanes, estaba disminuyendo. Según Fittkau, los ríos tributarios de esta región de la Amazonia contienen una concentración muy reducida de los electrólitos necesarios para la vida (sustancias como ácidos, bases y sales que, al disolverse en el agua, se convierten en iones conductores), y que esta concentración es apenas suficiente para mantener una producción primaria adecuada (producción de compuestos orgánicos por parte de las plantas verdes) que sea capaz de alimentar a las formas de vida superiores en la cadena alimentaria.

Fittkau ha postulado que existían en este caso otras dos fuentes de nutrientes que constituían la base de la cadena alimentaria: la materia orgánica que ingresa en los ríos tributarios desde la selva adyacente y los subproductos metabólicos de los grandes depredadores, entre ellos los caimanes. Así pues, los grandes depredadores participan en un reciclaje natural de los nutrientes que mantiene la estabilidad de la cadena alimentaria. Esta cadena, y por lo tanto la comunidad vegetal y animal, depende de los grandes depredadores, que constituyen una fuente importante de elementos para la producción primaria en este hábitat pobre en electrólitos. La eliminación de esta fuente de nutrientes reduce, lógicamente, la cantidad de alimento disponible para otros componentes de la cadena alimentaria, como los peces, cuyo número finalmente acaba por descender. Además, parece ser que cuanto mayor y más variada es la fauna, más estable es la comunidad.

Aunque hay cierta controversia acerca de la validez de la teoría de Fittkau en el caso de la Amazonia, existen pruebas concluyentes en el sentido de que una disminución de la población de cocodrilianos en lagos o lagunas tiene efectos adversos sobre la pesca local. En muchas regiones, los pescadores prefieren practicar su oficio en zonas donde abundan los cocodrilos. Aun así, no es seguro que exista una relación causal entre los dos hechos. Podría ser que el reciclaje de los nutrientes realizado por los cocodrilianos sea beneficioso para los peces o que la presencia de los reptiles en zonas donde abunda la pesca sea pura coincidencia.

Se cree que algunos cocodrilianos realizan también otra importante contribución a la pesca comercial, al devorar peces carentes de valor en el mercado, pero que a su vez se comen a los peces de mayor valor comercial. Así pues, en algunas regiones los cocodrilianos podrían estar eliminando a los depredadores de un importante recurso económico humano.

Existen otras contribuciones ecológicas al hábitat por parte de los cocodrilianos. Abren senderos y contribuyen a mantener vías de agua abiertas a través de las ciénagas.

▼ Pese a su fama de ferocidad, el papel del aligátor americano en su hábitat es infinitamente menos destructivo que el de la población humana que comparte su ambiente en la mayor parte de su área de distribución.

▶ Mientras que antes estaban protegidos de los seres humanos en sus hábitats inaccesibles, los cocodrilianos están hoy más amenazados que nunca, a medida que las poblaciones humanas se extienden y las zonas que antes se consideraban terrenos inútiles pasan a ser valiosas para la agricultura, la industria o la silvicultura. Para los cocodrilianos, la destrucción del hábitat es una amenaza mucho mayor que la caza.

▼ Una pequeña población de cocodrilos mindoro ha conseguido sobrevivir en esta porción del curso superior del río Ilog, al sudoeste de la isla Negros. Pero la destrucción de la selva en otros puntos de Filipinas ha reducido en gran medida el hábitat de los cocodrilianos.

Profundizan las lagunas permanentes durante las sequías y proporcionan microhábitats para otros animales acuáticos más pequeños. Los llamados *gator holes* («pozos de aligatores»), en los Everglades de Florida y otras zonas pantanosas del sur de Estados Unidos, conservan el agua incluso durante los periodos más secos y constituyen un refugio para los peces y otros animales acuáticos. La vegetación que rodea estos pozos es relativamente exuberante e incluso es posible que otras especies de plantas dependan de este microhábitat para su supervivencia.

Tal vez los cocodrilianos puedan considerarse especies clave, aunque todavía no se han realizado estudios para comprobarlo. Una especie clave es la que determina la estructura de una comunidad. Cuando se elimina de un hábitat una especie clave, el resultado es la disminución de la diversidad de la fauna y la flora de ese ambiente. Desgraciadamente, la oportunidad de demostrar este papel ecológico en el caso de los cocodrilianos del Asia tropical se ha perdido irremisiblemente, a causa de la casi completa desaparición de estos reptiles y de los animales acuáticos asociados con ellos en los hábitats selváticos.

LA DESTRUCCIÓN DEL HÁBITAT DE LOS COCODRILIANOS

Las selvas tropicales abarcan gran parte de los hábitats de los cocodrilianos. Cuando las selvas desaparecen y sus hábitats quedan alterados, los cocodrilianos pueden desaparecer con ellas. La Unión Internacional para la Conservación de la Naturaleza y de los Recursos Naturales destaca la relación entre hábitat y fauna:

«En los ecosistemas tropicales, la fauna está estrechamente relacionada con la vegetación. Toda alteración o destrucción de la vegetación repercute en una perturbación o en la destrucción de la fauna. En la medida en que se conserva la vegetación, también se protege la fauna.»

¿Cómo se produce exactamente la desaparición de los cocodrilianos a raíz de la desaparición de las selvas? Existen algunos casos específicos en los que la destrucción de la selva puede agravar la destrucción más directa de los microhábitats de los cocodrilianos. La pérdida de la cubierta forestal, por ejemplo, determina un aumento del limo en los ríos y corrientes de la zona. Como resultado, la capacidad de estas corrientes de conservar el agua disminuye, se vuelven menos profundas y la extensión de la inhóspita llanura aluvial aumenta. Esto, a su vez, determina una reducción del número de peces, vertebrados inferiores, invertebrados e insectos, es decir, las fuentes básicas de alimento para los cocodrilianos.

Cuando se talan los árboles de la selva, la erosión del suelo aumenta. La capacidad del suelo para retener los nutrientes disminuye y la lluvia se lleva los nitratos y fosfatos hacia los ríos y lagos. Una vez en el medio acuático, estos nutrientes provocan una proliferación de las algas, que en ocasiones puede ser excesiva y determinar una disminución de la concentración de oxígeno en el agua del río o del lago. La escasez de oxígeno disminuye las probabilidades de supervivencia de los animales acuáticos, incluidos los peces que constituyen el alimento de los cocodrilianos.

Las selvas tropicales pueden almacenar grandes cantidades de agua. En lugar de extenderse sin el menor obstáculo hacia las llanuras adyacentes, el agua de lluvia pasa lentamente a los ríos y otras corrientes. Sin una cubierta forestal adecuada para absorber el agua de lluvia, los ríos pueden secarse completamente durante la estación seca y desbordarse con más frecuencia durante la época lluviosa. Las inundaciones constituyen una de las principales causas de pérdida de huevos de cocodrilianos, ya que los embriones mueren si permanecen sumergidos durante periodos bastante breves, entre 24 y 48 horas (los embriones próximos a salir del cascarón mueren en un plazo todavía más corto, porque sus necesidades de oxígeno son mayores). Con las inundaciones, las crías pueden ser arrastradas desde el curso alto de los ríos hacia la desembocadura, como sucedió en Filipinas en 1971. Las probabilidades de supervivencia de las crías disminuyen cuando ingresan en el ambiente salobre de los estuarios. Con un coeficiente superficie-volumen corporal mayor que el de los adultos, las crías absorben proporcionalmente mayor cantidad de sal a través de la piel, lo cual aumenta la cantidad de energía necesaria para deshacerse de los nocivos iones salinos.

Los microhábitats de los cocodrilianos están directamente relacionados con el ambiente que los rodea. Cuando el ambiente resulta alterado o contaminado, también se alteran los refugios y las zonas de reproducción y nidificación de sus habitantes. Por desgracia, existen muchas formas de destruir un hábitat.

El desarrollo urbano e industrial y el elevado índice de crecimiento de la población imponen grandes presiones sobre los seres humanos, que se ven obligados a explotar al máximo los recursos naturales. Especialmente en los países en desarrollo, la necesidad de industrializarse y de alimentar a una población en rápido crecimiento está

T. F. Luchavez

Australian Picture Library

Lynn M. Stone/Animals Animals

▲ Este canal que discurre entre manglares, en Cayo Largo, Florida, constituye un ambiente ideal para los cocodrilos narigudos. En otras regiones del mundo, los manglares están siendo desecados a ritmo creciente, con fines de desarrollo. El cocodrilo narigudo, una de las víctimas de este desarrollo, está actualmente en grave peligro de extinción en algunas regiones.

imponiendo una dura carga a los hábitats selváticos. La situación en Filipinas es un ejemplo típico de los problemas que han de afrontar los países productores de arroz, donde el desarrollo económico está en gran parte orientado a la exportación, siendo la mayor parte de los productos exportados materias primas obtenidas de la minería, la pesca, la agricultura y la silvicultura.

En Filipinas, como en la mayoría de los países del sudeste asiático, el alimento básico es el arroz. Para producir arroz, es preciso encontrar tierras bajas adecuadas y convertirlas en arrozales. Así pues, casi todas las llanuras están dedicadas a la agricultura o han sido urbanizadas. En el conjunto de los países tropicales asiáticos, el 33 % de la tierra cultivable son plantaciones de arroz. Actualmente, se está considerando la conversión de los manglares en arrozales. Si no fuera por los conflictos armados en torno a la marisma de Liguasán, en la isla de Mindanao, donde vive el cocodrilo mindoro, el proyecto gubernamental de desecación de parte de la marisma para dedicarla a la agricultura y a asentamientos humanos ya se estaría realizando. (Probablemente es similar la situación en Camboya, Birmania y Tailandia, donde los conflictos armados han impedido el drenaje de algunos hábitats de cocodrilianos. Del mismo modo, las luchas en Nicaragua y Honduras pueden haber pospuesto el aprovechamiento humano de las ciénagas.)

Otra fuente alimentaria en Filipinas es el pescado; en consecuencia, la pesca es intensiva tanto en los ríos como en mar abierto. En las escasas reservas de fauna marina que existen en el país no son raras las incursiones ilegales de pescadores. La reserva del lago Nauján, en la isla de Mindanao, podría ser un refugio para los cocodrilos marinos que todavía viven en la región; pero como no es posible hacer cumplir los reglamentos de la reserva, la extinción de esta especie en el lago es sólo cuestión de tiempo. Su congénere, el cocodrilo mindoro, ha desaparecido ya de los hábitats adyacentes al lago.

La contaminación producida por la minería destruye los hábitats fluviales y lacustres. En 1976, 18 empresas mineras vertieron 140.000 toneladas diarias de desechos en nueve sistemas fluviales. En 1987 había 19 compañías mineras que vertían sus desechos por lo menos en diez sistemas fluviales. Los cenagosos desechos de las minas de cobre, vertidos en el río Pagatbán, y los de la minería del oro, vertidos en un lago de Davao, en Mindanao, han determinado la extinción de las poblaciones de cocodrilo mindoro en las dos zonas.

Los asentamientos humanos contribuyen en gran medida a la pérdida de los hábitats adecuados para los cococrilos. La laguna de Bay, el mayor lago de Filipinas, está sembrada de estanques de piscicultura y rodeada de establecimientos agrícolas, complejos industriales y ciudades. Alrededor de diez millones de personas viven en Manila y en las ciudades satélites situadas alrededor del lago. Las antiguas poblaciones de cocodrilos mindoro de los alrededores del lago y los grupos de cocodrilos marinos que vivían en sus aguas fueron, sin duda, víctimas de la urbanización.

La carrera por la autosuficiencia y el desarrollo ha obrado también sus efectos sobre los manglares y las marismas. Alrededor de 200.000 hectáreas de marismas (el 40 % de las existentes originalmente en Filipinas) han sido convertidas en estanques para piscicultura. Las minas de sal, los asentamientos humanos y las granjas de camarones y langostinos para la exportación ocupan otro 40 % de las 500.000 hectáreas originales de marismas.

La explotación de la madera amenaza también la existencia de los manglares. Se han talado mangles para hacer leña, fabricar carbón, construir viviendas y producir serrín para la exportación. Una vez talados los árboles de una región, las zonas más elevadas se transforman en asentamientos humanos.

A causa de la destrucción de los manglares de isla Fuerte, en la costa caribeña de Colombia, la población local de cocodrilo narigudo se ha extinguido. Los manglares y marismas de Asia y Sudamérica están siendo afectados por proyectos de desarrollo a una velocidad alarmante. La tala de la vegetación y el drenaje de las zonas pantanosas condenan al destierro o a la extinción a poblaciones enteras de cocodrilianos. En Indonesia, 100.000 hectáreas de manglares han sido transformadas en viveros de camarones y otras 500.000 hectáreas han sido drenadas y parceladas para la agricultura. En Tailandia, lo mismo que en Indonesia, se desecan las marismas como parte de las operaciones de las minas de estaño. ¿Correrá el cocodrilo marino de estos países la misma suerte que el cocodrilo narigudo de isla Fuerte? Aunque el verdadero alcance del problema se desconoce, la ausencia de estos cocodrilos en muchas regiones donde antes eran frecuentes permite afirmar que su población ha disminuido drásticamente.

Similar es el efecto obrado sobre las poblaciones de cocodrilianos por la destrucción de selvas cenagosas en las cuencas fluviales. En 1934, había en Filipinas 10,7 millones de hectáreas de tierras bajas ocupadas por selva virgen dipterocarpácea (compuesta básicamente por caobas), con áreas de ciénagas. Actualmente se conservan entre 1,2 y 1,5 millones de hectáreas de selva, que en algunas islas del archipiélago ha desaparecido completamente. Esta desaparición de las selvas, combinada con otros factores, como la caza, ha determinado el declive de las poblaciones de cocodrilo mindoro. Probablemente, en todo el archipiélago no quedan más de 500 individuos en libertad de esta especie.

La destrucción de los hábitats ha afectado a otras muchas regiones del mundo tropical. La agricultura, la tala de bosques y selvas y la ganadería han restringido las zonas selváticas de México hacia la frontera meridional del país. La ganadería extensiva ha acabado con alrededor de dos tercios de la selva tropical de América Central, y es posible que el cocodrilo narigudo sólo sobreviva en la periferia de su hábitat original. La explotación maderera, las prácticas agrícolas y el acelerado crecimiento de la población han hecho estragos

en las selvas tropicales de África Occidental y de prácticamente todos los países del sudeste asiático. En algunos países, el comercio ilegal de maderas preciosas es una mortal amenaza para las escasas zonas de selva que todavía se conservan. Resulta difícil establecer si los cocodrilianos habitaron alguna vez las regiones de selva tropical que actualmente han desaparecido.

Algunos cocodrilianos, mejor adaptados a una gama más amplia de ambientes, han sido capaces de tolerar la destrucción de los hábitats. En la India, el cocodrilo palustre o de los pantanos, que vive en ambientes fluviales y costeros, parece mantenerse relativamente bien, aunque en número reducido, pese a la extendida destrucción de selvas y manglares. Como también pueden vivir en diversos ambientes de agua dulce, desde ríos hasta pequeñas lagunas, sería posible criar unos 5.000 a 10.000 cocodrilos de esta especie y ponerlos en libertad en hábitats adecuados.

En el caso del gavial, en cambio, la destrucción del hábitat puede plantear amenazas más graves. El gavial vive en ríos profundos, de corriente rápida. El depósito de limo en los ríos, causado por la destrucción de la selva, puede afectar gravemente a la fuente de alimentación de los gaviales, que son básicamente piscívoros. En 1983, la población de gaviales adultos en toda la región de la India, Bangladesh, Nepal y Pakistán era de apenas 200 a 400. Es muy posible que este reducido número sea el resultado de la destrucción del hábitat, combinada con la caza indiscriminada.

A menudo resulta difícil determinar si la desaparición de una población de cocodrilianos ha sido causada por la explotación directa o por la destrucción del hábitat. La disminución de las poblaciones no siempre se puede relacionar con la pérdida de hábitats adecuados. En muchos casos, el hábitat se conserva, pero los cocodrilianos desaparecen. En otros, la destrucción del hábitat natural conduce a la desaparición de los cocodrilos o facilita la tarea de los cazadores. Un ejemplo de esta última situación ha sido la construcción del canal de Panamá.

▼ El canal de Panamá, de gran utilidad para el hombre, no lo ha sido tanto para los cocodrilianos, ya que su hábitat y la selva adyacente fueron destruidos y los supervivientes se convirtieron en presa fácil de los cazadores, que los mataban a tiros desde las embarcaciones.

Vincent Serventy and Associates

▲▶ Los hábitats que ofrecen condiciones de crecimiento ideales para las plantas y la fauna (arriba) pueden convertirse en sitios hostiles e incluso mortales para los cocodrilianos y otras formas de vida, cuando se contaminan con los desechos del mundo humano (derecha).

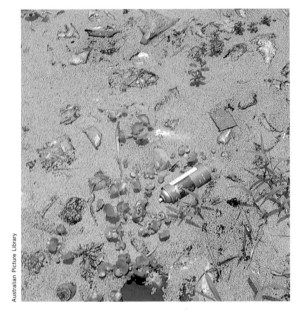

Australian Picture Library

Situado en una región de selva tropical, el canal determinó un denso tráfico de embarcaciones y un espectacular aumento de los asentamientos humanos, lo cual ha provocado un desplazamiento de la fauna y una extensa destrucción de los hábitats. En última instancia, facilitó el acceso a ciertos hábitats que anteriormente estaban fuera del alcance de los cazadores y la matanza de cocodrilos llegó a convertirse en un deporte popular.

Las cambiantes circunstancias a lo largo de muchos de los grandes sistemas fluviales han facilitado el acceso de cazadores y exploradores a los hábitats más remotos. El Nilo y el Yangtsé se han utilizado para el transporte prácticamente desde los albores de la civilización, y sobre sus orillas han florecido desde épocas remotas la agricultura y los asentamientos humanos. El cocodrilo del Nilo (*Crocodylus niloticus*) desapareció casi por completo

del Nilo egipcio a finales del siglo pasado. Aunque volvió a aparecer durante la Primera Guerra Mundial, en los años cincuenta y sesenta desapareció una vez más del delta, al norte de El Cairo, probablemente porque el intenso tráfico fluvial perturbó radicalmente sus zonas de reproducción y nidificación.

En las partes de los ríos inhabitables para los seres humanos, las poblaciones de cocodrilianos han podido florecer. El delta del río Yangtsé, por ejemplo, es especialmente inhóspito para los asentamientos humanos, a causa de las frecuentes inundaciones, y fue allí donde proliferó el aligátor chino.

Aunque los asentamientos humanos a orillas del Amazonas siempre han sido relativamente escasos, debido a las difíciles condiciones de vida y a la pobreza del suelo, el auge del tráfico fluvial entre 1850 y 1910, cuando el comercio internacional del látex alcanzó su punto culminante, facilitó a los aventureros que iban en busca de pieles de caimanes y otros recursos el acceso a los hábitats más remotos de estos reptiles. Los primeros exploradores europeos que recorrieron el Amazonas pudieron comprobar que la zona estaba plagada de caimanes; en los años sesenta, sin embargo, la caza indiscriminada había determinado la extinción de muchas poblaciones de cocodrilianos.

EL PAPEL DE LOS SERES HUMANOS EN LOS HÁBITATS DE LOS COCODRILIANOS
A diferencia del papel fundamentalmente ecológico que los cocodrilianos desempeñan en sus microhábitats, la acción ejercida por los seres humanos en los hábitats de los cocodrilianos es básicamente de conflicto. El hombre compite con aquéllos por el espacio y los recursos, y además los cazan para aprovechar su piel o su carne, o simplemente por miedo. Al usurpar las selvas y las aguas donde viven los cocodrilianos, los seres humanos son ahora tan dependientes del hábitat como los propios reptiles. Sin

embargo, en su dependencia, la gente puede destruir los hábitats, y de hecho lo hace.

Cuando los seres humanos convierten la selva en granjas, los marjales en arrozales, los manglares en proyectos de acuicultura y las riberas de los ríos en ciudades, desplazan a los animales de sus hábitats originales y los empujan hacia la periferia de su área original de distribución, donde tal vez nunca puedan reproducirse ni desarrollarse con éxito. La navegación y el comercio en los ríos perturban la vida de los cocodrilianos y posiblemente les impiden mantener el nivel óptimo de población necesario para la reproducción. Los desechos vegetales y los vertidos de las industrias mineras descargados en los ríos disminuyen la profundidad del cauce y contaminan el agua con sustancias tóxicas.

Como resultado de la destrucción directa o indirecta de los hábitats (por exploración, colonización, asentamiento, explotación o conversión del hábitat), los cocodrilianos están perdiendo terreno y puede que algunas especies estén condenadas a la extinción. Los principales microhábitats de los cocodrilianos ya han sufrido alteraciones drásticas, a causa de la presión humana. Algunos de estos cambios son irreversibles y otros requerirán mucho tiempo para poder ser remediados, mediante soluciones que reduzcan al mínimo la confrontación entre seres humanos y cocodrilianos.

La protección y la rehabilitación del hábitat de los cocodrilianos son las dos vías principales para disminuir el conflicto entre seres humanos y reptiles. Para el éxito de un programa de protección y rehabilitación, es preciso disponer de zonas bastante extensas, ya que el espacio es un factor fundamental para la conservación, sobre todo en países donde la población humana crece rápidamente. La delimitación de un hábitat lo suficientemente grande para mantener el equilibrio de numerosas especies y reducir la tasa de extinción es un objetivo prioritario.

Los parques y reservas naturales deben cumplir sus auténticos propósitos. La educación, una legislación eficaz y una política gubernamental decidida son necesarias para asegurarse de que los cazadores furtivos no se aprovechen de estas áreas. Si bien no siempre es posible o practicable lograr que la población de cocodrilianos vuelva a recuperarse a su número original, el objetivo debería ser la conservación de varios miles de animales de cada especie en libertad.

Es posible elaborar programas de reforestación en cuencas de ríos o en regiones cenagosas adecuadas como reservas para los cocodrilianos. En Tailandia, Filipinas y otros países del sudeste asiático se han emprendido ya algunos proyectos de reforestación de los manglares. El siguiente paso sería la reforestación de las desembocaduras de los ríos y el suministro a las reservas de ejemplares jóvenes criados en cautividad.

Los países donde existe mayor conciencia de que la destrucción de los bosques y selvas tiene devastadores efectos sobre el medio ambiente y la capacidad para producir alimentos están más abiertos a las políticas de protección y rehabilitación. Si más países conocieran mejor la relación existente entre la reforestación y la mejora de la pesca fluvial y de bajura, la protección y la rehabilitación tendrían más probabilidades de éxito.

Aun así, existen actualmente algunas situaciones positivas, en las que la alteración del hábitat favorece a los cocodrilianos. En el sur de Florida, por ejemplo, la central eléctrica de Turkey Point se ha convertido en un refugio para los cocodrilos nariudos, que viven en el sistema de canales del agua de refrigeración del reactor. En Florida, el centro espacial Kennedy, en la reserva natural de Merritt Island, es un sitio seguro para los aligatores americanos. La represa de Burdekin, en la región australiana de North Queensland, proporcionará, según se espera, un extenso hábitat nuevo para los cocodrilos marinos.

Otro aspecto positivo de la intervención humana es la cría de cocodrilianos en cautividad, que se está desarrollando en algunos países. La cría en cautividad es una actividad orientada a la conservación. La tarea consiste en atrapar cocodrilianos que vivían en libertad, conseguir que se apareen, incubar los huevos y esperar a que las crías alcancen ciertas dimensiones antes de ponerlas en libertad o de utilizarlas con fines comerciales. En la India, Tailandia, China, Filipinas, Venezuela, Sudáfrica y Australia existen programas de cría de cocodrilianos en cautividad. Otros países, como Colombia, están estudiando la posibilidad de iniciar proyectos similares.

Los cocodrilianos no tienen por qué estar condenados a la extinción. En algunas regiones del mundo se ha registrado un pronunciado cambio de actitud hacia estos reptiles, a medida que la gente se ha ido dando cuenta de que constituyen un valioso recurso económico. También está cada vez más extendida la convicción de que debemos mantener limpio el medio ambiente y proteger los bosques, las selvas y la fauna. Las medidas necesarias para salvar los cocodrilianos (cría en cautividad y protección y rehabilitación del hábitat) ya han comenzado a tomarse. Tal vez nuestro afán de lucro, que en el pasado fue una sentencia de muerte para estos reptiles, proporcione la chispa que contribuya a salvarlos de la extinción.

▼ La protección y la rehabilitación del hábitat son esenciales para asegurar la supervivencia de las actuales especies de cocodrilianos. La cría en cautividad constituye también una buena medida. Esta hembra de cocodrilo mindoro vigila su nido junto a un estanque del Crocodile Project, en la Universidad de Silliman.

Ángel Alcalá

Cocodrilos marinos en la granja
de cocodrilos del río Edward,
en Queensland, Australia.

LOS COCODRILOS

Y EL HOMBRE

MITOLOGÍA, RELIGIÓN, ARTE Y LITERATURA

G. W. TROMPF

Los cocodrilos han formado parte de numerosas culturas a través de las edades. Diversas civilizaciones los han reverenciado u odiado, deificado o vilipendiado, protegido o diezmado. Distintas sociedades han incorporado a los cocodrilos y caimanes en sus creencias, en sus costumbres e incluso en sus leyes, y les han atribuido el poder de hacer el bien o el mal. A partir de estas creencias ha surgido todo un tesoro de fábulas y leyendas, desde las civilizaciones antiguas hasta los pueblos tribales de regiones tan apartadas entre sí como América del Sur y Australia. Las mismas creencias han dado pie, además, a una gran variedad de manifestaciones artísticas, desde la caligrafía china hasta los collares de dientes de cocodrilo, y desde el antiguo arte rupestre de los aborígenes australianos hasta la cinematografía del siglo XX.

► Los aborígenes australianos estaban familiarizados con dos especies de cocodrilo: el cocodrilo de Johnston, piscívoro e inofensivo, y el feroz cocodrilo marino. Los artistas representaron a las dos especies como objetos de caza y como criaturas totémicas, con poderes espirituales. Esta pintura rupestre se encuentra en el Parque Nacional de Quinkan, en la península de Cabo York.

EL DIOS COCODRILO DEL ANTIGUO EGIPTO

Los antiguos egipcios reverenciaban a los cocodrilos del Nilo y los consideraban sagrados. Puesto que los cocodrilos aparecían en gran cantidad en septiembre, durante la inundación anual del Nilo, los egipcios los asociaban con el eterno mantenimiento de sus tierras. Sebek (o Sukhos), cocodrilo sagrado del Alto Egipto, era una de las 438 deidades del antiguo Egipto y se consideraba hijo de Nit, la diosa más vieja. En los antiguos textos de las pirámides, Sebek y Nit aparecen como los dioses que «permanecerán para siempre», mientras que los asuntos de estado y la fortuna de las otras deidades podían variar. Resulta difícil determinar si la sacralización del cocodrilo fue consecuencia del miedo, como una forma de aplacar la ira de tan terribles bestias. Lo cierto es que hacia el año 2400 a. C., Sebek era ya uno de los grandes dioses del panteón egipcio.

Sebek se representaba normalmente con cuerpo humano y cabeza de cocodrilo. Llevaba una vara en la mano izquierda y el símbolo de la eternidad (el *ankh*) en la derecha. Hacia la época del Nuevo Reino (1400 a. C.) se incorporó a su tocado el disco solar. Sebek era adorado como una manifestación de Ra, el dios Sol, y uno de sus nombres era Sebek-Ra. (Ra era uno de los principales dioses egipcios y en su carro surcaban el cielo diurno los faraones muertos.)

El culto a Sebek floreció en el delta y en sus proximidades, en Fayum, Tebas y el lago Moeris.

Ronald Sheridan/Ancient Art & Architecture Collection

▲ Sebek (centro), el cocodrilo sagrado del antiguo Egipto, pasó gradualmente de ser una deidad protectora menor a convertirse en uno de los principales dioses del panteón egipcio.

Ronald Sheridan/Ancient Art & Architecture Collection

◀ La feroz naturaleza del cocodrilo del Nilo quedó reflejada en su imagen religiosa: esta figura de cocodrilo, hallada en la tumba de Seti I, lleva encima una cabeza humana y la pluma de la verdad. Quien mintiera al dios sería castigado con una muerte violenta.

MOMIAS DE COCODRILOS EGIPCIOS

LÉONARD GINSBURG

Los animales tuvieron siempre un lugar destacado en la religión del antiguo Egipto. Desde tiempos predinásticos, en cada aldea, la divinidad tribal estaba encarnada en un animal protegido por un tabú: podía ser la vaca, la oveja, el perro, el gato, el babuino, el león, el hipopótamo, la serpiente, el halcón, el ibis, la avispa, la musaraña, la gacela o el cocodrilo. Estos animales quedaron asociados con el culto a los dioses durante toda la historia de Egipto, pese a la creciente importancia de las principales divinidades (como Ra, el dios Sol, Isis y Osiris) y a la breve instauración del monoteísmo como religión de Estado durante el reinado de Amenofis IV (Akhenatón). Durante la época tardía (1085-30 a. C.), como reacción contra las sucesivas ocupaciones extranjeras de persas, griegos y romanos, los egipcios reafirmaron su identidad nacional recuperando sus antiguas formas religiosas. El culto a los animales experimentó un extraordinario auge; de hecho, la mayoría de los animales momificados que hoy pueden verse en los museos datan de esta época.

Los cocodrilos se asociaban por lo general con el dios Sebek, al que los egipcios habían consagrado varios templos. Los más importantes de todos eran el de Kom-Ombo, en el alto Egipto, y el de Crocodilópolis, en El Fayum. En estos templos había estanques especiales donde vivían los cocodrilos sagrados. Los sacerdotes los adornaban con pendientes de oro y piedras preciosas y les ponían brazaletes en las patas delanteras.

Cuando los cocodrilos morían, los embalsamaban. A los cocodrilos más grandes les extraían los órganos internos, aunque probablemente sin necesidad de abrir el cadáver, ya que era posible hacerlo por el ano, como era práctica habitual con los bueyes sagrados, todos los cuales llevaban tradicionalmente el nombre de Apis. En el caso de los animales más pequeños, los órganos internos no se extraían. Los cadáveres se dejaban en una solución de sales de natrón durante dos meses, para que la carne se secara completamente. Después de cubrirlos con hojas de papiro, los embalsamadores los envolvían en vendas impregnadas de sustancias aromáticas y los depositaban en ataúdes especiales.

Se han hallado momias de cocodrilos adultos de más de 5 m de longitud, de crías recién salidas del cascarón e incluso de huevos. En Kom-Ombo, pequeños ejemplares momificados de 30 cm de longitud se apilaban por millares en algunas tumbas. En las cuevas de Maabdah, en el centro de Egipto, se encontraron momias de cocodrilo apiladas hasta alturas de 6 a 9 m. Había entre ellas adultos de grandes dimensiones y una cantidad increíble de ejemplares jóvenes, de entre 30 y 50 cm, envueltos en grupos de 15 a 20 en un mismo vendaje.

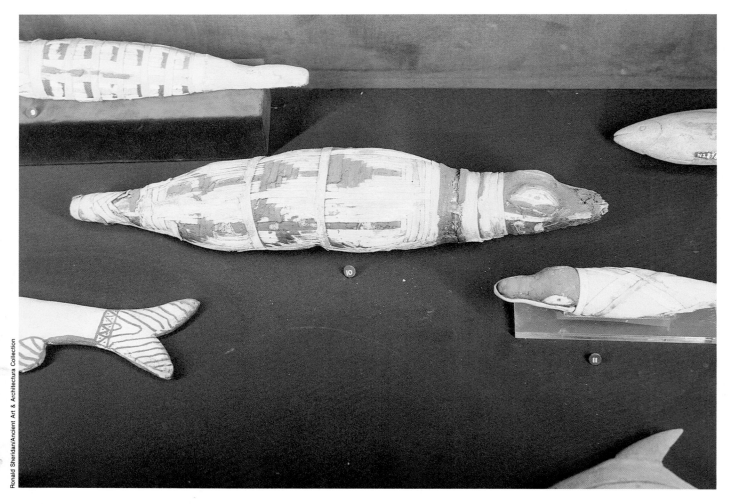

Ronald Sheridan/Ancient Art & Architecture Collection

Las excavaciones realizadas en Tebtunis en el año 1900 revelaron un gran templo dedicado a esta deidad. En un recinto de más de 30 m de longitud, los murales representaban escenas de adoración, con ofrendas y procesiones rituales delante del gran Sebek. Según Herodoto, el antiguo historiador griego, los egipcios del delta del Nilo ofrecían «a los cocodrilos todas las atenciones posibles»; a menudo adoptaban a las crías como animales de compañía y momificaban cuidadosamente a los adultos cuando morían. En otras regiones, sin embargo, los cocodrilos eran considerados enemigos y se cazaban por su carne. En Elefantina, en el curso superior del Nilo, los cazadores ataban cerdos junto a la orilla y los golpeaban para hacerlos chillar y atraer así a los cocodrilos, que caían en la trampa. La antigua leyenda egipcia de la fundación de Crocodilópolis, el principal centro del culto a Sebek, podría ser la fuente de una fábula europea muy posterior, la del «hombrecito de pan de jengibre».

El rey Menes, el primer faraón, fue atacado por sus propios perros mientras cazaba. En su desesperada huida, llegó a orillas del lago Moeris, donde un gran cocodrilo tomaba tranquilamente el sol. Comprendiendo rápidamente la situación, la bestia ofreció al rey su lomo para atravesar las aguas y ponerse a salvo. En señal de agradecimiento, el rey fundó allí una ciudad, que los griegos llamaron más tarde Crocodilópolis. La leyenda simboliza a Egipto huyendo del mal (los perros) y el caos (las aguas). Crocodilópolis llegó a ser una de las ciudades preferidas por los faraones del Nuevo Reino y, bajo la dominación griega, se convirtió en una próspera metrópolis.

Curiosamente, existió en el pasado otra Crocodilópolis en el Cercano Oriente. Situada al sur del monte Carmelo, en Fenicia meridional, fue mencionada por primera vez por el geógrafo griego Estrabón, en el siglo I a. C. La ciudad se encontraba en un terreno pantanoso cercano a la costa, y en sus alrededores fue posible cazar, hasta el siglo XIX, «cocodrilos de agua salada». No existen referencias sobre un culto a los cocodrilos en esta segunda Crocodilópolis, pero su proximidad a la región de Palestina plantea interrogantes acerca de posibles referencias a los cocodrilos en la Biblia. Muchos estudiosos coinciden actualmente en que la criatura llamada «Leviatán» en el capítulo 41 del Libro de Job es en realidad un cocodrilo:

¿Puedes sacar del mar al Leviatán con artes de pesca?
¿Puedes aplastarle la lengua con cuerdas?
¿Te suplicará clemencia?
¿Te hablará con palabras dulces?
¿Llegará a un acuerdo contigo?

Estas preguntas retóricas marcan el comienzo de una elaborada descripción del cocodrilo, como una terrible criatura con «antorchas ardientes en la boca» y «un aliento de carbones inflamados». Las preguntas eran también, aparentemente, comentarios sardónicos a propósito de la creencia de que era posible establecer relaciones místicas con los cocodrilos. En realidad, los hebreos y otros pueblos alejados del mar temían las grandes extensiones marinas. Para ellos, el mar era un lugar de muerte, caos y monstruos. Los cocodrilos que tomaban el sol en sus orillas no eran más que el símbolo de los terribles peligros del mar. En la poesía profética del Libro II de Isaías, parece ser que el cocodrilo, en forma de Leviatán, es el dragón cósmico arquetípico, símbolo del desorden y el mal que Dios acabará por dominar.

EL DRAGÓN DE LA ANTIGUA CHINA

Si el cocodrilo era tan importante para los pueblos antiguos, ¿cuál era el papel del caimán? Los caimanes están menos extendidos que los cocodrilos y China es el único país con una antigua tradición literaria que hace referencia a estos animales. Tanto los cocodrilos como los caimanes eran conocidos (a través de rumores y referencias verbales) por el pueblo de la antigua China cuya civilización surgió en la región septentrional del río Amarillo hacia el año 2200 a. C. Es probable que el dragón cósmico de doble cola (*lung*), «señor de todos los reptiles escamosos», que según se creía ascendía a los cielos en el equinoccio de primavera y volvía a sumergirse en las aguas en el equinoccio de otoño, estuviera parcialmente inspirado en los informes sobre las grandes bestias que existían en las fronteras del Imperio Celeste.

Mucho más tarde, especialmente durante la dinastía Tang (618-906 d. C.), los naturalistas y compiladores de farmacopeas del sur de China eran capaces de distinguir entre cocodrilos y caimanes, aunque seguían asociando los dos grupos con míticos dragones. Según se decía, los «bárbaros» del sur, que acababan de ser incorporados al imperio Tang, podían predecir la lluvia por los gritos de los caimanes y regalaban su apreciada carne en las bodas. Además, el caimán se consideraba un heraldo de la guerra, a causa de su acorazada piel.

▼ Aunque considerado con afectuoso respeto por los antiguos egipcios, para la época en que fue realizada esta pintura, en el siglo XIX, los cocodrilos del Nilo se cazaban por su carne y por simple miedo.

Su Gooders/Ardea London

EL DRAGÓN CHINO

ZHOU GUOXING

El dragón es el símbolo del pueblo chino y los chinos se consideran con orgullo «los descendientes del dragón». Pero ¿qué es exactamente este dragón y cuál es su origen? Esta pregunta ha intrigado a generaciones de eruditos y científicos.

Según los textos antiguos, un dragón era una criatura «con cuernos de ciervo, cabeza de camello, ojos de liebre y cuello de serpiente. Su vientre se parece al del *shen* (mítico animal que vive en el agua y es semejante al cocodrilo). Sus garras son como las del águila, sus patas son parecidas a las del tigre y tiene orejas de búfalo». El dragón podía transformarse casi instantáneamente de muy robusto a muy delgado y de muy largo a muy corto. Podía remontar el vuelo por los cielos y sumergirse en las profundidades del mar. Por lo que puede verse, se trataba de una criatura sobrenatural que podía asumir una variedad infinita de formas.

Un pictograma chino que representa al dragón aparece entre las inscripciones sobre hueso o caparazón de tortuga que datan de las dinastías Yin y Shang (siglos XVI al XI a. C.), la época de los documentos escritos más antiguos de China. Las inscripciones representan a un reptil con cuernos, dientes, escamas y con o sin patas. El pictograma suele aparecer coronado por un símbolo que parece indicar que el dragón se consideraba una criatura violenta, maligna y de mal agüero. A partir de estos documentos, algunos eruditos chinos han llegado a pensar que el «dragón» original era en realidad un caimán.

Varias generaciones de estudiosos han sugerido las más diversas explicaciones para el dragón. Sin duda alguna, en su forma o formas primitivas, el dragón era algún tipo de reptil, por ejemplo una serpiente, un caimán o un lagarto. En años recientes, los objetos hallados en yacimientos arqueológicos que datan de hace 5.000 o 6.000 años han aportado pruebas sobre la presencia de lagartos, caimanes y dragones en rituales totémicos. Analizando los pictogramas más simples, es posible reconstruir la representación original, la evolución y la aparición definitiva del dragón tradicional.

Aunque los dragones más primitivos tenían una sola forma, a medida que los diferentes pueblos de la antigua China fueron estableciendo contactos entre sí, comenzaron a representar sus imágenes totémicas de manera más imaginativa. A través de un largo periodo, evolucionó una imagen híbrida, que combinaba rasgos de los diferentes dragones.

Así pues, el dragón es un producto de la imaginación, una criatura mítica que ha sido adorada y venerada por los chinos durante siglos. El dragón sigue asumiendo una miríada de formas en el arte chino moderno; las minorías étnicas y culturales lo representan de muy diversas maneras, como un pez o un caimán o incluso como un hombre.

AMÉRICA

Del otro lado del Pacífico, donde la literatura escrita comenzó mucho más tarde, resulta más difícil establecer el lugar de los cocodrilianos en la religión y los mitos de las grandes civilizaciones mesoamericanas. Los mayas en el siglo X y los aztecas en el siglo XIV pensaban que el mundo conocido reposaba sobre el dorso de un gigantesco reptil en una laguna de nenúfares. El reptil imaginado debía de ser sin duda un cocodrilo o un caimán. En el arte maya, la espalda del terrible dios de la muerte, Ah Puch, se parece mucho al dorso de un cocodrilo. Por su parte, parece ser que los aztecas heredaron de la anterior cultura de Teotihuacán la veneración de una representación icónica de otra deidad cocodriliana.

En épocas más recientes ha sido posible establecer la importancia de los cocodrilos, aligatores y caimanes para los indios de América del Norte. La primera representación conocida de un aligátor americano o caimán del Mississippi (*Alligator mississippiensis*) es un grabado realizado en 1565 por el explorador francés Le Moyne, en el cual aparecen varios indios de Florida introduciendo una estaca en la boca de un caimán para matarlo. En el siglo XIX, el antropólogo William Holmes, que vivió entre los indios chiriquíes de la región de Panamá, reconstruyó la historia de la representación de

los cocodrilos en la tribu, recorriendo a la inversa el camino desde las imágenes de saurios muy estilizados, prácticamente irreconocibles, que aparecían en los objetos de cerámica de la tribu, hasta los dibujos más convencionales de cocodrilos que podían verse en las piezas de alfarería más antiguas.

ÁFRICA

En África, sobre todo en el curso alto del río Volta, al oeste del continente, y en la región de los grandes lagos cercana a las fuentes del Nilo, los cocodrilos han sido venerados de una forma que recuerda a las prácticas del antiguo Egipto. Por ejemplo, cerca de las aldeas de las etnias bobo y bwa, en la actual Burkina Faso, abundaban las lagunas infestadas de cocodrilos. Los habitantes del lugar les llevaban ofrendas de alimentos y pensaban que eran los espíritus de los antepasados, que habían regresado para proteger sus antiguas aldeas. Los jóvenes eran enviados a orillas de las lagunas para llamar a cada cocodrilo por su nombre y, según se creía, los cocodrilos sólo respondían al oír la voz del joven que los llamaba.

En la época precolonial en África oriental, la isla de Damba, en el lago Victoria (Uganda), estaba consagrada a los cocodrilos y, en ocasiones, los miembros de la etnia baganda les arrojaban trozos de los cadáveres de sus

▲ Este grabado de Theodore de Bryce Le Moyne, inspirado en una escena de caza en Florida, representa a dos inverosímiles caimanes que soportan dócilmente el ataque de los indios.

enemigos. Había en la isla un templo dedicado a los cocodrilos y en él, según el informe de un misionero, un médium ofrecía respuestas a los visitantes mientras balanceaba la cabeza y abría la boca, como si estuviera poseído por el «espíritu de un cocodrilo».

▶ Este *ofo*, figurilla de bronce ritual de los ibo de Nigeria, era una forma más discreta de rendir culto a los cocodrilos que la práctica corriente en otras regiones de África de utilizar a los cocodrilos como jueces de los sospechosos de haber cometido algún crimen.

British Museum (Natural History)/C.M. Dixon

▶ En esta escena del *Libro de los muertos de Lady Cheritwebeshet* puede verse a un cocodrilo descansando o acechando entre los juncos, mientras los campesinos trabajan en el campo. El riesgo de ataque era aceptado con resignación por los habitantes de las riberas del Nilo.

Museo de El Cairo/Werner Forman Archive

En otras regiones del África negra, el culto a los cocodrilos era más discreto. La etnia nuer, en el valle del Nilo, adoraba al cocodrilo como su animal totémico y le dedicaba sacrificios cuando alguien quebrantaba el tabú de matarlo o comer su carne. Los nuer creían que los animales podían participar en relaciones recíprocas con los seres humanos. Cuando el gran antropólogo Evans-Pritchard viajó con un grupo de nuer a través de corrientes frecuentadas por cocodrilos, le aseguraron que no había peligro porque en los alrededores vivían «pueblos cuyo animal totémico era el cocodrilo».

En algunas zonas de África, los cocodrilos estaban asociados con los conceptos de castigo y reciprocidad. En Madagascar, por ejemplo, el principio del «ojo por ojo» se aplicaba también a los cocodrilos: sólo estaba permitido matar un cocodrilo si éste había matado antes a un ser humano, y era de esperar que un cocodrilo matara a un ser humano si uno de sus congéneres había sido muerto sin razón por alguna persona. Los cocodrilos estaban tan íntimamente relacionados con las ideas de reciprocidad, que los malgaches conducían a los sospechosos de algún crimen hasta la ribera de un río y dejaban que los reptiles decidieran. Después de que un especialista en el ritual se dirigiera a las bestias, el acusado tenía que atravesar a nado la corriente. Si un cocodrilo lo atacaba, era considerado culpable. La etnia baganda, que vivía a orillas del lago Victoria, tenía una práctica similar. En otras regiones, el cocodrilo se consideraba un instrumento de venganza. Por ejemplo, los hablantes de las lenguas aka y twi, de Ghana, creían que las brujas podían enviar a las serpientes, las moscas tse-tsé y los cocodrilos para cumplir sus terribles órdenes.

SUDESTE ASIÁTICO

En ciertas regiones del sudeste asiático, el cocodrilo se consideraba la reencarnación de un gobernante muerto y, por lo tanto, una permanente expresión de feroz autoridad y poder punitivo. En las sociedades tradicionales de Filipinas (por ejemplo, entre los panay), los cocodrilos se consideraban seres casi divinos y era tabú matarlos. En los primeros años de este siglo, el mayor G. B. Bowers descubrió entre los pueblos costeros del norte de Luzón, junto a la desembocadura del río Cagayán, un curioso temor inspirado por un cocodrilo en particular, considerado la reencarnación del salvaje jefe de una tribu de las montañas. En 1884, en Timor Occidental (hoy Indonesia), se informó desde Kupang que los príncipes sacrificaban jóvenes perfumadas y hermosamente vestidas a los cocodrilos. Los príncipes alegaron que su linaje descendía directamente de los cocodrilos y que mediante los sacrificios enviaban a las jóvenes a desposarse con «los grandes».

En Borneo, los miembros de la etnia kayan creían que el cocodrilo era en realidad una especie de protector, que podía convertirse en hermano de una persona y que a través de su imagen modelada en arcilla podía alejar los malos espíritus. La mayoría de los pueblos de Borneo, incluidos los dayaks, evitaban matar cocodrilos. Sin embargo, la familia de un niño que había caído víctima de los cocodrilos podía recurrir a un mago para recuperar los restos mortales del pequeño. El mago procedía entonces a abrir en canal todos los cocodrilos que conseguía atrapar, hasta que encontraba uno con restos humanos en el estómago. A continuación, los habitantes de la aldea entregaban un gato a los cocodrilos, para aplacarlos por la muerte de los animales inocentes.

Estas creencias guardan relación con una serie de leyendas e historias populares sobre los cocodrilos, especialmente abundantes en las pequeñas sociedades tradicionales. Según una fábula del centro de Borneo, el héroe dayak Batangnorang descendió a la madriguera de un cocodrilo, bajo la ribera de un río, en busca de oro. Disfrazado con piel de tigre y plumas de cálao, se hizo pasar por el hijo del cocodrilo, que acudía a visitarlo, enviado por su madre. A pesar de estas argucias, el enorme reptil reconoció por el olfato que se trataba de un hombre y, para poner a prueba a Batangnorang, atrapó a

un ser humano a orillas del río, lo cortó en pedazos, lo asó y se lo ofreció al visitante. El héroe se lo comió sin rechistar (un recuerdo de las prácticas caníbales) y de esta forma convenció al cocodrilo de que no era humano. Poco después, fingiendo que se disponía a partir, Batangnorang se volvió rápidamente y atravesó el vientre de su anfitrión con una lanza. Una vez muerto el cocodrilo, el héroe pudo apoderarse de todo el oro y las piedras preciosas que había en la madriguera.

En su forma actual, esta historia tradicional ha recibido la influencia de muchas ideas importadas, como la mención de los tesoros y las piedras preciosas. La llegada de mercaderes musulmanes al sudeste asiático tuvo sus efectos sobre las culturas autóctonas. La marcada influencia islámica resulta evidente en la leyenda malaya sobre el origen del cocodrilo:

Había una vez una mujer llamada Putri Padang Gerinsing cuyas plegarias encontraban gran favor y aceptación en el Todopoderoso.

Era ella quien tenía a su cuidado a Siti Fátima, la hija del Profeta (Mahoma). Un buen día, cogió un poco de arcilla y la modeló con la forma de lo que hoy es un cocodrilo. El material sobre el que modeló la arcilla fue la vaina de un *upih* (vaina del betel), que se convirtió en el recubrimiento

▼ Actualmente, el famoso «Mugger pit» (pozo de los cocodrilos), cerca de la ciudad de Karachi, en Pakistán, no es más que una atracción turística. En el pasado, los cocodrilos que vivían allí eran sagrados. El pozo era el centro de una serie de ceremonias animistas, para aplacar la ira de los peligrosos y feroces habitantes de los grandes ríos del subcontinente indio.

Popperfoto

Allan Eaton/Ancient Art & Architecture Collection

▶ Con las mandíbulas cerradas por el abrazo de una serpiente pitón, un cocodrilo ha sido inmortalizado en piedra en el templo de Mukteswara, en el centro sagrado de Bhubaneswar, en la India. Sin embargo, el cocodrilo de las religiones de la India no se caracteriza por su ferocidad.

▶ Ricamente labrada según estrictas prescripciones rituales, esta figurilla de un ancestro con cabeza de cocodrilo, de la provincia de Sepik Oriental, en Papúa-Nueva Guinea, representa el principio totémico femenino, origen de los humanos. Del vientre de esta mítica antepasada, fertilizada por un espíritu, no sólo nacieron los seres humanos, sino también las serpientes, las anguilas y todos los peces.

estilizadas esculturas de madera que representan cocodrilos sin patas, con la cabeza y el tronco cubiertos de dibujos semejantes a tatuajes. Estos mismos artesanos fabrican también una especie de trompeta de madera, con la embocadura en forma de cabeza de cocodrilo. La región del río Sepik es famosa en todo el mundo por las máscaras, las figurillas y los instrumentos de madera que allí se fabrican. Las esculturas realizadas por los mindimbit para sus ritos fúnebres representan a veces hombres y cocodrilos entrelazados en una misma pieza.

Los miembros de la etnia iatmul, del curso medio del Sepik, creen que el cocodrilo marino (*Crocodylus porosus*) fue el creador de todas las cosas. Al principio no había nada más que agua. El cocodrilo creó la tierra y en ella se abrió una grieta. El cocodrilo (el principio masculino) copuló con la grieta abierta en la tierra (el principio femenino) y de la grieta surgieron las primeras plantas, los primeros animales y los seres humanos. La mandíbula inferior del cocodrilo cayó a la tierra y la mandíbula superior se convirtió en el cielo. En ese momento, amaneció por vez primera sobre el mundo.

Los iatmul tienen también leyendas sobre cocodrilos ancestrales que viajaban de un sitio a otro, fundando aldeas, y se cree que estas leyendas están basadas en migraciones históricas. El cocodrilo marino era sin duda muy corriente en los manglares que bordean el río Sepik y en las marismas surgidas a medida que la línea de la costa se fue retirando hasta su posición actual. Por lo tanto, no es sorprendente que su lugar en los mitos y leyendas de la región sea tan destacado, ni que sus cráneos se conservaran en las casas de culto de los hombres, donde recibían ofrendas de nueces de betel. Los iatmul creen que el cocodrilo primigenio, durante los ritos iniciáticos, devora a los jóvenes y los regurgita

del vientre del cocodrilo. Cuando trató de insuflarle vida, la figurilla se partió en pedazos. Esto sucedió dos veces. Como Tuan Putri acababa de comer caña de azúcar, dispuso una serie de nudos de caña para formar la espina dorsal y para las costillas utilizó la cáscara. Sobre la cabeza del animal colocó una piedra afilada y le hizo los ojos con trocitos de azafrán [*kuniet*]. Para hacerle la cola, buscó una hoja de betel. Una vez finalizada su obra, le rogó a Dios Todopoderoso que concediera el don de la vida a la criatura, y ésta comenzó sin más a respirar y moverse. Durante mucho tiempo fue el juguete preferido de Siti Fátima, la hija del Profeta, pero con el tiempo se volvió taimado e irrespetuoso con Tuan Putri Padang Gerinsing, que para entonces era ya vieja y débil. Entonces Fátima lo maldijo, diciendo: «Serás el cocodrilo del mar; no tendrás anhelos ni deseos, ni sabrás lo que es la alegría». Lo privó entonces de los dientes y la lengua y le selló las mandíbulas con largos clavos. Estos clavos son los que le sirven de dientes al cocodrilo hasta el día de hoy.

En esta leyenda, a diferencia de los mitos de otros pueblos, el cocodrilo no es un objeto de reverencia o admiración. De hecho, con la influencia de las tradiciones religiosas y culturales del Islam y el cristianismo, se afianzó la imagen de los cocodrilos como criaturas peligrosas, repugnantes y malignas.

MELANESIA
Entre todos los pueblos tribales, las esculturas de cocodrilos abundan sobre todo en Melanesia. Los habitantes de las aldeas junto al río Karawari, tributario del gran Sepik en Nueva Guinea, son famosos por las

R. Berthold/Australian Picture Library

Oliver Strewe/Wildlight Photo Agency

convertidos en hombres. En estos ritos, los jóvenes son sometidos a cortes en la piel del tórax y los hombros, y las cicatrices se explican a los no iniciados como marcas dejadas por dientes de cocodrilo. Las proas de las canoas se esculpen con frecuencia en forma de cabeza de cocodrilo, convirtiendo así a la propia canoa en un cocodrilo que lleva sobre el dorso a sus «hijos».

El totemismo de los cocodrilos y las consecuencias de quebrantar las relaciones totémicas figuran en muchos relatos melanesios. El conocido personaje melanesio Yali de Sor, jefe del *cargo cult* de Madang, se mostró muy preocupado cuando un amigo suyo tuvo que matar a un cocodrilo en la selva para salvar la vida. El cocodrilo era el animal totémico de su amigo y, sin su protección, el

hombre acabó por perderse en la espesura y nunca se volvió a saber nada de él.

En las costas del golfo de Papúa, los elema creían que un hechicero podía entrar en el cuerpo de un cocodrilo y quedarse al acecho en los pantanos, para atacar a su víctima por sorpresa. (Otras etnias alejadas de la costa creían que los hechiceros podían viajar grandes distancias después de asumir la figura de un casuario.) En algunas ocasiones, las creencias autóctonas y las ideas importadas pueden mezclarse sin roces, como en la primera novela moderna de Papúa-Nueva Guinea, *El cocodrilo*, de Vincent Eri, que narra la historia de la esposa del protagonista, Hori, arrastrada por un hechicero-cocodrilo hacia los pantanos del golfo de Papúa.

▲ Decorado en el estilo de la provincia del Golfo, en la costa meridional de Papúa-Nueva Guinea, este escudo representa una figura mítica a punto de nacer del vientre de un cocodrilo: un poderoso símbolo de la íntima relación entre hombres y cocodrilos en Melanesia.

R. Berthold/Australian Picture Library

◄ Los habitantes de la región de Sepik rinden homenaje al cocodrilo, que desempeña un importante papel en los rituales mágicos, además de ser un competidor por el alimento y una fuente de comida. Para expresar su respeto, preparan cráneos de cocodrilo, los untan con arcilla coloreada y los decoran con conchas.

AUSTRALIA

Entre los aborígenes de las regiones tropicales del norte de Australia se cuentan muchos mitos y leyendas sobre cocodrilos. Algunos de estos mitos tienen que ver con la creación del mundo conocido. Según un relato de la etnia gunwinggu, de Arnhem Land, el río que hoy se llama Liverpool fue obra de un enorme cocodrilo, «que salió a la superficie de la tierra por detrás de las montañas y lentamente se abrió camino hacia el mar, devorando la tierra y dejando profundos surcos, que más tarde se llenaron de agua y se convirtieron en el río Liverpool».

Otras historias relacionan al cocodrilo tanto con los tabúes como con la ley, entre ellas la fábula que narran los murinbatas acerca de la lucha entre sus dos antepasados totémicos, el cocodrilo de Johnston (*Crocodylus johnstoni*) y la garza. Según cuenta la historia, dos viejos se hicieron trampa mientras compartían la comida y comenzaron a luchar. Cuando finalmente decidieron refrescarse en un *billabong* (pozo que se forma durante la estación lluviosa), uno de ellos se convirtió en Yagpa, el viejo cocodrilo, y el otro en Walgutkut, la vieja garza. La fábula finaliza con la moraleja de que nadie debe matar al viejo Yagpa, pues de lo contrario «el viejo Yagpa volverá y se llevará consigo al que lo haya matado». Esta leyenda se refiere tanto a las reglas sociales sobre la práctica de compartir la comida como al tabú de matar un animal totémico.

El contenido moral de otras muchas historias de los aborígenes no resulta tan evidente. Los periódicos australianos siguen publicando regularmente trágicas noticias procedentes del norte, acerca de algún turista desprevenido que cae víctima de los cocodrilos en los ríos más peligrosos. Los aborígenes tienen historias similares. Según una de estas historias, que se cuenta en Arnhem Land, las enormes olas formadas en el mar obligaron a un cazador y a su hija a dirigirse con su canoa hacia

▼ Esta pintura tradicional sobre una roca de Arnhem Land, en Australia, representa probablemente al cocodrilo ancestral, del que nacieron los seres humanos en el Tiempo de los Sueños, cuando todas las cosas fueron creadas.

una pequeña isla. Una vez allí, la joven fue atrapada por un enorme cocodrilo. El padre trató de perseguir al animal, pero sus flechas no dieron en el blanco y, finalmente, el reptil acabó por devorarlo a él también.

Los aborígenes son famosos por su arte rupestre y, probablemente, la representación más antigua que existe de un cocodrilo es un gigantesco reptil labrado en la roca, hallado en Panaramittee, al sur de Australia. Es posible que esta obra cuente con 30.000 años.

Entre las pinturas sobre corteza de árbol más fascinantes de Australia figuran las de la etnia manggalili, al nordeste de Arnhem Land, especialmente las realizadas por el artista Banapana. En estas pinturas, el cocodrilo aparece representado como un ser ancestral, que trata de salvar a los seres humanos de la muerte. También se representa a veces con escamas en forma de estrellas, como si fuera la Vía Láctea. En Oenpelli, al oeste de la misma región, se han hallado pinturas sobre corteza que representan la muerte de un cazador entre las fauces de un cocodrilo y al hermano menor del muerto consolando a la viuda. Además de los aborígenes, otros artistas australianos han representado también a los cocodrilos, por ejemplo Thomas Baines, que en 1856 pintó el cuadro *La muerte de un caimán en Horseshoe Flats*.

Por supuesto, también la cinematografía ha recurrido a menudo a la imagen de cocodrilos y caimanes, que fueron monstruos en algunas películas de terror de los años treinta y lucharon contra Tarzán en la selva africana. Últimamente los cocodrilos han vuelto a acaparar el interés del público con las películas australianas *Cocodrilo Dundee* y *Cocodrilo Dundee II*, protagonizadas por Paul Hogan y Linda Kozlowski. La primera película jugaba con los informes que aparecen en la prensa sobre las tragedias con cocodrilos en el

norte de Australia, promovía la tradición australiana de «camaradería» y aprovechaba la actitud aparentemente ingenua y directa de un «sencillo cazador» de cocodrilos para criticar la frívola y pretenciosa vida de Nueva York.

Kris Nobbs/South Australian Museum Anthropology Archives

◄ Con una técnica similar a la de otras incisiones en piedra de más de 30.000 años de antigüedad, esta cabeza de cocodrilo procedente de Panaramittee, al sur de Australia, permite preguntarse si los cocodrilos estuvieron en el pasado más difundidos por toda la isla o si los habitantes de las regiones meridionales los conocían gracias a las relaciones comerciales con los pueblos del norte.

▼ Un pintoresco cocodrilo persigue a tres peces en esta pintura australiana realizada sobre corteza de árbol. Los aborígenes australianos consideraban al cocodrilo un competidor en la pesca, así como una fuente de alimento.

Leo Meier/Weldon Trannies

► El explorador y artista Thomas Baines se representó a sí mismo matando a un «aligátor» de improbable dentadura —en realidad se trataba de un cocodrilo marino—, en una expedición por el norte de Australia, en 1856. En la escena, su compañero Humphrey acude en su ayuda, pese a la impresionante batería de armas de que dispone Baines.

ARTE Y LITERATURA OCCIDENTALES

Los cocodrilos y caimanes prácticamente se desconocían en Europa en época histórica y, por lo tanto, aparecen muy poco en el arte occidental. En comparación con otros animales, como el león, el venado, el águila e incluso el humilde armadillo, puede decirse que estos grandes reptiles han sido ignorados por el arte. Ni siquiera están presentes en las escenas selváticas de Henri Rousseau. Sin embargo, en la década de 1830, el escultor francés Antoine-Louis Barye no los olvidó y representó en su obra luchas entre feroces cocodrilos y otros integrantes de la fauna (entre ellos, un tigre, un antílope y una serpiente pitón).

En la historia de la literatura occidental, las alusiones a los cocodrilos son también escasas y muy dispersas. En la obra de Shakespeare *Antonio y Cleopatra* (acto II, escena 6), las referencias se inspiran en imágenes míticas y monstruosas, que deben más a los bestiarios medievales que a la observación directa. Edmund Spenser, contemporáneo de Shakespeare, fue el primer autor que utilizó la figura poética de las lágrimas de cocodrilo. En 1565, el capitán James Hawkins había observado «muchos cocodrilos» en el Nuevo Mundo y había indicado que «lloraban y gemían» para atraer engañosamente a sus víctimas. Estas observaciones del navegante inglés sirvieron de inspiración para que Spenser escribiera en el poema *The Faerie Queene*:

... un cruel y astuto cocodrilo
que con falsa pena oculta su vil afán
llora, se lamenta y derrama tiernas lágrimas.

Poderoso símbolo de la estratagema humana de llorar antes de devolver el golpe, esta misma imagen sería utilizada una generación más tarde por Robert Burton (considerado a veces el primer psicoanalista) y por Francis Bacon (jurista y filósofo). También aparece en una canción infantil inglesa que data del siglo XIX: «¿De qué están hechos los niños pequeños? De lágrimas de cocodrilo.»

La creencia de los antiguos egipcios en la sabiduría de los cocodrilos fue reemplazada por un posterior énfasis en su astucia, disimulo y ferocidad. Ni siquiera la bonita historia de Peter Pan, de J. M. Barrie, hace mucho por disipar la sombría imagen del cocodrilo malvado, aunque por lo menos el cocodrilo del cuento es el instrumento de la justicia que se abate sobre un capitán Garfio todavía más malvado que la bestia. En 1977 se publicó el equivalente cocodriliano de *Tiburón*: *Alligator*, de Shelley Katz, novela que trata sobre un gigante asesino de los Everglades. El afán sensacionalista y la búsqueda de emociones fuertes han distorsionado en gran manera la imagen de los cocodrilos y caimanes, que en la actualidad se parecen muy poco al reverenciado dios cocodrilo de los antiguos egipcios.

◄ El romanticismo y el simbolismo triunfan sobre la exactitud naturalista en este cuadro de Boucher, *La caza del cocodrilo*, una de las escasas representaciones de estos reptiles en el arte occidental. La pirámide que se ve al fondo permite situar la escena fuera de Europa, aunque los cazadores y sus perros son inequívocamente europeos.

▼ Grabado alemán del siglo XVI, en el que un grupo de cazadores utilizan cerdos como cebo para atraer a los cocodrilos. Se trata de una versión de la técnica descrita siglos antes por los viajeros que visitaban Elefantina, en el curso alto del Nilo.

ATAQUES AL HOMBRE

A. C. (TONY) POOLEY, TOMMY C. HINES Y JOHN SHIELD

Las primeras referencias al aligátor chino (*Alligator sinensis*) presentan a esta especie como ferocísima y muy peligrosa para los seres humanos. Marco Polo, que en el siglo XIII fue el primer europeo en informar sobre la presencia en China de estas «grandes serpientes con patas», los describió así: «Tienen una boca tan grande que pueden tragar a un hombre entero (...), con enormes dientes [puntiagudos]. En pocas palabras, tienen un aspecto tan feroz, espantoso y repugnante, que cualquier hombre o bestia que los contemple no puede más que temblar de miedo y horror ante semejante espectáculo.»

Puede que estos primeros informes sean simples exageraciones o tal vez sean el resultado de la confusión con otras especies de cocodrilianos. Por lo que sabemos, el aligátor chino es relativamente tímido e inofensivo, y no suele plantear peligro alguno a los seres humanos.

Pese a esta realidad, casi todas las especies de cocodrilianos están consideradas como potenciales enemigos de la raza humana. Algunas, como el aligátor americano (*Alligator mississippiensis*), el cocodrilo palustre o de los pantanos (*Crocodylus palustris*), el cocodrilo del Orinoco (*Crocodylus intermedius*), el cocodrilo narigudo (*Crocodylus acutus*) y posiblemente el caimán negro (*Melanosuchus niger*), atacan ocasionalmente a seres humanos, pero los casos documentados de este comportamiento en estas especies son muy escasos.

Hay sin embargo dos especies de cocodrilos verdaderos, el cocodrilo del Nilo (*Crocodylus niloticus*) y el cocodrilo marino (*Crocodylus porosus*), justamente acusadas de ser voraces «comehombres». Ambas especies tienen una amplia distribución y sus individuos alcanzan dimensiones muy respetables, y ambas han influido en gran medida sobre la forma en que los seres humanos consideramos o tememos a todos los cocodrilianos.

La mayoría de los ataques mortales contra seres humanos se produjeron probablemente en el pasado, entre pueblos tribales de África y de las islas del Índico y el Pacífico. Lamentablemente, no hay estadísticas históricas sobre ataques de cocodrilos en estas regiones y nuestra única guía para establecer su frecuencia son los informes de los primeros exploradores y etnólogos. Según las tradiciones de todas estas regiones, los cocodrilos dejaron una profunda huella en las culturas primitivas, por lo que es posible suponer que los cocodrilos marinos y del Nilo atacaban y devoraban a los habitantes de estas zonas siempre que la situación se lo permitía.

De vez en cuando, se dan circunstancias que determinan que los animales recurran a comportamientos sumamente atípicos. Una de estas situaciones, ocurrida en el sudeste asiático durante la Segunda Guerra Mundial, dio pie a la terrible tragedia en la que cocodrilos marinos atacaron a un millar de soldados japoneses que trataban de huir a través de los manglares que separan la isla de Ramree de la costa de Birmania, a 30 km de distancia.

El naturalista Bruce Wright formaba parte de las fuerzas británicas que habían acorralado a los japoneses en Ramree. Se encontraba en una lancha militar, encallada en el lodazal de un canal que discurría entre el laberinto de los manglares, y su descripción de la noche del 19 de febrero de 1945 permite imaginar la espeluznante escena:

«Aquella noche fue la más horrible que cualquier miembro de las tripulaciones de las M. L. [lanchas militares] haya experimentado nunca. Los disparos de rifle en una ciénaga negra como la pez, entrecortados por los alaridos de los hombres que caían en las fauces de los enormes reptiles y por el inquietante borboteo de los cocodrilos que nadaban en círculos, creaban una infernal cacofonía que pocas veces se ha oído en este mundo. Al alba llegaron los buitres para dar cuenta de lo que habían dejado los cocodrilos (...). Del millar de soldados japoneses que se adentraron en los pantanos de Ramree, sólo unos veinte fueron hallados con vida.»

Recientemente, los ataques de cocodrilianos contra humanos y las circunstancias que han rodeado estos ataques se han estudiado en África, Florida y Australia. Se trata de estudios incompletos y que abarcan sólo una parte del área de distribución de cada especie. Aun así, permiten apreciar ciertas similitudes o pautas entre los distintos casos de ataque.

▶ Tal vez porque sus dimensiones, velocidad y formidable dentadura coinciden con nuestras ideas preconcebidas de un «monstruo feroz», el aligátor americano ha adquirido una fama relativamente falsa de agresividad. Aunque en ocasiones ataca a seres humanos (por lo general porque han invadido su territorio o amenazado sus nidos o sus crías), estos casos son muy poco frecuentes. En cambio, los ataques del cocodrilo del Nilo y del cocodrilo marino contra seres humanos son más comunes y su reputación de «comehombres» está mucho más justificada.

Hans Reinhard/Bruce Coleman Ltd.

▲ El cocodrilo del Nilo, grande y agresivo, está ampliamente distribuido por el continente africano. En algunas regiones, los encuentros entre cocodrilos y humanos son cotidianos. Aunque no todos estos encuentros culminan en ataque, las agresiones ocasionales le han valido al cocodrilo del Nilo —y desgraciadamente a otras especies menos agresivas— una triste fama de asesino.

▶ Los dominios del cocodrilo del Nilo abarcan las aguas donde muchos africanos pescan, se bañan, limpian la comida, lavan la ropa y se desplazan en pequeñas embarcaciones o a pie. La convivencia entre cocodrilos y seres humanos ha provocado muertes… en los dos «bandos».

Jonathan Scott/Planet Earth Pictures

ATAQUES DE COCODRILOS DEL NILO EN ÁFRICA

El cocodrilo del Nilo tiene la dudosa fama de ser el mayor asesino de animales y seres humanos del continente africano. En comparación con los otros animales carnívoros o simplemente agresivos, responsables de muertes humanas (como leones, leopardos, búfalos, hipopótamos, hienas, rinocerontes y elefantes), el cocodrilo del Nilo tiene una distribución mucho más amplia a lo largo y ancho del continente y es mucho más abundante que cualquiera de las otras especies. Hay cocodrilos en los ríos, las ciénagas, las lagunas, los estuarios, los lagos y las llanuras aluviales donde millones de personas en toda África viven, trabajan y juegan diariamente. En muchas de estas zonas, los únicos medios de transporte son canoas, lanchas o pequeñas embarcaciones, que es preciso impulsar con largas pértigas a través de estrechos canales donde crecen los juncos y el papiro, o bien hay que desplazarse a pie, vadeando las anchas y poco profundas corrientes habitadas por los reptiles.

En los países más desarrollados de África, los seres humanos utilizan el ambiente acuático con fines recreativos e invaden progresivamente los dominios de los cocodrilos. La ignorancia de sus hábitos, de los métodos que utilizan para cazar y de las precauciones básicas que deben observarse en las zonas donde viven estos animales ha tenido como consecuencia muchas muertes humanas que podrían haberse evitado.

Se sabe de cocodrilos del Nilo adultos de hasta una tonelada de peso y 6,5 m de longitud. El cocodrilo del Nilo ha evolucionado en un continente donde ha tenido que enfrentarse y competir con una amplia variedad de rivales y donde las potenciales víctimas son más

S.C. Bisserot

numerosas y variadas que en cualquier otra región del mundo. Entre sus competidores del medio acuático figuran los peces carnívoros, los tiburones, los varanos, otras tres especies de cocodrilos y los hipopótamos. En tierra, tiene que defender su territorio, sus lugares de nidificación y sus crías contra una serie de enemigos y competidores que van desde las pequeñas mangostas hasta los elefantes, pasando naturalmente por los seres humanos. En consecuencia, el cocodrilo del Nilo es uno de los más agresivos de su género. Para sobrevivir en un hábitat poblado por una fauna tan diversa, se ha convertido en un cazador versátil y oportunista y en un consumado depredador en el medio acuático.

ESTRATEGIAS DE CAZA

Cuando se mantiene inmóvil en el agua, el cocodrilo del Nilo resulta muy difícil de distinguir. Además, suele potenciar el efecto del mimetismo natural situándose entre los juncos, bajo un árbol de ramas colgantes, entre los nenúfares o junto a un objeto flotante.

Puede respirar, oler, ver y oír dejando fuera del agua solamente la parte superior de la cabeza. Desde esta posición de paciente espera, es capaz de efectuar un fulminante y mortal ataque contra los desprevenidos

antílopes o seres humanos que se acerquen al agua.

Otra posibilidad es que el cocodrilo descubra a la potencial víctima mientras nada a cierta distancia de la orilla. En este caso, se sumerge y se acerca más y más, nadando bajo el agua y aproximando la cabeza a la superficie tal vez una o dos veces, para comprobar la posición de la víctima. Con el impulso final del ataque, el cocodrilo puede proyectarse sobre la playa a una distancia equivalente a varias veces su propia longitud.

T. Pooley

▲ Aunque fácilmente visible sobre un fondo de hierba fresca, en aguas turbias sembradas de objetos flotantes y sombreadas por las ramas de los árboles, el color del cocodrilo del Nilo lo hace invisible para sus posibles víctimas. El acecho, el silencio y la sorpresa son sus principales armas para el ataque.

◄ Aunque el cocodrilo del Nilo suele atacar a sus víctimas cuando se encuentran al borde del agua, es un animal extremadamente agresivo que no duda en salir a tierra, a menudo a una velocidad aterradora, para perseguir a una potencial víctima.

Peter Johnson/NHPA

▲ Desde una posición parcialmente sumergida, un cocodrilo del Nilo lanza el ataque definitivo —en este caso sin éxito— contra un grupo de cabras. Casi cualquier otra especie de animal suscitaría en el cocodrilo la misma reacción, y el más lento o el más pequeño del grupo no tendría la menor oportunidad, si el azar quisiera que cayera entre las mandíbulas del reptil.

La aceleración que imprimen los poderosos coletazos se combina con una torsión simultánea hacia delante de las patas traseras, cuando el cocodrilo cae con todo su peso sobre la ribera. Las patas se afirman en el terreno e impulsan el cuerpo hacia arriba. Si la ribera tiene una pendiente pronunciada, el cocodrilo parece salir catapultado del agua. Si la víctima está todavía fuera de su alcance, el animal repite la zancada con las patas traseras y en ocasiones baja la cabeza y la apoya en la ladera, para poder adelantar una vez más las patas traseras a una velocidad fulminante. Muchos antílopes desprevenidos y cazadores despreocupados han caído víctimas de esta forma de ataque, a pesar de hallarse a 1,5 m por encima de la superficie del agua.

Un cocodrilo adulto también puede desplazarse rápidamente en tierra varios metros, moviéndose con gran agilidad en una postura de carrera, con el tronco bien separado del suelo, para atrapar a su víctima entre unas mandíbulas capaces de pulverizar los huesos. En otra de sus técnicas de ataque, el cocodrilo sale repentinamente del agua con un movimiento fulminante y utiliza su robusta cabeza para golpear a la víctima y atontarla, antes de aferrarla y arrastrarla hasta el agua. En cuanto a la rapidez de sus movimientos, es preciso recordar que los cocodrilos son capaces de atrapar peces y pájaros en vuelo sobre la superficie del agua. Las claves del ataque son siempre el silencio, la rapidez y la sorpresa.

ATAQUES DOCUMENTADOS

Los ataques del cocodrilo del Nilo pueden estar motivados por la defensa del territorio, la protección del nido o las crías, la defensa propia (por ejemplo, cuando el cocodrilo se siente amenazado o alguien lo pisa accidentalmente) o la necesidad de cazar y alimentarse. A partir del análisis de los ataques registrados en la literatura y de

la investigación personal de 43 casos de ataques de cocodrilos contra seres humanos en el norte de Zululandia y en el sur de Mozambique, es posible observar varios hechos relevantes.

De los 43 ataques, 39 se produjeron entre noviembre y principios de abril, época en que los grandes machos dominantes defienden su territorio contra los rivales y en que tanto los machos como las hembras protegen las zonas de nidificación y cuidan de los nidos y de las crías.

Los ataques coinciden además con el periodo en que los animales de sangre fría (poiquilotermos), como los cocodrilos, están más activos, porque la temperatura del agua es más elevada, hace más calor, el caudal de los ríos aumenta y las llanuras adyacentes se inundan y adquieren un color uniforme (condiciones que favorecen el ataque) y los cocodrilos vuelven a cazar y comer después de la inactividad invernal. Además, en esta época, los cocodrilos que normalmente no se encuentran en las pequeñas corrientes, canales y lagunas (que en los secos meses invernales prácticamente desaparecen) se desplazan desde las extensiones más grandes de agua y hacen inesperadas incursiones en granjas o en represas cercanas a los poblados humanos, en busca de alimento. Durante la estación de las lluvias, los cocodrilos arrastrados por la corriente hacia el mar pueden aparecer en playas lejanas y desplazarse hasta lagos y lagunas situados a muchos kilómetros de distancia de la zona de la costa o de los ríos donde normalmente se encuentran.

Al contrario de lo que suele creerse, ni el ruido ni los grandes grupos constituyen una garantía contra el ataque de los cocodrilos. De los ataques investigados, sólo cinco de las víctimas estaban solas cuando fueron sorprendidas. Muchas víctimas mortales fueron escogidas entre grupos de hombres, mujeres o niños mientras vadeaban un río o mientras lavaban la ropa o se bañaban, y prácticamente en todos los casos los grupos eran bastante ruidosos. Los estudios de campo demuestran que los cocodrilos acuden desde distancias considerables cuando oyen el ruido de un animal que se debate en aguas poco profundas o cuando distinguen el sonido que produce un cardumen de peces saltarines. De hecho, el ruido es para los cocodrilos uno de los medios para localizar a sus víctimas.

Numerosos testigos y supervivientes de ataques han calculado que los cocodrilos en cuestión debían medir unos 2,5 m de longitud. El peso de estos animales podría ser de unos 100 kg y, en consecuencia, peso por peso, un hombre adulto tendría ciertas posibilidades de sobrevivir al ataque de un cocodrilo de estas dimensiones. Es de suponer que estos cocodrilos eran subadultos o adultos jóvenes. Las lesiones de los supervivientes sugieren también que se trataba de animales de dimensiones medias o pequeñas. Entre las heridas figuraban la amputación de manos, pies y pechos, laceraciones graves y brazos o piernas fracturados.

Sin embargo, los datos de que disponemos sobre ataques mortales de cocodrilos grandes (23 de los 43 ataques investigados) indican que los animales en cuestión eran extremadamente agresivos y feroces. En varios casos, después de que el cocodrilo consiguiera aferrar a su víctima, los compañeros del infortunado atravesaron la piel del animal con lanzas y cuchillos, lo golpearon con palos, le tiraron piedras y le introdujeron estacas en la garganta para que soltara al desgraciado... pero todo fue en vano. En estos ataques, casi nunca fue posible recuperar el cadáver o algún resto de la víctima. Considerando que un cocodrilo adulto grande puede pesar hasta catorce veces más que un ser humano y que es capaz de atrapar y ahogar a búfalos tan pesados como él mismo, resulta claro que una persona que se debate en el agua, fuera de su elemento, tiene pocas posibilidades de sobrevivir al ataque.

En la literatura figuran varios ataques contra canoas y pequeñas embarcaciones. Probablemente, desde su posición en el agua, el cocodrilo ve la silueta o la forma de la embarcación que se aproxima, pero no siempre distingue a sus ocupantes. Es posible entonces que ataque el bote confundiéndolo con otro cocodrilo, con el propósito de defender el territorio o la seguridad de sus crías. Existen casos documentados de embarcaciones hundidas por un cocodrilo, en los que los ocupantes humanos pudieron alejarse nadando y ponerse a salvo, mientras el animal destrozaba la lancha de goma o la canoa sin prestar la menor atención a la tripulación.

Los cocodrilos, como los tiburones, casi nunca se dejan ver antes de atacar. Los ataques son fulminantes, silenciosos y sin previo aviso. Con demasiada frecuencia, en las zonas donde hay cocodrilos los turistas no hacen caso de las señales de advertencia porque no ven el peligro. Por desgracia, cuando se produce un ataque contra seres humanos, las campañas desatadas por el periodismo sensacionalista suelen conducir a una matanza de cocodrilos en la zona. Siempre se culpa al animal y rara vez se habla de la temeridad y la insensatez de la víctima humana.

Para los millones de personas que diariamente conducen el ganado o lo llevan a abrevar a los ríos, que lavan la ropa, se bañan, pescan o conducen barcas y

T. Pooley

canoas en aguas africanas, el cocodrilo es un hecho de la vida, un riesgo natural, y asumen una actitud fatalista ante la posibilidad de un ataque. Después de todo, los cocodrilos vivían ya en los ríos y lagos de África unos 70 millones de años antes de que el hombre apareciera en escena. Como los tiburones en el mar, también los cocodrilos tienen derecho a vivir en sus dominios.

◄ Un grupo de mujeres de la tribu tembe-thonga, en Maputaland, junto a la frontera de Zululandia y Mozambique, se disponen a pescar, conscientes de que hay cocodrilos en las lagunas y llanuras aluviales de la región. Consideran, erróneamente, que los grandes grupos constituyen una garantía de seguridad y que el ruido asusta a los cocodrilos.

▼ Mucho más pesado que un ser humano, un cocodrilo adulto, como este cocodrilo marino capturado en Sumatra, Indonesia, es perfectamente capaz de matar y devorar a un hombre adulto. Los restos desmembrados hallados en el estómago de este cocodrilo son una prueba fehaciente de la habilidad del cocodrilo para reducir su presa a trozos de tamaño manejable.

John Lever/Koorana Crocodile Farm

Killer crocs no joke in town gripped by fear

▲ Las noticias aparecidas en la prensa norteamericana y australiana sobre ataques de cocodrilos y caimanes suelen dar como resultado un aumento de las quejas contra estos animales y de los llamamientos para exterminarlos, al menos en las áreas pobladas. Cuando las noticias pasan, el furor del público se calma momentáneamente.

▼ Sin el menor signo de agresividad, un aligátor americano pasa tranquilamente junto a un grupo de turistas, en los Everglades de Florida. Fuera del agua, el elemento de sorpresa se pierde y los ataques son poco probables.

Martin W. Grosnick/Ardea London

ATAQUES DE CAIMANES EN FLORIDA

Los primeros exploradores que llegaron a Florida consideraban al aligátor americano como una constante amenaza de muerte. Se dice que los indios hacían guardia día y noche para prevenir los ataques de los terribles aligatores. A finales del siglo XVIII, el explorador William Bartram describió un encuentro con tres grandes caimanes, que atacaron su embarcación mientras recorría el río Saint John. En época más reciente, en 1953, R. L. Ditmars informó que «desde la oleada de exterminio [hacia 1900], el caimán se ha refugiado en los canales y pantanos más alejados (...) [y ahora] demuestra gran timidez hacia el hombre (...), tan grande es su temor que actualmente es posible bañarse sin riesgos en aguas habitadas por caimanes». De hecho, no existen informes científicos que documenten ataques de caimanes antes de 1977, aun cuando el organismo competente —la Comisión de Caza y Pesca Fluvial de Florida— ha reunido recortes de periódicos referidos a ataques que se remontan a 1948.

Aunque los primeros registros no son tan buenos como los actuales, resulta evidente que los ataques de caimanes en Florida fueron en aumento desde finales de los años sesenta hasta mediados de los setenta. A principios de los años setenta se registraron nada menos que 14 ataques por año y, desde 1973, hubo seis víctimas mortales. En otras varias ocasiones, la persona atacada sufrió heridas graves, aunque en la mayoría de los casos las lesiones fueron de menor consideración.

Desde finales de los sesenta (cuando la población de caimanes llegó a su nivel mínimo) hasta principios de los setenta, el número de caimanes aumentó en Florida. Durante este periodo, el Estado experimentó asimismo un notable crecimiento de la población humana y gran parte del desarrollo consiguiente tuvo lugar en los alrededores de las zonas pantanosas. Los conflictos entre seres humanos y caimanes recibieron gran atención por parte de la prensa durante esta época, y casi todos los episodios en los que participaron caimanes aparecieron en las noticias. Casi todos los ataques de caimanes dentro de los límites del Estado fueron comunicados además a la Comisión de Caza y Pesca Fluvial de Florida, que realizó una investigación sobre cada uno de los informes.

En consecuencia, a partir de mediados de los setenta, los ataques de caimanes en Florida están muy bien documentados. Paralelamente, el gobierno estatal inició un programa intensivo de investigación sobre los caimanes, uno de cuyos objetivos era estudiar las circunstancias que rodeaban a los ataques.

La primera muerte documentada como resultado de un ataque se produjo en agosto de 1973, cuando una joven de 16 años fue muerta por un caimán mientras nadaba con su padre en el condado de Sarasota, en Florida. Durante este mismo periodo (1968-1973) aumentaron las quejas contra los caimanes; para 1976, la Comisión de Caza y Pesca Fluvial de Florida recibía 5.000 quejas al año por los problemas planteados por los caimanes, considerados una amenaza para la vida y la propiedad. Atendiendo a estas quejas, la Comisión inició un programa por el que permitía a los tramperos cazar a los animales sobre los que se habían recibido reclamaciones.

Este programa permitió localizar a muchos animales potencialmente problemáticos y tuvo como consecuencia la caza y destrucción de unos 2.000 caimanes al año. Actualmente, el número de quejas y de animales cazados se ha estabilizado. También el número de ataques parecía haberse estabilizado cuando, en 1986, estuvo a punto de batirse el récord de los años anteriores, con 13 episodios registrados. Recientemente se produjeron dos trágicos ataques mortales: un submarinista resultó muerto en una popular zona turística del norte de Florida, en 1987, y una niña fue muerta por un caimán cerca de una zona residencial, al sur de Florida, en 1988. Cuando se producen incidentes de este tipo, las quejas aumentan espectacularmente.

¿POR QUÉ ATACAN LOS CAIMANES A LOS SERES HUMANOS?

El caimán es un cazador primitivo e impredecible, por lo que todo intento serio de responder a la pregunta de por qué ataca a los humanos debe contener necesariamente un gran componente de especulación. Existen amplias pruebas de que, en determinadas circunstancias, los caimanes son capaces de cazar a seres humanos con el fin de devorarlos y están dispuestos a hacerlo. Los hechos que rodean todos los ataques con consecuencias graves registrados en Florida desde 1973 revelan que, cuando fue posible averiguarlo, la víctima no advirtió la presencia del caimán hasta el último momento o, más frecuentemente, hasta que el animal había iniciado el ataque. En todos los casos, la víctima estaba, por lo menos parcialmente, en el agua con el caimán. Parece ser que en la mayoría de estos ataques la víctima fue cazada al acecho, lo que sugiere que las agresiones estuvieron motivadas por el hambre. Aun así, considerando los miles de contactos entre caimanes y seres humanos que se producen diariamente, es preciso reconocer que se trata de un comportamiento infrecuente.

Los estudios sobre la dieta de estos animales indican que los caimanes son básicamente piscívoros, pero también devoran anfibios, aves y pequeños mamíferos de vez en cuando. Por lo que se sabe, no es frecuente que los caimanes capturen animales de las dimensiones de los seres humanos. Sin embargo, son muy oportunistas y están dispuestos a atrapar lo que se halle a su alcance, si lo encuentran en su hábitat. En las haciendas de Florida, los caimanes devoran terneros y perros de todos los tamaños, y se ha observado que son capaces de atrapar y devorar cerdos de hasta 45 kg de peso y cabras grandes. Por lo tanto, es probable que los caimanes más grandes no descarten a seres humanos como posible componente de su dieta. Por la información disponible, las personas más expuestas a los ataques son los niños y los individuos de menor peso y altura.

En los medios de información se suele aludir a la protección de los nidos por parte de las hembras y a la defensa del territorio por parte de los machos, como posibles razones de los ataques de los caimanes. De hecho, las hembras defienden ocasionalmente sus nidos de los intrusos y a veces se comportan agresivamente cuando consideran que sus crías están amenazadas, pero estas conductas son por lo general de corta duración,

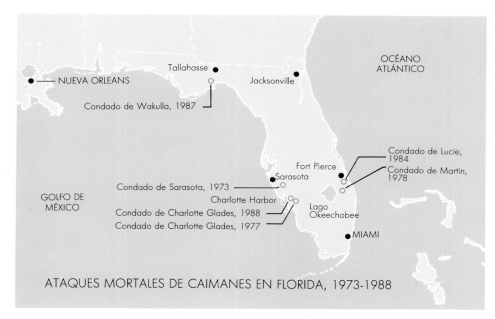

ATAQUES MORTALES DE CAIMANES EN FLORIDA, 1973-1988

sobre todo si la persona atacada se defiende, golpeando a la hembra en cuestión con un palo en el hocico. (En raras ocasiones, he visto a hembras tan agresivas en su defensa del nido que he tenido que escapar a toda prisa y, una vez, una hembra me siguió y se encaramó a mi embarcación.) Por lo general, la hembra que defiende el nido o las crías ofrece todo tipo de advertencias, con gran despliegue de conductas defensivas, como abrir la boca amenazadoramente y silbar, antes de atacar.

Las conductas agresivas por parte de los machos son menos corrientes y más difíciles de clasificar. En algunas ocasiones, los machos grandes asumen actitudes defensivas contra helicópteros en vuelo rasante, y a veces hinchan el cuerpo y arquean la cola, en una actitud inequívocamente agresiva, cuando observan que una pequeña embarcación se les aproxima. En estos casos, aun cuando el animal finalmente ataque, el despliegue previo permite ponerse a salvo.

Una de las preguntas que suelen plantearse es si el contacto frecuente con seres humanos vuelve más peligroso a los caimanes. Los aligatores fueron perseguidos en Florida desde los primeros años de la exploración hasta finales de los sesenta. Hasta 1969, año en que se aprobó

▲▼ Las señales de advertencia están allí por una buena razón. Alimentar a los caimanes en libertad («Muerdo la mano que me da de comer») hace que los animales asocien la comida con los seres humanos (arriba). La cabeza del caimán que pasa nadando resulta más eficaz que el cartel («Prohibido bañarse», abajo), pero por lo menos la señal está siempre visible.

▶ Los caimanes que viven sin ser molestados en su propio ambiente no suelen temer a los seres humanos. En principio, es más probable que uno de estos caimanes ataque a una persona, que otro que tenga experiencias previas de acoso y molestias por parte de cazadores o científicos.

Jeff Simon/Bruce Coleman Ltd.

una ley reguladora (el Acta Lacey), fueron objeto de una caza comercial bastante indiscriminada. Esta ley constituyó el primer control eficaz contra la caza ilegal de los caimanes. En 1973 se aprobó en Estados Unidos una ley de protección de las especies en peligro y, como consecuencia de esta ley y de la anterior, los caimanes pudieron disfrutar de más protección que nunca hasta entonces. El aumento de su número fue inmediato, aunque en retrospectiva resulta claro que, además de un incremento real de la población, el aumento aparente se debió en parte a que los caimanes comenzaron a ser más visibles, debido a la menor persecución.

Sobre la base de la experiencia científica de capturar animales con fines de investigación y de la caza

controlada, se sabe que los caimanes se vuelven muy cautelosos cuando son acosados. En cambio, en las localidades donde viven sin ser molestados, no es frecuente que traten de huir ante la mera presencia humana. En estas circunstancias, es posible especular que los ejemplares grandes, acostumbrados a la presencia humana, pueden ser más peligrosos que los que sienten temor por las personas. En algunos lugares, en ciertos campamentos de pesca, parques públicos y lagos, la gente llega al extremo de alimentar a los caimanes. Esta práctica se cita a menudo como una de las posibles causas de los ataques. Si bien no existen casos documentados en este sentido, es indudable que esta costumbre podría ser un factor coadyuvante.

ATAQUES NO PROVOCADOS DE CAIMANES CONTRA SERES HUMANOS EN FLORIDA

Año	Ataques	Año	Ataques	Año	Ataques
1948-59	4	1977*	14	1983	6
1959-72	6	1978*	5	1984*	5
1973*	3	1979	2	1985	3
1974	4	1980	4	1986	13
1975	5	1981	5	1987*	8
1976	2	1982	6	1988*	5

* incluye muertes

▲ Este cocodrilo fue aparentemente el responsable de la muerte de dos niñas en la localidad australiana de Pindi Pindi, Queensland, en 1933. Las niñas desaparecieron cuando se dirigían a la escuela a caballo. Una de ellas fue encontrada ahogada poco después, mientras que los restos de la otra fueron hallados en el vientre del cocodrilo fotografiado aquí con sus cazadores.

▶▼ Por aprovechar la comida que indirectamente le proporcionaban las prácticas de inhumación, los gaviales se ganaron una reputación probablemente injustificada de asesinos. Actualmente existen pocos gaviales en libertad y la mayoría de los contactos entre gaviales y seres humanos se producen en condiciones de cautividad (derecha). En cambio, todavía abundan bastante los cocodrilos marinos en libertad. Estos pescadores australianos entregados a su afición en el Parque Nacional de Kakadu, escenario de anteriores ataques, no pueden esperar que el cocodrilo que pasa nadando frente a ellos sea tan amistoso como un gavial.

ATAQUES EN EL SUDESTE ASIÁTICO Y EN AUSTRALIA

En el sudeste asiático y en Australia viven varias especies de cocodrilianos de impresionante tamaño. En la región viven también millones de personas, muchas de las cuales llevan una vida sencilla y primitiva, cerca de los ríos. Estas condiciones serían suficientes para prever pérdidas de vidas humanas a gran escala, y parece ser que así ha sucedido en toda la región desde que los dos grupos comenzaron a compartir el hábitat.

Existen informes históricos sobre cientos de muertes ocurridas todos los años en la India, como consecuencia de ataques de cocodrilos palustres e incluso gaviales (*Gavialis gangeticus*), acostumbrados a devorar restos humanos por la práctica religiosa de incinerar a los muertos a orillas de los ríos o dejarlos ir sobre barcas a la deriva. Si realmente se perdieron muchas vidas humanas en la India, punto que resulta bastante dudoso, lo cierto es que hoy esto es cosa del pasado, ya que las poblaciones de cocodrilianos del subcontinente han quedado drásticamente reducidas. En la actualidad hay muy pocos ejemplares grandes en libertad.

Por el contrario, en los archipiélagos de Indonesia, Filipinas y Nueva Guinea, así como en la península malaya y en la cercana Australia, existen pruebas de que los cocodrilos han cobrado siempre gran cantidad de víctimas entre los pobladores de la costa. Sin embargo, los problemas de contacto entre comunidades aisladas y las difíciles comunicaciones constituyen un obstáculo para establecer estadísticas exactas sobre el número de muertes y sobre la fecha o las circunstancias en que se produjeron. En los casos en que existen fuentes de información fidedignas, el panorama es de un permanente acoso de los cocodrilos contra los habitantes de la costa e incluso de situaciones en que comunidades enteras han vivido aterrorizadas durante largos periodos.

Un misionero en una aldea al norte de Irian Jaya informó que al menos 62 de los pobladores de la aldea habían resultado muertos o gravemente mutilados por un único cocodrilo en los años sesenta. En el río Lupar, en Sarawak, se produjeron entre 1975 y 1984 seis ataques mortales y numerosas agresiones en las que las víctimas sobrevivieron. En la diminuta isla de Siargao, cerca de Mindanao, en Filipinas, nueve pobladores han muerto en los últimos años, todos víctimas probablemente del mismo cocodrilo.

De los diversos cocodrilianos que viven en la región, la especie más peligrosa para el ser humano es el cocodrilo marino, que alcanza hasta 7 m de longitud y es sumamente móvil y adaptable. Además, una vez que ha alcanzado la madurez, no tiene enemigos, excepto sus congéneres y los cazadores. A medida que el cocodrilo marino crece, aumenta también el porcentaje de mamíferos en su dieta. Un ejemplar de unos 5 m de longitud suele estar acostumbrado a matar cerdos y, ocasionalmente, reses, búfalos y caballos. Existen informes fidedignos acerca de leopardos muertos por cocodrilos. Excepto en los casos en que haya sido acosado por cazadores, no hay razón para creer que un animal de estas características vaya a considerar a un ser humano que ingrese en su territorio como cualquier otra cosa que no sea comida.

El cocodrilo marino es bastante ágil en tierra y puede desplazarse a distancias considerables cuando es necesario. También es capaz de efectuar breves carreras veloces. Sin embargo, el agua es su elemento y al agua vuelve cuando se siente amenazado o cuando se prepara para matar. A veces se puede observar este tipo de comportamiento en los parques zoológicos. Cuando se acerca una potencial merienda, como un pájaro o un perro, es posible que un cocodrilo que parecía dormir junto al estanque se deslice rápida y silenciosamente hacia el agua. Para el momento en que la supuesta «merienda» se pone casi a su alcance, no hay la menor señal de peligro, ya que el cocodrilo la observa atentamente sumergido en el agua. Si el intruso se aproxima lo suficiente, el cocodrilo entra rápidamente en acción y lo atrapa en un abrir y cerrar de ojos, como si fuera un misil lanzado desde una base submarina. El reptil aferra con las mandíbulas a la presa por la cabeza, el hocico, una pata o cualquier parte del cuerpo que esté a su alcance. Si el impacto de este primer contacto no es suficiente para incapacitar a la víctima, el cocodrilo trata de arrastrarla hasta el agua. En ese momento, puede recurrir al famoso «giro de la muerte» para que la infortunada víctima pierda el equilibrio y caiga indefensa. Una vez que el enfrentamiento se ha desplazado al agua, todas las ventajas están del lado del cocodrilo y la víctima muere ahogada o despedazada entre los dientes del reptil.

Peter Reimers, de 32 años de edad, muerto por un cocodrilo cerca de Weipa, al norte de Queensland, fue aparentemente víctima de un ataque «típico». Los agentes de policía que investigaron la muerte de Reimers encontraron el arroyo de aguas poco profundas donde el infortunado había decidido desnudarse y darse un baño

Australian Picture Library

para refrescarse. Encontraron también marcas que indicaban que un cocodrilo había estado tumbado en la ribera cercana y que probablemente se había deslizado hacia el agua al oír que el hombre se acercaba. En cuanto Reimers se metió en el agua, el animal lo atrapó y lo mató. Si en lugar de un hombre se hubiera aproximado un cerdo o un canguro al arroyo, el resultado habría sido seguramente el mismo.

Cuando un cocodrilo mata a una víctima que no puede tragar entera, parte el cuerpo en trozos manejables con violentas sacudidas de la cabeza y el cuello. Durante este

◄ A la vista de la comida, este cocodrilo marino en el río Adelaida, en Australia, sale estrepitosamente del agua, dejando expuesto casi todo su cuerpo. La práctica de alimentar a los cocodrilos con la mano es lisa y llanamente una insensatez, ya que nadie puede esperar que el animal —sea o no agresivo— diferencie entre la comida y la mano que se la ofrece.

▼ Ignorando una clara advertencia de peligro, este grupo se ha internado en un elemento donde el cocodrilo marino es el «rey», mientras que ellos, incluso con un fusil listo para disparar, no lo son en absoluto. Si un cocodrilo los ataca, no lo hará porque prefiera a los seres humanos, sino porque están a su alcance.

Mirror Australian Telegraph Publications

► Aunque su hábitat primario
es el agua, el cocodrilo marino es
suficientemente competente en tierra
y es capaz de recorrer distancias cortas
a considerable velocidad. Su naturaleza
agresiva, combinada con su amplia
distribución por todo el Pacífico y el
sudeste asiático, lo iguala con el
cocodrilo del Nilo como potencial
asesino de seres humanos.

E.R. Degginger/Animals Animals

▼ Los cocodrilos marinos adultos son territoriales y defienden su territorio contra cualquier intrusión, incluso contra las embarcaciones. Una mujer que vivía en esta localidad australiana, sobre el río Daintree, y que se había adentrado en el agua apenas hasta los tobillos, fue muerta por un gran cocodrilo macho en diciembre de 1985.

Hugh Edwards

proceso, el animal mantiene el cuerpo de la víctima por encima de la superficie del agua y lo zarandea hasta partirlo en pedazos. Si la víctima es grande, el cocodrilo separa del tronco las extremidades y a veces la cabeza y procede a devorar los trozos que mejor se adaptan a las dimensiones de su boca. Las patrullas que buscan a las víctimas humanas de los cocodrilos suelen encontrarse con los horripilantes restos del festín: jirones de ropa y miembros destrozados, dispersos por el sitio del ataque y en ocasiones enganchados en ramas colgantes.

Si bien los cocodrilos se alimentan a veces de carroña, por regla general prefieren comer carne fresca en cuanto matan a su víctima. Hay pocas pruebas que apoyen la teoría de que los cocodrilos almacenan los cadáveres de los animales cazados en sus «madrigueras» para devorar la carne putrefacta.

No todos los ataques de cocodrilos marinos contra seres humanos están motivados por el hambre. Por ejemplo, se sabe de casos en los que una persona encontró accidentalmente un cocodrilo y resultó herida cuando el animal trataba de escapar. En ciertas circunstancias, los seres humanos pueden ser atacados por error, por ejemplo, cuando un cocodrilo trata de atrapar un pez o de devorar a un perro. Apenas recuperado de la experiencia, un pescador del norte de Queensland contó que un cocodrilo de cerca de 3 m de longitud le había arrebatado un pez de las manos cuando lo estaba limpiando junto a un arroyo. El reptil pudo haberse llevado la mano del pescador junto con el pez, pero afortunadamente no fue así.

El instinto de defensa del territorio parece haber sido la causa de muchos ataques bien documentados de cocodrilos marinos. La hembra suele proteger su nido hasta el extremo de atacar a las personas que se acercan demasiado. Sin embargo, no hay casos registrados de ataques mortales por parte de una hembra en época de nidificación. La defensa del territorio en el caso de los machos puede ser mucho más peligrosa, sobre todo durante la temporada de apareamiento. El macho defiende su territorio enérgicamente contra otros machos

y es posible que esta actitud se extienda más allá de los rivales reptilianos, para incluir a los seres humanos y, más probablemente, a las pequeñas embarcaciones que se adentran en su territorio. Resulta fácil suponer que la forma de las embarcaciones, en particular de las canoas, pueda desencadenar la misma respuesta por parte de un cocodrilo que la suscitada por un rival. Existen numerosos relatos de cocodrilos que atacan este tipo de embarcaciones, sin demostrar el menor interés por sus ocupantes, que caen al agua durante el encuentro. Informes australianos recientes ofrecen algunos interesantes ejemplos de agresiones de cocodrilos contra barcas. En los años setenta, un gran cocodrilo macho, que llegó a ser conocido con el nombre de *Sweetheart* («Cariño» o «Encanto»), atacó una serie de embarcaciones en una zona del río Finniss, cerca de Darwin. Estimulado aparentemente por el ruido de los motores, el animal causó daños y hundió varias lanchas, pero los ocupantes resultaron ilesos, aun cuando los ataques del reptil los lanzaran al agua. En 1985, Val Plumwood, una profesora de universidad, recorría en canoa un riachuelo del Parque Nacional de Kakadu, cuando un cocodrilo golpeó la canoa amenazadoramente. Cuando Plumwood trató de ponerse a salvo, el animal la atacó. Afortunadamente consiguió escapar, aunque resultó gravemente herida.

Los motivos de cada ataque en particular no siempre son sencillos. Es posible, por ejemplo, que un cocodrilo ataque a un intruso para defender su territorio y luego, una vez muerta la víctima, decida devorarla.

En un estudio reciente realizado en Australia, se investigaron todos los informes fidedignos de ataques de cocodrilos contra seres humanos. Entre los casos suficientemente documentados, la mayoría de los ataques se habían producido en los meses más calurosos del año y por la tarde. Si bien esta distribución estacional refleja una mayor actividad sexual y de alimentación por parte de los cocodrilos, probablemente refleja también el aumento en el número de personas que utilizan con fines recreativos los ríos y riachuelos de las zonas donde viven los cocodrilos.

Para comprobar si los cocodrilos asesinos devoraban realmente a sus víctimas, el estudio consideró 27 casos de ataques mortales. En 16 casos se encontraron pruebas fehacientes de que la víctima había sido total o parcialmente devorada; en otros ocho casos, el cocodrilo se llevó el cadáver, que nunca pudo llegar a recuperarse y probablemente fue devorado, y en los tres casos restantes el cuerpo de las infortunadas víctimas fue recuperado intacto.

Lamentablemente, son muy escasos los datos existentes sobre los ejemplares individuales que han atacado a seres humanos. El estudio australiano sólo encontró 37 casos en los que había información digna de crédito sobre el cocodrilo en cuestión. En 17 de estos 37 casos habían participado animales descritos como de más de 4 m de longitud, probablemente machos, ya que pocas hembras alcanzan estas dimensiones, mientras que en otros 15 casos, los cocodrilos medían menos de 4 m. Cocodrilos de apenas 2 m de longitud han protagonizado aparentemente ataques no provocados contra seres humanos en Australia.

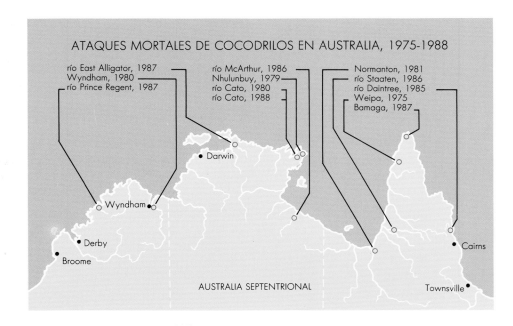

ATAQUES MORTALES DE COCODRILOS EN AUSTRALIA, 1975-1988

río East Alligator, 1987
Wyndham, 1980
río Prince Regent, 1987

río McArthur, 1986
Nhulunbuy, 1979
río Cato, 1980
río Cato, 1988

Normanton, 1981
río Staaten, 1986
río Daintree, 1985
Weipa, 1975
Bamaga, 1987

• Darwin

• Wyndham

• Derby

Broome

AUSTRALIA SEPTENTRIONAL

• Cairns

Townsville •

MEDIDAS DE SEGURIDAD PARA TURISTAS QUE VISITEN ZONAS HABITADAS POR COCODRILOS

A. C. (TONY) POOLEY

1. Las señales de advertencia sobre el peligro de cocodrilos o caimanes se instalan por una buena razón. Si ve una en un muelle, en la ribera de un río o a orillas de un lago... **¡obedezca!** Recuerde además que los niños pequeños no pueden leer los carteles; la responsabilidad es suya.

2. Cuando pase las vacaciones en una zona donde pueda haber cocodrilos o caimanes, pregunte si resulta seguro remar, nadar, pescar o navegar en la región.

3. Recuerde que los cocodrilos no suelen verse; son cazadores silenciosos, furtivos y eficaces, que atacan de manera fulminante. Para pescar, sitúese por lo menos a 3 m del borde del agua y bastante más lejos por la noche. Si observa esta precaución, la probabilidad de ser atacado se reducirá sustancialmente. Si un sedal se enreda en los juncos, los nenúfares o las algas, no deje que nadie se meta en el agua para desenredarlo. Una vida humana vale mucho más que un trozo de cuerda de nailon y un anzuelo.

4. No deje que los niños se bañen ni jueguen cerca del agua en zonas donde exista una mínima sospecha de que pueda haber cocodrilos o caimanes.

5. No caiga en el error de creer que el ruido asusta a los cocodrilos. Todo lo contrario, el ruido los alerta acerca de la presencia de una posible víctima, animal o humana, y probablemente la clase de víctima les importará muy poco, llegado el caso.

6. No se confíe. No crea que una laguna poco profunda, un canal de riego o un estanque es un sitio seguro para usted, su familia y sus animales de compañía. Aun cuando la laguna se encuentre a varios kilómetros del río o el lago más cercanos, los cocodrilos y caimanes son capaces de salvar las distancias por tierra. Un cocodrilo grande puede permanecer sumergido en apenas 30 cm de agua durante bastante más de una hora.

7. Si su perro se resiente del calor y jadea, no deje que se bañe; llévelo hasta la fuente o el grifo más próximos.

8. No deje nunca cadáveres de animales ni pescado que considere no comestible cerca de lagunas o ríos donde la gente nade, reme o pesque. Deshágase de los desperdicios de la forma más higiénica posible.

9. No limpie el pescado desde una barca o un muelle, tirando los restos al agua. Los restos de pescado y el cebo no utilizado atraerán a los cocodrilos, que tal vez acaben por atacarle a usted y a sus acompañantes.

10. Cuando navegue, no permita bajo ningún concepto que nadie deje colgar las piernas sobre el agua en los lugares donde haya cocodrilos o caimanes. Asegúrese de que todos los pasajeros estén sentados en los asientos de la embarcación y no permita que nadie se siente sobre la borda.

11. Si descubre una cría de cocodrilo o caimán nadando por el agua o tomando el sol en la ribera de un río, aléjese del sitio y, sobre todo, no trate de capturarla; los adultos pueden estar muy cerca. (De todos modos, es ilegal capturar o matar crías de cocodrilo o recoger huevos sin una licencia.)

12. Los disparos con armas de fuego contra el agua para alejar a los cocodrilos antes de vadear una corriente no son una garantía de seguridad. El volumen de sonido producido no viaja muy lejos bajo el agua.

13. Los ojos de los cocodrilos y caimanes resplandecen con un brillo rojo por la noche, pero el hecho de no observar este resplandor al recorrer una zona con una linterna no significa que no haya cocodrilos en el área. Puede que haya uno sumergido debajo de un muelle o de su propia embarcación.

14. No pasee por la noche sin una linterna, si está pescando o acampando cerca del borde del agua.

15. Las investigaciones demuestran que cuando un cocodrilo ha atacado y matado a una víctima en un sitio donde la gente acude diariamente, suele regresar una y otra vez para repetir los ataques. A menudo basta con levantar una sencilla barrera de troncos y ramas para ofrecer la protección necesaria frente a los cocodrilos y prevenir nuevas tragedias.

► ▲ Las señales de advertencia sobre el peligro de los cocodrilos abundan en el norte de Australia (arriba, a la izquierda), pero no siempre resultan comprensibles para los niños o los turistas que no sepan inglés. Por esta razón, las organizaciones conservacionistas recurren a los pictogramas para señalar el peligro (arriba). Su principal objetivo es salvar vidas humanas, al tiempo que protegen al autóctono cocodrilo marino.

ARTÍCULOS DE PIEL DE COCODRILO

KARLHEINZ H. P. FUCHS, CHARLES A. ROSS,
A.C. (TONY) POOLEY Y ROMULUS WHITAKER

A lo largo de la historia, el aprovechamiento de los cocodrilos ha sido más bien modesto: partes del animal se utilizaban sobre todo como alimento o con fines medicinales o religiosos. Los indios del sudeste de Estados Unidos, los aborígenes de Australia y los pueblos tribales de la India y Nueva Guinea comían carne de cocodrilo o de caimán si podían conseguirla. En ciertas regiones de China y del sudeste asiático, los escudos dorsales, los órganos internos y el almizcle de los cocodrilos se apreciaban por sus propiedades medicinales o se utilizaban para fabricar perfume. En el norte de Filipinas, en Borneo y en la península de Malaca, los dientes y las uñas de cocodrilo se utilizaban como ingrediente de pociones supuestamente mágicas. En Nueva Guinea, los cocodrilos desempeñaban un importante papel en la vida de los pobladores de las tierras bajas, las marismas y las ciénagas, que adornaban sus hogares con cráneos de cocodrilo decorados y otros objetos relacionados con estos animales. En muchas regiones del mundo, los collares de dientes de cocodrilo o de caimán llegaron a ser sumamente valiosos.

Sin embargo, sólo a partir de la revolución industrial en Europa, con la consiguiente colonización y la expansión de la influencia anglosajona hacia regiones hasta entonces remotas, la utilización de los cocodrilos por su piel llegó a convertirse en un «gran negocio».

UTILIZACIÓN COMERCIAL DE LOS ALIGATORES AMERICANOS

Es escasa la información existente sobre las cifras reales de la caza de cocodrilianos para aprovechar su piel en el siglo XIX y principios del XX, y los pocos datos disponibles se refieren al aligátor americano (*Alligator mississippiensis*). La explotación «comercial» de este caimán comenzó a finales del siglo XVIII, época en que John James Audubon aludió al uso de pieles de aligátor para fabricar morrales, botas y zapatos. El mercado local era insignificante, y los pobladores de la zona tenían la costumbre de matar a todos los caimanes que encontraban, por considerarlos alimañas o por mero deporte, más que por su piel.

La matanza sistemática de aligatores americanos para obtener su piel alcanzó su punto culminante durante la guerra de Secesión (1861-1865) e inmediatamente después, cuando la piel de caimán llegó a tener gran demanda para la fabricación de calzado y, más adelante, de maletas, carteras, cinturones, estuches de baraja y otros artículos. Las estadísticas sobre el comercio en este periodo son fragmentarias y anecdóticas, pero es evidente que se cazaban grandes cantidades de caimanes. En 1888, diez cazadores de la región de Cocoa, en Florida, consiguieron 5.000 pieles; como era de esperar, las piezas cobradas disminuyeron en un 50 % al año siguiente. Unos años antes, uno de estos cazadores había matado 800 caimanes en una sola temporada, mientras que otro había cobrado 42 en una sola noche. En otras zonas de Florida, hacia 1890, era corriente que un solo cazador consiguiera entre 200 y 400 pieles por temporada, y en todo el Estado había varios compradores de pieles. Estos mayoristas vendían las pieles sobre todo en Nueva York y, en algunos casos, el volumen de sus negocios rozaba las 60.000 pieles anuales. Paralelamente, había un floreciente comercio de crías embalsamadas y vivas, así como un mercado menor de dientes de caimán.

La demanda norteamericana de pieles de caimán superó rápidamente la capacidad de la oferta nacional y, antes de 1900, los empresarios salieron a buscar nuevas fuentes de aprovisionamiento en México y América Central. Estas pieles, de cocodrilos auténticos (género *Crocodylus*), se distinguían fácilmente de las pieles de aligátor americano, pero aun así todas se comercializaban como piel de caimán. A principios de este siglo, la producción anual de las curtidurías estadounidenses era de casi un cuarto de millón de pieles, y también en Europa había grandes curtidurías. Por esta época, el caimán de anteojos (*Caiman crocodilus*) todavía no se cazaba por su piel, ya que era de calidad inferior, pero curiosamente ya se comercializaba piel de cocodrilo de imitación.

A principios del siglo XX, la moda imponía que la mayor parte de las pieles de caimán y cocodrilo se utilizara en Estados Unidos para la fabricación de bolsos de señora y cinturones de caballero, además de calzado. Un artículo aparecido en un periódico de 1907 informa que una empresa de Luisiana compraba y vendía hasta medio millón de pieles al año y que estas pieles se utilizaban, entre otras cosas, para encuadernar libros y tapizar sillas y sillones. En 1925 y 1926, los mayoristas de Luisiana compraron 22.000 y 36.000 pieles, respectivamente y, durante el mismo periodo, aproximadamente 10.000 pieles se compraban y vendían anualmente en el estado de Georgia. También aumentó la demanda de las duras pieles dorsales (*hornback*) y, puesto que el suministro de aligatores americanos y cocodrilos de América Central estaba disminuyendo, los mayoristas buscaron nuevas fuentes de aprovisionamiento en África y en Asia.

Julian A. Dimock / Cortesía del Department of Library Services, American Museum of Natural History

◄ Cazados tradicionalmente por su carne y con fines rituales, los cocodrilianos sólo comenzaron a sufrir una persecución indiscriminada a finales del siglo XIX, cuando empezó a apreciarse la calidad de las pieles de cocodrilos, aligatores y caimanes. Al principio, la caza comercial corría a cargo de los pobladores autóctonos, como estos indios norteamericanos, en pleno trabajo en los marjales de Florida.

Los registros comerciales de Florida indican que si bien en 1929 se habían comprado y vendido 190.000 pieles, para el año 1934 la cifra había descendido a 120.000. El comercio en Florida siguió retrayéndose hasta 1943, año en que sólo se comercializaron 6.800 pieles. En 1944, el estado de Florida aprobó una ley para proteger a los caimanes durante la estación reproductora e impuso la prohibición de matar caimanes de menos de 1,2 m de longitud. En 1947 se comercializaron en el Estado 25.000 pieles.

CAZA Y CAZADORES

A partir de la Segunda Guerra Mundial, la caza de cocodrilianos por su piel se extendió a todas las regiones tropicales. Hacia mediados de los años cincuenta, África Occidental exportaba anualmente casi 60.000 pieles de cocodrilo del Nilo (*Crocodylus niloticus*), pero la caza de cocodrilos en África se remonta a una época muy anterior. Por desgracia, no disponemos de datos sobre la mayoría de las regiones del continente africano. En el Transvaal y en Natal, los cazadores sólo llevaban registros aproximados de los cocodrilos y pieles exportados o vendidos dentro de la región. Las curtidurías no tienen o no desean hacer públicos los registros de las pieles compradas en los viejos tiempos, pero las anotaciones de los cazadores y los artículos de prensa ofrecen algunos datos fragmentarios y anecdóticos.

William Charles Baldwin describió la caza de cocodrilos en el río Umfolozi, cerca del lago Santa Lucía, en Zululandia, en 1852. Aparentemente, por aquella época los cocodrilos no se cazaban por su piel, sino por su grasa, que se utilizaba para fabricar velas. Otros cazadores del periodo comprendido entre 1850 y 1900, época en que eran muy numerosos, mataban cocodrilos y daban a los hechiceros locales la grasa y otras partes del animal a cambio de otros productos. En su edición del 2 de julio de 1869, el *Natal Herald* publicó un artículo reproducido de un periódico inglés. Se trataba de un informe breve, pero de tremenda importancia: «Aumenta la demanda de cocodrilos, ya que recientemente se ha descubierto que la piel de los monstruos es ideal para fabricar botines de señora. Suave y flexible por naturaleza, la piel de cocodrilo adquiere además un brillo de charol». Para los cazadores de elefantes, rinocerontes, hipopótamos y antílopes en Natal, surgió entonces el incentivo de cazar cocodrilos para ganar dinero, y no sólo porque eran un peligro y una molestia.

Lógicamente, los cocodrilos se consideraban alimañas y, en 1913, el anuncio gubernamental n.º 77, publicado en la *Government Gazette*, comunicó que, con el fin de exterminar a tan dañinas criaturas, se establecía una recompensa de diez chelines por cada animal muerto y de un *tickey* (2,5 centavos) por cada huevo. Las recompensas podrían reclamarse en la delegación del gobierno más cercana. Como consecuencia, los huevos fueron destruidos por millares, y cantidades ingentes de adultos fueron cazados y muertos durante los años siguientes.

En 1907, Cornish-Bowden ordenó las anotaciones diarias de L. C. von Wissel, inmigrante alemán y comerciante pionero, que se estableció en el distrito de Ndumu hacia 1890. Entre las anotaciones registradas, aparecen las siguientes:

> Las lagunas que bordean el río Pongola estaban infestadas de cocodrilos. Cuando el gobierno anunció que pagaría diez chelines por cada uno, envié una buena cantidad de ejemplares de todos los tamaños —los más pequeños, de 30 cm de longitud— al magistrado de Ingwavuma. Para cazarlos, ponía suficiente veneno (estricnina) para cubrir una moneda de un *tickey* dentro de un trozo de carne, bien atada, y dejaba muchos de estos trozos al borde del agua y sobre las riberas arenosas donde veía rastros de cocodrilos. El método resultó todo un éxito. Hubo un mes en que recibí por este servicio un cheque de setenta y cinco libras. Unos veinte años más tarde, cuando me trasladé a Suazilandia, fui a cazar cocodrilos al río Usutu, donde la recompensa era de veinte chelines. Pero esta vez los beneficios no duraron mucho, porque la administración no se había organizado para semejante exterminio a gran escala.

▶ En 1869, el *Natal Herald* informó que había gran demanda de pieles de cocodrilo, ya que «la piel de los monstruos» era ideal para la industria del calzado. Se inició como consecuencia un exterminio masivo y, para la época en que se impusieron medidas protectoras, más de un siglo más tarde, quedaban pocos «monstruos» tan grandes como este cocodrilo del Nilo de 4,8 m de longitud en el lago Rodolfo, en el actual territorio de Kenia.

Peter Beard

El 11 de octubre de 1935, el *Natal Advertiser* informó que un escocés apodado «Tshaywa-ingwenya» (el que mata cocodrilos), activo en la zona de Ndumu, había matado entre 200 y 300 cocodrilos en tres años (1932-1935), para vender las pieles ventrales. Otros cazadores como él, profesionales y aficionados, siguieron trabajando en toda Zululandia, sobre todo entre 1950 y 1968. Uno de ellos, Percy Jackson, calculó haber cazado unos 1.300 cocodrilos en sus veinte años de cazador aficionado, sobre todo en los ríos de la cuenca del lago Santa Lucía. En distintas entrevistas, otros cazadores afirmaron haber matado alrededor de cien cocodrilos por temporada, entre ellos crías e individuos jóvenes que eran inyectados con formol para ser vendidos como curiosidades. Todos estos cazadores vendían las pieles a una empresa, S. M. Lurie, de Port Elizabeth, en la provincia de El Cabo, que exportaba pieles curtidas y sin curtir. Entre 1956 y 1977, esta empresa adquirió también alrededor de 40.000 pieles a cazadores de la vecina Botsuana.

Con motivo de la explotación y del continuo descenso de la población de cocodrilos en Natal, el Estado decidió finalmente proteger a los animales mediante la Ordenanza de Protección de los Reptiles de Natal, aprobada en 1968, que entró en vigor el 24 de abril de 1969. Además, a causa de la disminución del número de cocodrilos como elemento observable de la fauna, el Consejo de Parques Nacionales de Natal fundó en 1966 una estación experimental de investigación y repoblación de cocodrilos, en la reserva de caza de Ndumu. Esta estación, que funcionó hasta 1975, se dedicó a criar cocodrilos y ponerlos en libertad en los ríos locales.

En la India, la caza de cocodrilos como deporte aparece registrada en los relatos de naturalistas sobre sus experiencias en el subcontinente; además, en todos los antiguos libros *shikari* (de caza) hay un capítulo dedicado al arte de cazar cocodrilos. Dos de las obras clásicas sobre la caza del cocodrilo son *A Few Hints on Crocodile Shooting* (Algunos consejos para cazar cocodrilos con armas de fuego), de W. H. Shortt, publicado en 1921 en el *Journal of the Bombay Natural History Society*, y *Two*

Years in the Jungle (Dos años en la jungla), de Hornaday, libro publicado en 1885, en el que el autor describe su colección de gaviales adultos (*Gavialis gangeticus*) del río Yamuna. Sin embargo, los registros de la caza comercial en la India son escasos.

Varias tribus de cazadores-recolectores (la mayoría de las cuales siguen practicando alguna forma de caza) fueron probablemente la principal fuente de suministro de la industria peletera, inducidas por lo general a cazar cocodrilos por intermediarios procedentes de los centros donde se encontraban las curtidurías. Los principales centros de comercio y curtimbre de pieles en la India eran Kanpur y Calcuta, al norte, y Hyderabad, Mysore y Madrás, al sur. Grupos de cazadores de Uttar Pradesh se desplazaban a los estados vecinos para cazar cocodrilos durante la estación seca. Los métodos más utilizados consistían en utilizar ganchos o anzuelos envueltos en un cebo o en atrapar a los cocodrilos dentro de sus galerías. En Bihar, parece ser que los pescadores del río Ghagra cazaban gaviales enterrando grandes anzuelos, atados a largas sogas, en la arena donde los animales tomaban el sol. Cuando los gaviales salían del agua, los pescadores, que los esperaban a cierta distancia, tiraban de las sogas y atrapaban a los gaviales con los anzuelos por el vientre. Otro método consistía en sumergir redes en el agua junto a los sitios donde los reptiles solían tomar el sol.

En el territorio de Sind (que actualmente forma parte de Pakistán), los cazadores de cocodrilos se sumergían en las lagunas saladas y ataban cuerdas alrededor de los cocodrilos palustres (*Crocodylus palustris*) escondidos en el fondo. A continuación, el grupo de cazadores izaba el cocodrilo a tierra. Con idéntica temeridad, los cazadores de cocodrilos de Sri Lanka se metían en las madrigueras de los cocodrilos para atar con cuerdas a los animales que encontraban en su interior.

Los cocodrilos marinos (*Crocodylus porosus*) perdieron terreno tan rápidamente en la India, que su práctica extinción de la región puede atribuirse tanto a la destrucción de su hábitat como a la caza comercial directa. En los Sunderbans (Bengala Occidental), hasta la época en que se impusieron medidas de protección, los cazadores profesionales utilizaban arpones y fusiles para cazar cocodrilos marinos, pero la actividad nunca llegó a ser una práctica comercial a gran escala. Entre finales de la Segunda Guerra Mundial y los años setenta, la población de cocodrilos marinos de las islas Andamán y Nicobar (pequeño archipiélago en el golfo de Bengala) fue rápidamente diezmada por un grupo de cazadores. Los dos cazadores más conocidos tenían su base de operaciones en Diglipur, al norte de las Andamán. Uno se llamaba Kesavan y el otro Roy, y se dice que entre los dos mataron alrededor de 2.000 cocodrilos adultos a lo largo de varios años. Quedan ya muy pocos cocodrilos en las islas Andamán, pero ello puede atribuirse tanto a la recolección de huevos como a la caza.

En Filipinas, grandes bandas de cazadores comerciales mataban sistemáticamente a los cocodrilos de todas las extensiones de agua accesibles y, aparentemente, exterminaron muchas poblaciones aisladas de cocodrilos mindoro (*Crocodylus mindorensis*). La caza sistemática de cocodrilos en Nueva Guinea comenzó a mediados de los años cincuenta, y alcanzó su punto máximo unos años más tarde. En casi todas las regiones, las pautas de la caza eran similares. Los cazadores extranjeros llegaban a una zona y cobraban las piezas más apetecibles en las extensiones de agua accesibles, como ríos, estuarios y grandes lagos. A medida que el número de animales en las áreas más accesibles descendía, los extranjeros contrataban a cazadores autóctonos para que buscaran y mataran cocodrilos en las zonas más remotas, adonde las lanchas con motor no podían llegar. A partir de entonces, los cazadores extranjeros actuaban como mayoristas y traficaban con las pieles. A medida que la población de cocodrilos fue descendiendo, también disminuyó el número de mayoristas, muchos de los cuales se trasladaron a regiones más prometedoras. Finalmente, hasta las pieles de cocodrilo menos valiosas llegaron a ser objeto de comercio.

La caza comercial en América del Sur comenzó a finales de los años cincuenta y principios de los sesenta. Los cazadores concentraron sus esfuerzos en el caimán negro (*Melanosuchus niger*), en la cuenca del Amazonas, la única especie de piel semejante a la «clásica». Cuando el caimán negro quedó prácticamente extinguido desde el punto de vista comercial, la industria decidió explotar el caimán de anteojos, sobre todo en la Amazonia y los llanos venezolanos. Actualmente, la mayor parte de la caza va dirigida contra el caimán de anteojos en el pantanal brasileño. La caza se desarrolla desde canoas, con arpones y farolas, y la mayoría de los cazadores son campesinos pobres que ganan muy poco dinero con esta actividad. Las pieles son recogidas por organizaciones de contrabandistas, que las sacan del país. En el pantanal, algunas avionetas descargan drogas y cargan pieles de cocodrilo. La mayoría de los países sudamericanos tienen leyes que prohíben o regulan la caza, pero resulta muy difícil aplicarlas. Las pieles de caimán de anteojos constituyen actualmente el 60 % del volumen del comercio mundial, pero a causa de su inferior calidad representan mucho menos en valor monetario. Por lo general, los contrabandistas se oponen a la caza legal controlada, porque aumenta el precio que tienen que pagar a los cazadores.

La piel sigue siendo el principal producto obtenido de cocodrilos y caimanes; sin embargo, las fases y procesos necesarios para convertir la piel en bruto en los artículos de cuero de gran calidad que llegan finalmente al mercado son largos y complejos.

ESTRUCTURA DE LA PIEL DE COCODRILO

La clave del éxito en la producción de piel de cocodrilo es el conocimiento de la estructura fibrosa del material. Todos los procesos químicos y mecánicos deben tener en cuenta las diferencias morfológicas.

La piel de los cocodrilianos consta de la epidermis (que se elimina en el proceso de pelado o pelambrado), la dermis (el cuero propiamente dicho) y la capa subcutánea o carnosa (que se elimina mediante los procesos mecánicos de descarnado y afeitado). La epidermis, compuesta por la proteína queratina, está constituida por varias capas celulares, que pertenecen a su vez a la capa germinal interior o a la capa córnea exterior. La capa córnea, compuesta por materia muerta de escasa elasticidad, no crece y se muda periódicamente (los cocodrilos no mudan toda la piel de una vez como los otros reptiles, sino que pierden de vez en cuando algunos escudos córneos de su coraza). La dermis, constituida por otra proteína, el colágeno, se caracteriza por la regularidad en la disposición de las fibras; sin embargo, el estrecho entrelazado bidimensional de las fibras dérmicas, particularmente notorio cuando la piel se corta en secciones, hace imposible la producción de piel elástica, por lo que no resulta adecuada, por ejemplo, para la fabricación de guantes.

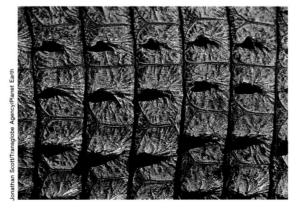

Jonathan Scott/Transglobe Agency/Planet Earth

◄ Las escamas dorsales del cocodrilo del Nilo están constituidas por osteodermos recubiertos de piel. Esta parte de la piel es difícil de procesar y, por lo tanto, rara vez se utiliza, a diferencia de la piel suave que se obtiene de otras partes del cuerpo del reptil.

S. C. Bisserot

◄ Objeto de una gran demanda, la piel de las especies «clásicas» no presenta osteodermos en la zona ventral, por lo que resulta ideal para la fabricación de bolsos de calidad. La dura epidermis protectora se elimina durante el proceso de encalado, y la capa subcutánea, durante el afeitado, por lo que sólo se conserva la capa dérmica.

Karlheinz Fuchs

▲ Las pieles de caimán de anteojos no suelen venderse enteras, sino por partes; las porciones de los costados (abajo) y del buche (arriba) alcanzan los precios más altos. El valor de las pieles ventrales queda determinado por el número y la extensión de los osteodermos.

▲ La piel ventral del caimán almizclado (izquierda) presenta dobles osteodermos (visibles aquí como manchas oscuras) y es menos apreciada que la piel ventral del cocodrilo de Johnston (derecha), que tiene una única fila de osteodermos.

Línea media dorsal

Flanco

CORTE DORSAL

Línea media ventral

Esófago   Vientre   Cola

CORTE VENTRAL

Karlheinz Fuchs

En todos los cocodrilianos, la piel está protegida por placas dérmicas óseas, denominadas osteodermos, formadas sobre todo por el depósito de carbonato y fosfato de calcio en el tejido conjuntivo de la dermis. Los osteodermos están conectados entre sí por una especie de articulaciones, por lo que conservan cierta movilidad. Todos los cocodrilianos presentan osteodermos más o menos desarrollados en la piel del dorso. Sin embargo, para el proceso de producción es preciso distinguir entre pieles con osteodermos dobles, simples o ausentes en la piel ventral, así como entre pieles con escamas pequeñas, medianas o grandes. Para los artículos de cuero y la industria del calzado, las pieles más apreciadas son las del cocodrilo marino, las del cocodrilo siamés (*Crocodylus siamensis*) y las del cocodrilo del Nilo de las regiones de Tanzania y Madagascar, ya que presentan escamas pequeñas o medianas y no tienen osteodermos en el vientre ni en los flancos.

DESOLLADURA Y CONSERVACIÓN

Cuando se procede a la desolladura en el sitio mismo de la caza, el animal muerto se coloca sobre su vientre con las patas extendidas y se le rellenan la boca y la cloaca con hierba seca, para evitar derrames de sangre, orina o excremento. Se practica entonces un corte limpio y recto sobre la línea media del dorso, desde la base del cráneo hasta la punta de la cola (sobre todo en caso de pieles pequeñas), o sobre el borde, entre las escamas laterales y las placas o escudos dorsales. La piel de las patas se corta en ángulo recto con respecto a la línea media del dorso o de los cortes practicados a ambos lados del borde lateral-dorsal. Una vez separada la piel de las extremidades y el tronco (la sección dorsal de placas sumamente osificadas se mantiene en su sitio), el cuero se pliega hacia atrás y se le da la vuelta al animal, con la piel adherida todavía al vientre, la cara inferior de la cola y el maxilar inferior. Se procede entonces a despellejar al cocodrilo desde los laterales de la mandíbula hasta la cola. Si queda carne adherida a la piel, se raspa con un cuchillo de carnicero (no se corta, ya que se podría estropear la piel).

En las granjas o fincas, la técnica de desolladura es muy similar, pero más limpia e higiénica, ya que se deja al animal colgado toda la noche para que se desangre.

La conservación o salazón de las pieles de cocodrilo es un proceso de la mayor importancia, que requiere mucha experiencia y gran cuidado. Sólo se puede utilizar sal de grano fino, libre de impurezas y sustancias contaminantes. La curación mala o mediocre de las pieles de cocodrilo por falta de conocimientos acerca de las dimensiones del grano de la sal o por la utilización de otros agentes conservantes puede causar daños irreparables en el material; por ejemplo, la caída de las escamas como consecuencia de la proliferación bacteriana en la proteína dérmica. La sal se frota concienzudamente y de manera uniforme por el lado interior de la piel y a continuación se añade un agente conservante no curtiente e inocuo para el medio ambiente, con propiedades bactericidas y antifúngicas.

Otro sistema de salazón, más eficaz, consiste en poner las pieles en remojo en una solución de 1.000 litros de agua, 300 kg de sal común y 5 kg de agente conservante, durante 48 horas. Al dejar que la solución se escurra de las pieles en un sitio sombreado, el material pierde gran parte de su humedad natural. Después del escurrido, que lleva entre una y dos horas, las pieles reciben una segunda salazón.

Una vez realizadas estas operaciones preliminares, las pieles se llevan a un almacén para recibir el tratamiento definitivo. Para su almacenamiento y transporte, las pieles se doblan de un modo especial y luego se enrollan con las escamas hacia dentro y con una capa de sal entre una y otra. Las pieles de cocodrilo saladas se conservan en un ambiente refrigerado, para evitar la proliferación de bacterias que crecen en medios salinos.

OPERACIONES DE ALMACÉN
Una vez llevadas a cabo la desolladura y la conservación, las siguientes etapas en la producción de piel para la industria son las llamadas operaciones de almacén, que abarcan el remojo o ablandado, el encalado, el desencalado y el batido.

La finalidad del reverdecimiento o ablandado es conseguir que las pieles reabsorban toda el agua perdida después de

la desolladura, ya sea durante la conservación o en el transporte. El agua absorbida rehidrata la proteína interfibrilar reseca. Las fibras de colágeno de la dermis (corión) y las células de queratina de la epidermis también absorben agua y se vuelven más flexibles. En el agua se añaden por lo general diversas sustancias (hidratantes, detergentes y desengrasantes), así como agentes conservantes o desinfectantes. Los desinfectantes son elementos de la mayor importancia, porque la carne o las pieles curadas albergan gran cantidad de una amplia gama de bacterias, que se vuelven activas durante el ablandado y pueden estropear la delicada piel de cocodrilo.

El propósito del siguiente paso (encalado) consiste en eliminar la epidermis y, hasta cierto punto, las proteínas interfibrilares. La acción de las sustancias alcalinas utilizadas en esta fase determina la hidrólisis de las proteínas y una gradual disociación de la estructura proteica. Durante el proceso de encalado, las grasas

▲ El proceso de transformación de la piel de cocodrilo comienza a partir del momento mismo de la muerte del animal. Se practican una serie de cortes para separar la piel del dorso, dejando por lo general adheridos al cuerpo los escudos óseos de la línea media.

▶ ▲ En las granjas y fincas, como ésta (izquierda) cerca de Darwin, Australia, el proceso de desolladura es más eficaz e higiénico. Los cortes se realizan de tal manera que no estropean la carne, apta para el consumo humano. Después de una concienzuda y cuidadosa salazón (derecha), para evitar la proliferación de bacterias, las pieles se enrollan y se almacenan en una cámara frigorífica, antes de pasar a las operaciones de almacén.

◀ En la mayoría de las especies, los cortes de la desolladura se practican sobre el dorso. Sin embargo, cuando se pretenden conservar los escudos dorsales, la piel se corta por el vientre, para no estropear los escudos y mantenerlos como un rasgo atractivo del producto terminado.

PROCESO DE
PRODUCCIÓN
DE LA PIEL

OPERACIONES DE CAMPO

Desolladura

Conservación

OPERACIONES DE PRODUCCIÓN

Remojo o ablandado

Encalado

Desencalado

Confite

OPERACIONES DE ACABADO HÚMEDO

Lavado

Curtido con cromo

Primer afeitado

Neutralizado

Recurtido

Teñido

Engrasado

Secado

OPERACIONES DE ACABADO EN SECO

Acabado albuminoso

Fijación

Secado

Charolado

Acabado al vapor

naturales se saponifican y en parte se pierden. Este aspecto es particularmente importante en el caso de las pieles obtenidas en granjas, ya que su contenido en grasa suele ser entre 5 y 10 veces superior al de las piezas cobradas en condiciones naturales. El proceso de encalado determina también la suavidad y la resistencia de la piel, además de su capacidad para absorber los tintes. El método consiste en sumergir completamente las pieles en una mezcla de agua, cal y sulfuro de sodio.

Una vez encaladas, las pieles de cocodrilo están constituidas por una red más o menos tridimensional de fibras proteicas, que han absorbido las sustancias de la solución. Presentan un aspecto blanco verdoso, semitranslúcido, inflado y semejante a la goma. Contienen sustancias químicas desechables: grasas saponificadas y productos de la degradación de las proteínas como consecuencia del encalado. Por lo tanto, el siguiente paso es el desencalado, cuyo propósito es eliminar las sustancias alcalinas, suprimir la hinchazón de la piel y equilibrar el pH del material (hasta un valor situado entre 8 y 8,5), como preparación para el proceso de batido. Las sustancias utilizadas para desencalar las pieles de cocodrilo son productos derivados del ácido cítrico o del ácido láctico, disulfuro de sodio y sales amoniacales.

El confite es el último paso en el proceso de purificación de las pieles, antes de pasar a la fase de lavado y curtido. Las sustancias que se desean eliminar son los productos de la degradación proteica que se encuentran en la superficie de las pieles de cocodrilo y en los poros de las escamas de las pieles de caimán. También se eliminan otras proteínas. En el proceso de confite, estos componentes no deseados son eliminados mediante la acción de ciertas enzimas (por lo general, renina obtenida de estómagos de terneros y tripsina de páncreas de cerdos).

OPERACIONES DE ACABADO HÚMEDO

Antes de proceder al curtido, las pieles se lavan en agua, sal y una solución ácida, para que alcancen el pH necesario (entre 3,3 y 3,8). A las pieles que tienen osteodermos en la región ventral (característica muy frecuente en las pieles de caimán de anteojos) se les aplica un «lavado de desosificación». El tratamiento dura entre 8 y 14 días, hasta que al menos el 80 % del fosfato y el carbonato de calcio se disuelve y puede eliminarse.

Por el proceso de curtido propiamente dicho, la piel cruda y lavada, que se vuelve dura y córnea al secarse y se pudre si se humedece, se transforma en un producto —el cuero— que se torna suave y flexible al secarse y no se pudre cuando se moja. El curtido mineral o al cromo, realizado en tambores de sales de cromo producidas industrialmente, ha resultado ser ideal para la preparación de las pieles de cocodrilo. En comparación con los curtidos vegetales, tiene la ventaja de que se logran resultados uniformes en todas las «hornadas». Además, el proceso de curtido es considerablemente más corto, las pieles adquieren mejores propiedades físicas (resistencia al calor y a los desgarros, flexibilidad y resistencia al uso) y una excelente capacidad para absorber los tintes.

Después del primer curtido, se procede al afeitado y neutralizado de las pieles. El propósito del afeitado es lograr que todas las pieles curtidas tengan un grosor uniforme, con una exactitud de una décima de milímetro. Las cuchillas de la afeitadora de pieles de reptil están montadas sobre un cilindro giratorio. Al apretar el pedal, un rodillo hace pasar la piel del revés contra el cilindro de las cuchillas. El grosor de piel cortado cae a la base de la máquina. Después del afeitado, es preciso neutralizar la piel mediante la aplicación de productos débilmente alcalinos, con el fin de eliminar todos los ácidos inorgánicos que dañarían el material y todos los ácidos hidrolizables ligados a las proteínas dérmicas. El principal propósito de neutralizar la piel curtida al cromo consiste en suprimir su exceso de carga positiva, en la medida suficiente para evitar que las partículas con carga negativa de los productos utilizados en los siguientes procesos —recurtido, teñido y engrasado— se distribuyan de forma desigual sobre la superficie del cuero.

El recurtido confiere a la piel sus propiedades fundamentales y la prepara para el teñido y el acabado. La piel de cocodrilo curtida al cromo se suele recurtir con taninos vegetales para mejorar su brillo. Entre los taninos vegetales utilizados, destacan los obtenidos de los siguientes árboles y plantas:

Quebracho. El tanino obtenido de la madera de este árbol, que crece en Argentina, Brasil y Paraguay, produce un cuero firme, de color rojizo, cuyas tonalidades se vuelven marcadamente más oscuras con la exposición a la luz.

Mimosa. Se trata de una especie de acacia originaria de Australia, que actualmente se cultiva comercialmente en Sudáfrica, África Oriental y Brasil. Su tanino produce una piel de suavidad media y de color claro, amarillo rojizo, que se oscurece con la exposición a la luz.

Castaño. El mejor tanino de castaño se obtiene de la madera producida en Francia, Italia, Estados Unidos y Yugoslavia. Produce una piel firme y llena, de color pardo amarillento, con mejor resistencia a la luz que la tratada con quebracho o mimosa.

Zumaque. El tanino se obtiene de las hojas y tallos de varias especies del género *Rhus*, originarias de Sicilia. Produce una piel suave y blanda, de color amarillo verdoso, con una resistencia a la luz superior a la del castaño.

Tara. Este tipo de tanino se obtiene de las vainas de *Caesalpinia spinosa*, producida comercialmente en algunos países sudamericanos. Produce una piel suave y blanda, de color amarillo pálido. De todos los taninos vegetales, es el que ofrece la mejor resistencia a la luz.

El propósito del teñido consiste en conferir a la piel cierto color, como base para el proceso de acabado. La absorción de las diversas sustancias utilizadas durante el curtido y el recurtido afecta la reactividad de la piel hacia los colorantes: el cuero curtido al cromo presenta una mayor afinidad por los tintes aniónicos y sulfurosos, mientras que los taninos vegetales y sintéticos confieren a la piel especial afinidad por los tintes catiónicos, es decir, básicos.

Puesto que todas las pieles de cocodrilo o caimán reciben un acabado de anilina pura (no se utilizan pigmentos orgánicos ni inorgánicos en el proceso de acabado), la calidad de los tintes debe seleccionarse con el mayor de los cuidados. El proceso del acabado depende de la uniformidad, saturación y extensión del tinte. La uniformidad no siempre puede conseguirse únicamente con tintes aniónicos. La aplicación previa, intermedia o subsiguiente de tintes básicos, no sólo mejora la uniformidad del teñido, sino el brillo del acabado.

Al finalizar el proceso de curtido, la piel de cocodrilo no contiene suficiente grasa para evitar que se reseque y endurezca. Por lo tanto, es preciso engrasarla para conferirle las necesarias propiedades de suavidad, flexibilidad, extensibilidad, tacto, resistencia a la abrasión y a los agentes químicos y repulsión del polvo. La piel de cocodrilo se engrasa con sustancias sintéticas o semisintéticas que no contienen ácidos grasos dañinos y que se unen firmemente a las fibras de la piel y no migran. El proceso más adecuado para tratar pieles de cocodrilo consiste en aplicar una combinación de grasas de penetración profunda, que dejan seca la superficie del material, con otras sustancias de acción superficial, que imparten un tacto ligeramente graso.

OPERACIONES DE ACABADO EN SECO

El acabado es prácticamente el último paso en la producción de pieles y, probablemente, el más complicado. La composición y la aplicación de las sustancias utilizadas para el acabado deben producir una piel «lista para manufacturar», acorde con las exigencias del cliente, no sólo desde el punto de vista del color, el tacto, el brillo y la resistencia al agua, los solventes y la abrasión, sino en términos de uniformidad del efecto visual y del aspecto estético de la superficie. Los agentes clásicos de acabado para un material tan valioso y prestigioso como la piel de cocodrilo son los productos albuminosos naturales (caseína, clara de huevo, leche, sangre de buey o gelatina), que todavía se utilizan ampliamente en la preparación de pieles de reptil y que es poco probable que vayan a ser sustituidos por productos sintéticos.

Tras la aplicación de alguna de estas sustancias albuminosas mediante paño, pincel o aerosol, la piel se seca y se charola. El chagrinado o charolado de las pieles de cocodrilo se lleva a cabo en una máquina especial para este propósito. La piel seca se coloca con el revés en contacto con una pequeña tabla de madera, cubierta por una cinta de cuero curtida con sustancias vegetales. A continuación, se hace pasar a gran presión un cilindro de cristal pulido o de ágata sobre la superficie acabada de la piel. El resultado es un charolado con brillos de espejo.

En el caso de las pieles «clásicas», para realzar o crear el efecto «bombé» (la deformación convexa de cada una de las escamas o escudos en la piel de cocodrilo) es preciso someter la piel, por el lado del revés, a un acabado especial. Una vez finalizado este tratamiento, la piel se coloca sobre una platina galvanizada perforada, por debajo de la cual hay tubos de vapor, situados a 10-15 cm de distancia entre sí. La temperatura por encima de la platina perforada debe ser de entre 100 y 120 ºC, pues sólo a esta temperatura es posible lograr

completamente y fijar el efecto «bombé». En el caso de pieles de caimán muy osificadas, se aplica un «acabado suave de cocodrilo». Este procedimiento no es un acabado en el sentido estricto de la palabra, ya que la piel teñida en los tambores simplemente se pule, sin aplicación previa de fijadores. El pulido se realiza a mano o en una máquina con un cilindro de fieltro semiduro, en lugar del cilindro de cristal o ágata.

Los numerosos y laboriosos procesos necesarios para producir piel de cocodrilo explican hasta cierto punto el elevado precio de los bolsos y del calzado confeccionados con este material. Pero la producción de la piel es en realidad el primer paso de una compleja industria en la que participan importadores, exportadores, diseñadores, fabricantes y distribuidores, transformando la piel en productos listos para el consumidor.

◄ ► ▼ Una vez teñida en un tambor de acero inoxidable, con tintes cuidadosamente seleccionados (izquierda), la piel se charola bajo presión sobre una prensa especial (abajo, a la izquierda). A partir de este momento, la piel está lista para convertirse en artículos exclusivos, como este bolso de señora (abajo), para el que se ha utilizado una banda contrastante de *hornback* o piel dorsal.

EL COMERCIO DE COCODRILOS

PETER BRAZAITIS

▲ Muchas de las especies de cocodrilianos se explotan con fines comerciales. La elevada calidad de la piel de cocodrilo y aligátor ha determinado que muchas de las especies «clásicas» se encuentren al borde de la extinción.

Exotique/Winfried Kralle Exclusive Leatherware

Los cocodrilos, aligatores y caimanes son desde hace tiempo una fuente de piel de calidad, con la que es posible fabricar una variedad de artículos. Mientras que la producción artesanal abarca desde sencillos adornos para accesorios ceremoniales hasta productos para la venta local o para una limitada exportación, la explotación comercial está orientada a la fabricación de artículos de primera calidad, destinados a los mercados de lujo del mundo de la moda.

De las 22 especies descritas de cocodrilianos, por lo menos 15 han sido explotadas comercialmente por su piel u otros productos. A diferencia de la limitada utilización por parte de los pobladores locales, la explotación comercial suele llevarse a cabo a gran escala, con la participación de gran número de personas y con la utilización de métodos y equipos de caza modernos. En combinación con las presiones ambientales progresivamente adversas y con el crecimiento de las poblaciones humanas, que han usurpado gran parte del hábitat de los cocodrilianos, la explotación excesiva de estos animales para el comercio de pieles exóticas ha determinado que muchas de las especies se encuentren al borde de la extinción y que otras vean seriamente amenazada su supervivencia.

Con el aumento de la legislación internacional para la conservación de las especies, a partir de 1973, el destino de los cocodrilianos y el futuro de la industria mundial de pieles exóticas (con los miles de personas que emplea) han quedado inextricablemente unidos. Las organizaciones de defensa de la fauna, los biólogos, los ecologistas, los granjeros, los hacendados, los importadores, los exportadores, los diseñadores de moda y los empresarios de las curtidurías se encuentran ahora ligados por nuevas y complejas interrelaciones.

EL ALCANCE Y LA NATURALEZA DEL NEGOCIO

Aunque la mayor parte del comercio de los productos derivados de los cocodrilianos sigue girando en torno a la utilización de las pieles para la fabricación de artículos de lujo, la industria ha comenzado a abrir nuevos mercados para otros productos: carne y derivados (para consumo humano y animal); huesos y osteodermos, utilizados como aditivos en piensos y abonos; dientes y uñas, que se venden sobre todo a los turistas como recuerdos, y gónadas (órganos sexuales), almizcle y orina, que se utilizan actualmente en perfumería.

Para las organizaciones responsables de controlar esta actividad, no es tarea fácil establecer el volumen mundial del comercio en pieles de cocodrilo y productos manufacturados. En algunos casos, las pieles pasan por el proceso de curtimbre en el país de origen y luego se cortan en trozos, lo cual dificulta el cálculo de los animales sacrificados. Las pieles se pueden exportar enteras o troceadas a otras curtidurías o fabricantes. Distintos trozos, procedentes de varios animales de diferentes especies, pueden utilizarse para fabricar un único artículo, que se exporta, importa y reexporta a través de varios países, antes de llegar a su destino final. En el mejor de los casos, la maraña de documentos resultante puede resultar confusa y, en el peor, servir para ocultar el auténtico origen (tal vez ilegal) de las pieles.

En la medida en que es posible calcularlo, el volumen actual del comercio mundial en pieles de cocodrilianos de todas las especies se estima en unos dos millones de unidades al año. La gran mayoría de estas pieles, quizá entre un millón y un millón y medio, proceden de caimanes de Bolivia, Brasil, Paraguay y Venezuela. (Aunque muchas de estas pieles tienen un origen legal, se calcula que más de la mitad proceden de animales cazados en libertad, en directa violación de la legislación de protección de la fauna de los respectivos países.) El medio millón de pieles restante procede de una variedad de especies, incluidas algunas de cocodrilos verdaderos, y es el producto de la caza de ejemplares en libertad, según sistemas de cuotas, o de la actividad de las granjas y fincas de cocodrilos en todo el mundo.

▶ Por lo menos dos millones de caimanes, aligatores y cocodrilos mueren todos los años para satisfacer las demandas del mercado internacional, que convierte sus pieles en calzado, bolsos y carteras de elevado precio.

Exotique/Winfried Kralle Exclusive Leatherware

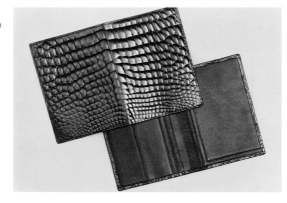

Si bien el origen de la materia prima está en los países en vías de desarrollo, los mercados para los productos terminados se encuentran sobre todo en los países industrializados más ricos. El negocio de las pieles y productos de cocodrilo es muy amplio y abarca una serie de industrias diversificadas. El material básico del comercio es la piel de los animales vivos. Así pues, en su nivel más fundamental, el negocio incluye a los cazadores, a menudo en regiones remotas, que matan a los animales desde pequeñas embarcaciones a la luz de la luna, tal vez equipados solamente con un farol, un arpón, un cuchillo y un hacha, y que se ganan la vida con lo que puede darles la selva. En algunos casos, sin embargo, los cazadores cuentan con financiación de grandes empresarios, están bien equipados y viven y trabajan en campamentos bien organizados. Matan a los animales, los desuellan y los salan en el lugar mismo de la caza, y almacenan las pieles hasta que llega el momento de venderlas a los mayoristas locales. Otra fuente de pieles son las fincas (donde la población local de cocodrilos sirve de reserva de huevos y crías, que se cuidan y alimentan hasta que los animales alcanzan las dimensiones adecuadas para ser sacrificados) y las granjas (donde se conservan grupos de adultos para producir huevos y crías, que a su vez son sacrificadas en el momento oportuno).

En el siguiente escalón del negocio se encuentra el ejército de intermediarios, tratantes y mayoristas, que recogen las pieles en su lugar de origen y las llevan al siguiente nivel: las curtidurías.

Éstas constituyen el centro de la industria de pieles de cocodrilo y productos derivados. Históricamente, las curtidurías de Francia, Italia y, en menor medida, España y Estados Unidos han gozado de la reputación de fabricar las pieles de cocodrilo de mejor calidad. En los últimos años, Japón y el Extremo Oriente han ingresado en la industria del curtido y están desarrollando métodos tecnológicamente avanzados y una nueva generación de maquinaria especializada.

En especial en Francia e Italia, las curtidurías son empresas familiares, cuya dirección pasa de padres a hijos, de generación en generación. Cada curtiduría guarda celosamente el secreto de las fórmulas utilizadas para procesar diferentes tipos de piel y lograr sus acabados característicos. Algunas compran pieles a muchos proveedores diferentes en todo el mundo y se especializan en ciertas especies de cocodrilianos o de tipos de piel. Otras tienen agentes propios en las zonas más remotas del mundo, así como en las capitales de la moda y la tecnología. Este nivel es el que determina gran parte del entramado de precios de las pieles y, en último término, de los productos que salen al mercado. También este nivel es el que hace posible la perpetuación tanto del tráfico legal como de las operaciones ilegales con pieles de cocodrilo.

Superada esta fase, el negocio se diversifica en una serie de industrias o sectores interrelacionados, especializados en pieles exóticas. En este escalón del negocio hay importadores, exportadores, mayoristas y tratantes, así como diseñadores y empresarios de la industria de la moda. Puesto que el negocio de las pieles de cocodrilo produce artículos de lujo sin fines prácticos

L. C. Marigo/Bruce Coleman Ltd.

ni necesarios, es preciso que participen en él especialistas en mercadotecnia y publicistas, capaces de crear mercados y fomentar el consumo de estos productos. En el escalón final se encuentran los grandes almacenes y las tiendas, que llevan el producto acabado al consumidor. Todos foman parte del negocio y en cada ocasión en que la piel o el artículo cambia de manos —desde el cazador hasta el fabricante y, en último término, al consumidor— su precio puede duplicarse.

CÓMO FUNCIONA EL NEGOCIO

La base del mercado de las pieles de cocodrilo está constituida por una minoría de consumidores acaudalados, que consideran los productos de piel de la mejor calidad como una de las más altas expresiones de la elegancia y el lujo. Las ventas anuales a este grupo de consumidores son relativamente estables. Sin embargo, la gran mayoría de los potenciales clientes de clase media, aun en los países más desarrollados, ha dejado de interesarse por estos productos o no están dispuestos a pagar entre 150.000 y 300.000 pesetas (precios de 1988) por un bolso de mano, entre 60.000 y 80.000 pesetas por un par de zapatos o alrededor de 30.000 pesetas por un cinturón. Por lo tanto, los esfuerzos de la mercadotecnia se dirigen a los consumidores de ingresos medios o bajos, que

▲▼ Aunque el grueso del comercio y la demanda internacionales gira en torno a la piel de cocodrilo, también hay mercados para otros productos, como por ejemplo llaveros fabricados con patas de cocodrilo (arriba). Las medidas para reducir el comercio ilegal de pieles incluyen su confiscación (abajo), cuando es posible localizarlas.

Christian Zuber/Bruce Coleman Ltd.

Romulus Whitaker

▲ Las técnicas de producción comercial en granjas están desplazando los métodos tradicionales de caza para el comercio de las pieles. En regiones como Irian Jaya, donde la caza tradicional por los pobladores locales todavía se mantiene, el éxito de los cazadores es sólo esporádico.

▼ Los reglamentos de la CITES y de otros acuerdos internacionalmente reconocidos comienzan a surtir efecto sobre el comercio de pieles de cocodrilo y, afortunadamente, sobre la cuestionable utilización de las crías para fabricar recuerdos y artículos curiosos.

C. B. Frith/Bruce Coleman Ltd.

podrían aumentar el volumen de sus compras, influidos por campañas de promoción y publicidad. El momento elegido para este tipo de campañas es fundamental, ya que de nada serviría aumentar el interés de los consumidores por los artículos de piel de cocodrilo cuando estos productos no van a estar disponibles en las tiendas, a precios relativamente accesibles.

El ciclo comienza cuando los empresarios de las curtidurías y los mayoristas prevén una abundancia de pieles en bruto para un futuro próximo, como por ejemplo en 1979, cuando Estados Unidos levantó las restricciones que pesaban sobre el aligátor americano (*Alligator mississippiensis*) y sacó las pieles al mercado internacional, o en 1982, cuando Venezuela abrió el mercado legal de pieles de una subespecie del caimán de anteojos, *Caiman crocodilus crocodilus*. Con una disponibilidad garantizada de materia prima, en cantidades suficientes para sostener el aumento previsto de las ventas, los empresarios de las curtidurías y los fabricantes colaboran con los diseñadores en la producción de artículos que puedan salir al mercado minorista al año siguiente. A medida que los productos llegan a las tiendas, los publicistas bombardean al

consumidor con el mensaje de que la piel de cocodrilo es «la moda del año». (Campañas de este tipo siguieron a la introducción en el mercado de pieles de aligátor y caimán en 1979 y 1982, respectivamente.) El objetivo es influir sobre el consumidor para que compre en el preciso momento en que hay una abundancia de artículos a la venta. Así pues, gran parte del interés por la compra de estos artículos es creado por la propia industria.

Cuando las ventas aumentan, el incremento de la demanda se refleja en precios más elevados para las pieles en bruto. A medida que aumenta el coste de la materia prima, la producción disminuye, las ventas bajan y la moda va en busca de otros horizontes. También entran en juego otros factores. En una situación de gran demanda, las imitaciones baratas y las artesanías de mala calidad comienzan a inundar el mercado, para aprovechar el nuevo interés de los consumidores. Cuando los países importadores tienen una moneda fuerte, resulta más atractiva la importación de los productos manufacturados más baratos; en cambio, cuando la moneda es débil, es preferible comprar la materia prima para proceder a la manufacturación dentro del país. Todos estos factores influyen en el precio del producto terminado.

Los consumidores no están bien informados acerca del producto que adquieren y, en muchos casos, tampoco lo están el importador ni el mayorista. En la fabricación de artículos de precio muy elevado, las pieles de caimán, que pueden comprarse al cazador a cambio de un poco de azúcar o por un precio de entre 200 y 500 pesetas, sustituyen con frecuencia a las pieles «clásicas» de cocodrilo o aligátor, que en bruto pueden costar varias decenas de miles de pesetas. Las pieles clásicas corresponden a las especies que carecen de osteodermos en la zona del vientre o que presentan osteodermos muy reducidos. Sin embargo, productos enteramente confeccionados con piel de caimán aparecen a veces etiquetados como artículos de las especies más valoradas, sin que se informe al minorista o a los clientes acerca de las diferencias. La industria ha hecho muy poco por educar a los minoristas y los consumidores, de manera que puedan realizar adquisiciones inteligentes.

El problema de la sustitución de unas pieles por otras se complica por el hecho de que los empresarios de las curtidurías compran pieles de muchas regiones, procedentes de varias razas o especies de animales de la misma categoría comercial. Las pieles curtidas se clasifican por sus dimensiones, número de defectos, corte y tipo, de manera que pieles de diferentes orígenes pueden comercializarse en un mismo lote. A veces, pieles de especies protegidas se compran junto a otras vendidas legalmente y se procesan juntas (sobre todo en el caso de los caimanes sudamericanos). Una vez curtidas, las pieles se exportan indiscriminadamente. Como consecuencia, los importadores o fabricantes que adquieren pieles en bruto o curtidas pierden la confianza en los proveedores y tienden a alejarse del negocio de las pieles de cocodrilo. El siguiente ejemplo hipotético servirá para ilustrar el problema. Una firma importadora con sede en Estados Unidos importa a Singapur, tal vez desde Colombia, un lote de pieles curtidas de caimán sudamericano. A continuación las reexporta a Estados Unidos con la documentación apropiada, indicando que se trata de un embarque de pieles de *Caiman crocodilus crocodilus*. A su ingreso en Estados Unidos, el lote es confiscado por las autoridades de protección de la fauna, que comprueban que se trata en realidad de pieles de *Caiman crocodilus yacare* (subespecie en peligro de extinción, protegida por la legislación de Estados Unidos, que prohíbe su importación). Aunque esta especie de caimán no se encuentra en Colombia y aunque el importador ha especificado en su orden de pedido que deseaba adquirir la especie de comercialización legal, la empresa que representa es la única responsable ante las autoridades de Estados Unidos y puede ser objeto de acciones legales. Como mínimo, el importador perderá en este caso las pieles, los pedidos ya colocados y los clientes, además de los gastos de embarque, los honorarios de los abogados y las multas por quebrantar la legislación de Estados Unidos. Las pieles en cuestión proceden probablemente de la región centromeridional de América del Sur, donde vive *Caiman crocodilus yacare*. Desde allí fueron enviadas a Colombia y exportadas a Singapur como si fueran de *Caiman crocodilus crocodilus*. Una vez en Singapur, recibieron documentos de reexportación y

Peter Brazaitis

fueron vendidas indiscriminadamente junto con otras pieles de caimán. El importador no tiene la menor garantía de que su pedido será escrupulosamente respetado, ni puede asegurar que no está importando inadvertidamente pieles de una especie protegida.

Como las pieles de caimán no suelen estar marcadas ni etiquetadas, la determinación de su origen resulta muy difícil para las autoridades de protección de la fauna. La expansión de los mercados y el aumento de la demanda de materias primas fomentan la caza indiscriminada de las especies protegidas, para satisfacer las exigencias del mercado. Con frecuencia, las dificultades para distinguir entre las especies protegidas y las de comercialización legal una vez que las pieles están curtidas, troceadas y convertidas en productos terminados, hace posible que gran cantidad de cocodrilianos ilegalmente muertos lleguen a los canales comerciales.

EL FUTURO DEL NEGOCIO

Si bien está aumentando en todo el mundo el número de granjas y fincas de cocodrilos, el incentivo para la caza de ejemplares en libertad sigue siendo importante. Lo ideal sería que esta actividad se llevara a cabo bajo supervisión autorizada, con los debidos controles y con un sistema de cuotas para la exportación. A medida que los sistemas de control se vayan refinando, resultará cada vez más difícil que las pieles ilegales circulen libremente por los canales comerciales internacionales.

En muchos países en vías de desarrollo con especies autóctonas de cocodrilianos se registra la tendencia a crear una industria propia en torno a estos reptiles, con gestión y control de las poblaciones de cocodrilianos, establecimiento de granjas y fincas, curtido de las pieles, fabricación de productos y exportación de artículos terminados. De esta forma es posible conseguir mayores beneficios económicos y sociales (creación de puestos de trabajo), en comparación con la situación tradicional, en que los recursos naturales se venden directamente, con escasas ganancias inmediatas y ningún beneficio a largo plazo. En principio, las empresas establecidas en países en vías de desarrollo producen artículos de calidad relativamente mediocre, a causa de la falta de tecnología. Sin embargo, a medida que los aspectos tecnológicos mejoren, los productos llegarán a ser más competitivos. Otros países, como Japón, han demostrado un vivo interés por colaborar con países del Tercer Mundo en el

◄ Antes de que se impusiera la obligación de marcar las pieles y de disponer de documentos que autorizaran su exportación, las autoridades que trataban de combatir el comercio ilegal de pieles de cocodrilo tenían muy pocos instrumentos para conseguirlo. Sin embargo, la reunión en un mismo lote de pieles troceadas y procedentes de distintas fuentes, como es el caso de estos flancos de caimán, dificulta todavía la diferenciación entre pieles de exportación legal y pieles de especies protegidas.

C. B. Frith/Bruce Coleman Ltd.

▲ El coste de la producción de pieles de cocodrilo coloca a los artículos de primera calidad fuera del alcance de la mayoría de los consumidores. Sin embargo, los «souvenirs» son más baratos y constituyen una fuente de ingresos, a partir de un material que de otro modo se desecharía.

EL COMERCIO DE PIELES DE COCODRILO EN PAPÚA-NUEVA GUINEA

GREG MITCHELL

Actualmente son cuatro las pieles «clásicas» de cocodrilo de comercialización legal en el mercado internacional: aligátor americano *(Alligator mississippiensis)*, cocodrilo del Nilo *(Crocodylus niloticus)*, cocodrilo marino *(Crocodylus porosus)* y cocodrilo de Nueva Guinea *(Crocodylus novaeguineae)*. En Papúa-Nueva Guinea, dos de estas especies, el cocodrilo marino y el cocodrilo de Nueva Guinea, son autóctonas. Las poblaciones de Nueva Guinea de estas dos especies no aparecen citadas en el Apéndice I de la CITES (donde figuran las especies de comercialización prohibida), gracias a que el país fue uno de los pioneros en el establecimiento de programas de conservación y utilización. Papúa-Nueva Guinea se ha adherido a la CITES y sus dos especies aparecen en el Apéndice II de la Convención. Este acuerdo internacional permite la exportación de pieles, y todos los países firmantes, con excepción de Australia, permiten su comercialización. En la actualidad, Papúa-Nueva Guinea produce alrededor del 40 % de las pieles «clásicas» comercializadas en el mundo.

Durante los años de explotación indiscriminada, los ecologistas consiguieron concienciar a la opinión pública sobre el peligro que corrían los cocodrilianos de piel «clásica». La convención de Washington, firmada en 1973, prohibió el comercio de pieles en los casos en que las poblaciones en libertad corrieran riesgo de extinción. Esta prohibición afectó a Australia y Estados Unidos, cuyas poblaciones de cocodrilo marino y aligátor americano, respectivamente, se consideraban amenazadas. En cambio, los cocodrilos de Papúa-Nueva Guinea quedaron exentos de la prohibición, porque no se consideró que sus poblaciones estuvieran en peligro. Como consecuencia de estas prohibiciones, las poblaciones de cocodrilo marino y aligátor americano han experimentado una notable recuperación. Los productores de pieles «clásicas» tienen que convencer ahora a la opinión pública de que las poblaciones cocodrilianas han vuelto a alcanzar niveles aceptables y de que la producción controlada no constituye una amenaza contra la fauna.

La mayoría de los pobladores de las zonas pantanosas de Papúa-Nueva Guinea tienen una intensa relación cultural y económica con los cocodrilos. Debido a esta asociación tradicional, fue preciso fijar límites legales para la protección de los cocodrilos en edad reproductora y se restringió la matanza a los cocodrilos con un ancho de vientre de entre 18 y 51 cm. De esta forma, durante muchos años, la mayoría de las pieles exportadas fueron de cocodrilos jóvenes. Los escasos ingresos de divisas determinaron que el gobierno autorizara a los dueños de varias fincas comerciales a adquirir cocodrilos vivos de las pequeñas granjas existentes y de los cazadores.

A lo largo de un periodo de cuatro años, a medida que las fincas comerciales fueron aumentando su población de cocodrilos, las exportaciones de piel de animales cazados en libertad descendieron. Las exportaciones de pieles oscilan actualmente entre 29.000 y 32.000 unidades al año, con fluctuaciones debidas a las estrategias comerciales de las grandes fincas. Estas cifras son similares al nivel medio de exportaciones en los últimos 20 años, pero las ganancias en divisas han aumentado espectacularmente. El objetivo de uno de los programas actuales de control consiste en criar los cocodrilos hasta que alcancen dimensiones mayores, logrando así mayor valor por centímetro de piel y aprovechando al máximo el recurso sin aumentar las presiones de la caza.

El inventario en las fincas comerciales se hace coincidir con la selección anual de los ejemplares, único medio satisfactorio de adquirir un conocimiento directo del estado de los animales, de cuyo crecimiento se llevan minuciosos registros. La selección queda determinada por las exigencias comerciales del momento, y el tamaño de los animales sacrificados depende de la demanda del mercado, que cambia de un año a otro con los vaivenes de la moda.

Además de mantener sus mercados tradicionales, que son Francia y Japón, Papúa-Nueva Guinea se ha expandido hacia Alemania, Italia, Corea, Taiwan y Estados Unidos. Paralelamente a la apertura de nuevos mercados, surgen también numerosas fincas comerciales, por lo que la producción de piel también aumenta. Debido a este equilibrio entre la oferta y la demanda, los precios se mantienen estables.

Bill Green

▲ La conservación mediante utilización contribuye a que Papúa-Nueva Guinea consiga divisas por las exportaciones y ofrezca a sus ciudadanos una formación en la industria, además de proporcionar un eficaz control de la población cocodriliana, efectuado por los biólogos del país.

Jack Green/Australian Nature Photographs

desarrollo de tecnologías para la cría de cocodrilos y caimanes y el curtido de las pieles, así como en el establecimiento de industrias de apoyo para la fabricación de las sustancias químicas (producidas actualmente sobre todo en Alemania) y de la maquinaria necesaria.

Algunos países del Extremo Oriente han comenzado a importar de todo el mundo grandes cantidades de ejemplares de especies no autóctonas, con el fin de criarlos en granjas por su piel y su carne. En los últimos años, Colombia ha exportado gran cantidad de crías de *Caiman crocodilus fuscus* a Taiwan. Exportaciones tailandesas de artículos de caimán, marcados como «cocodrilo auténtico», acaban de hacer su aparición en el mercado. Estas tendencias de la industria podrían poner en peligro el control internacional del comercio ilegal, ya que la circulación de las pieles ya no está sujeta a los controles aduaneros ni al escrutinio de las autoridades de protección de la fauna de la Comunidad Europea, donde se encuentran la mayoría de las curtidurías. La industria de las pieles de cocodrilo está pasando por un periodo de evolución, pero todavía queda por ver hasta qué punto se beneficiarán de esta evolución las especies de cocodrilianos que todavía viven en libertad.

En los últimos años, la industria peletera ha acabado por reconocer que la fauna, incluidos los cocodrilianos, no constituye un recurso ilimitado. Los nombres comerciales aplicados a las distintas especies han cedido ante la adopción de la terminología científica aceptada, lo cual permite a las autoridades y a la comunidad científica controlar mejor la situación de cada especie. Los distintos segmentos de la industria han comenzado a apoyar la investigación en medios científicos nacionales e internacionales, para saber más acerca de la dinámica poblacional de los cocodrilianos, su biología reproductora y su cría en cautividad. Los recursos financieros del sector deberían encauzarse hacia la ampliación de los conocimientos científicos sobre las especies que corren mayor peligro de extinción, por ser éstas un recurso para el futuro, así como hacia la obtención de datos de interés inmediato, con fines de explotación. El desarrollo de los proyectos de granjas y fincas productoras no debe considerarse prioritario con respecto a la protección y conservación de las poblaciones en libertad, que constituyen un recurso natural y un valioso elemento de la fauna de sus respectivos países. La mayoría de las especies de cocodrilianos que se han recuperado de los efectos de la caza indiscriminada y la destrucción de los hábitats lo han hecho gracias a su importancia comercial, que las ha convertido en un bien lo suficientemente valioso para ser conservado. Tal vez deberíamos preguntarnos si este criterio debe ser el más importante a la hora de decidir acerca del futuro de los cocodrilianos.

▲ La «piel de cocodrilo» artificial puede satisfacer a los sectores del mercado de ingresos medios y bajos. Además, a medida que la calidad de la imitación mejora, resulta cada vez más difícil distinguir la piel artificial (detrás) de la auténtica (delante).

LA CRÍA DE COCODRILOS

CHARLES A. ROSS, DAVID K. BLAKE Y J. T. VICTOR ONIONS

▼ Hace unos años, las «granjas» de cocodrilos no eran más que exhibiciones de «animales feroces» para visitantes en busca de nuevas sensaciones. Sin embargo, el declive experimentado por las poblaciones de cocodrilianos en el mundo, a causa de la destrucción del hábitat o de la caza indiscriminada, ha conducido a la idea de que las granjas de cocodrilos también pueden desempeñar un importante papel en la conservación de las especies.

Las granjas de cocodrilos y caimanes existen desde principios de siglo. Sin embargo, las primeras «granjas» eran poco más que jardines zoológicos especializados en la exhibición de cocodrilos. No prestaban especial atención a la reproducción de los animales, y su principal fuente de ingresos era el turismo. Su funcionamiento tenía escasas repercusiones sobre la explotación comercial, la conservación o el conocimiento científico de los reptiles.

A principios de los años sesenta, las poblaciones de cocodrilos, aligatores y caimanes en libertad, base del comercio peletero, comenzaron a disminuir y, como consecuencia, se aprobaron las primeras leyes de conservación. El resultado fue un aumento simultáneo de la demanda y de los precios de las pieles. Por esta época, algunos conservacionistas y peleteros especialmente visionarios comenzaron a investigar las posibilidades de la cría de cocodrilos con fines comerciales.

Xavier Desmier/C.E.D.R.I.

UPI/Bettmann Newsphotos

◄ Además de criar caimanes por su piel, la granja de aligatores de San Agustín, en Florida, ofrecía a los visitantes la emocionante experiencia de sobrevivir —o quizá no— después de atravesar establos atestados de animales peligrosos.

OBJETIVOS DE LAS GRANJAS Y DE LOS «RANCHOS»

La expresión «granja de cocodrilos» suele utilizarse para designar cualquier establecimiento —granja o «rancho»— donde se crían cocodrilos con fines comerciales. Sin embargo, «granja» es el término más correcto para un sistema de cría cerrado, donde todos los ejemplares comercializados han nacido en el propio establecimiento, de padres que ya estaban en cautividad. Una vez establecida la granja, la única (ocasional) aportación exterior son nuevos ejemplares reproductores, para mantener la viabilidad genética del grupo.

Las granjas con fines educativos o de conservación (denominadas a menudo «bancos» o proyectos de rehabilitación) tienen por objeto la cría en cautividad de especies amenazadas de cocodrilianos, para su posible liberación ulterior en zonas protegidas. Su principal fuente de ingresos no es la venta de pieles, sino el turismo o las subvenciones gubernamentales o de grupos ecologistas. A diferencia de las primeras «granjas», que eran una trampa para turistas, estos establecimientos ofrecen a los visitantes información actualizada sobre la conservación y la historia natural de los cocodrilos. Muchos parques zoológicos entran actualmente en esta categoría, pues es cada vez mayor el interés por formar grupos reproductores, en lugar de disponer de colecciones de uno o dos ejemplares de cada especie con el único fin de exhibirlos. Otras granjas, que a través de la cría en cautividad han establecido un sistema cerrado y autosuficiente de producción de pieles, derivan sus ingresos precisamente de la venta de pieles, aunque también obtienen ganancias del turismo.

El término «rancho» se aplica a los establecimientos que recogen anualmente huevos, crías o adultos de su hábitat natural y los crían con fines comerciales. Hay dos categorías principales de rancho. Las estaciones de cría, que recogen huevos y crías de su hábitat natural y crían los ejemplares hasta que alcanzan las dimensiones adecuadas para sacrificarlos, obtienen sus ingresos de la venta de pieles y, en algunos casos, del turismo. Otros ranchos recogen directamente de su hábitat natural cocodrilos o caimanes de tamaño comercializable, además

de huevos y crías. Uno de sus principales objetivos es la gestión del hábitat, para garantizar el mantenimiento del volumen anual de la «cosecha». (La gestión del hábitat puede servir a otros muchos propósitos: explotación de animales de pelo, aves y otros habitantes de las marismas o de las zonas pantanosas, y recogida de materiales de construcción y de plantas para la alimentación.) El turismo no es en este caso una fuente de ingresos.

La explotación con fines lucrativos y el comercio internacional de las especies amenazadas deben satisfacer los criterios de la Convención sobre Comercio Internacional de Especies en Peligro de la Fauna y Flora (*Convention on International Trade in Endangered Species of Fauna and Flora*, CITES). Las granjas comerciales deben demostrar que son capaces de producir una segunda generación viable de cada especie, y los «ranchos» deben funcionar según un plan de gestión que pueda demostrar, para un área geográfica determinada, que la recogida de huevos y crías no pone en peligro la supervivencia de la especie en cuestión.

GRANJAS DE ALIGATORES EN ESTADOS UNIDOS

El legado de las marismas costeras de Luisiana a las organizaciones gubernamentales de gestión del territorio y de la fauna, por parte de E. A. McIlhenny (autor de

▼ Mientras que las granjas de cocodrilos y caimanes son sistemas cerrados de cría, los «ranchos» tratan de mantener una población estable mediante la captura de crías y adultos y la recolección de huevos en los hábitats naturales. En la fotografía, recolección de huevos de gavial, a orillas del río Narayani, en Nepal.

Mike Price/Bruce Coleman Ltd.

The Alligator's Life History y fundador de la fábrica McIlhenney de salsa tabasco), a principios de este siglo, tuvo importantes consecuencias sobre la conservación, la gestión y, en definitiva, el desarrollo de la tecnología de la cría de cocodrilos.

McIlhenny impuso la condición de que todos los beneficios derivados de la tierra legada se reinvirtieran en la zona y, para satisfacer esta exigencia, la Comisión de Fauna y Recursos Pesqueros del Estado de Luisiana asumió el control y la gestión de los territorios cedidos. En parte de estas tierras se estableció el Refugio Rockefeller para la Fauna. El área es rica en petróleo, recurso que ha sido aprovechado y que ha constituido una fuente continua de ingresos para el Refugio y otros proyectos subsidiarios. Gracias a estos fondos, la Comisión pudo iniciar un programa pionero de gestión de los aligatores a principios de los años sesenta.

El principal objetivo propuesto por la Comisión era la conservación de las marismas de Luisiana, y uno de los métodos que aplicó para conseguirlo fue el aprovechamiento de los mamíferos de pelo, las aves acuáticas y los caimanes, con unas cifras que debían mantenerse de año en año. Las autoridades esperaban que los ingresos así obtenidos volvieran competitivas a las marismas en comparación con las tierras dedicadas a la agricultura. En la práctica, todo el hábitat de las marismas costeras de Luisiana estaba destinado a convertirse en un enorme «rancho» de caimanes.

Sin embargo, la ley de 1969 sobre especies protegidas colocó al aligátor americano (*Alligator mississippiensis*) bajo la responsabilidad directa del gobierno federal. La gestión de la especie pasó a ser responsabilidad del Servicio de Fauna y Recursos Pesqueros de Estados Unidos, y aunque la organización homóloga del estado de Luisiana tenía en última instancia el mismo objetivo —conservar los caimanes—, sus métodos eran diferentes.

Los distintos puntos de vista se enfrentaron en una histórica batalla por los «derechos del Estado». Durante este periodo, la recogida de ejemplares en libertad no estaba permitida, por lo que la investigación en el Refugio Rockefeller se concentró en la cría de los caimanes en cautividad.

Entre las investigaciones realizadas previamente en el Refugio, figuraban estudios sobre las dimensiones óptimas de los estanques para un buen desarrollo de los caimanes capturados en su hábitat natural, la nutrición y sus efectos sobre la fertilidad y el tamaño de las nidadas, el tiempo que los animales pasaban en tierra y en el agua y los coeficientes más adecuados entre uno y otro sexo para una producción máxima de huevos. A partir de entonces, el personal del Refugio desarrolló métodos para la recolección e incubación de huevos, así como para abrir los huevos y criar los caimanes hasta que alcanzaran las dimensiones adecuadas para ser sacrificados. Para el desarrollo de estos métodos, fue preciso investigar sobre la dieta de las crías, la determinación del sexo por la temperatura, las causas de las malformaciones y los sistemas de profilaxis contra las enfermedades corrientes. Los resultados de las investigaciones del Refugio Rockefeller, modificados según las condiciones locales, se utilizan en las granjas de todo el mundo.

Entre los estudios que se realizan actualmente en Luisiana, figuran los métodos de cría de caimanes en ambientes controlados, para un máximo rendimiento comercial. En la práctica, los caimanes se crían en invernaderos, con agua tibia y suministro continuado de alimentos. La música, preferiblemente tradicional de Luisiana, disminuye las molestias que las perturbaciones externas, como el ruido de la limpieza de los establos, suponen para los caimanes. En estas condiciones es posible criar un caimán comercialmente útil, de más de un metro de longitud, en apenas un año.

Se ha comprobado que la cría de aligatores «domésticos» (criados en cautividad) es más económica que la de ejemplares capturados en su hábitat natural. Además, los caimanes domésticos criados en cámaras de ambiente controlado nidifican a una edad muy precoz (6 años, en lugar de 10, que es lo corriente entre los aligatores que viven en libertad en Luisiana) y, si reciben la alimentación adecuada y se mantienen en grupos de la densidad correcta, producen más nidos que los caimanes en libertad. El tamaño de las nidadas aumenta con la edad de las hembras. Según se ha comprobado, la temperatura de incubación de los huevos influye sobre el crecimiento posterior de las crías.

Las granjas de aligatores en Luisiana necesitan una autorización de la Comisión. Hay una serie de factores que influyen sobre la concesión de la autorización o licencia, pero uno de los requisitos es la utilización de cámaras de ambiente controlado. Las investigaciones realizadas en el Refugio Rockefeller han demostrado que es posible producir de manera económica pieles con valor comercial, y actualmente hay en el Estado trece granjas, con un total de 21.000 caimanes en cautividad. La practicabilidad desde el punto de vista económico de la cría de aligatores en invernaderos para lograr un crecimiento máximo, sólo se ha demostrado en el caso de

▼ Los aligatores americanos se crían en granjas desde hace años, pero hasta hace poco existían pocas reglas para regular el funcionamiento de estos establecimientos. Actualmente, las granjas de aligatores aplican tecnología moderna para criar animales de valor comercial en condiciones adecuadas para su salud.

Jeff Foott/Bruce Coleman Ltd.

animales con el tamaño mínimo exigido por el comercio de las pieles. Para conseguir animales más grandes, todavía es preciso recurrir al sistema de trabajo de los «ranchos».

Tanto en Luisiana como en Florida, la captura de caimanes sólo está permitida durante determinada época del año, y los dos estados están tratando de gestionar sus poblaciones de caimanes en libertad. A largo plazo, la política de Luisiana, consistente en gestionar y conservar el hábitat de los caimanes promoviendo los aspectos comercialmente atractivos de las marismas, no sólo puede apoyar al comercio de pieles de cocodriliano, ofreciendo pieles de tamaños imposibles de conseguir en las granjas, sino que puede proporcionar un refugio y un espacio vital a todas las especies autóctonas y migratorias que utilizan estas tierras.

GRANJAS Y RANCHOS DE COCODRILOS DEL NILO EN ÁFRICA

Como resultado de la creciente demanda mundial de pieles de cocodrilo durante los años cincuenta y sesenta, se intensificó en todo el territorio africano la caza del cocodrilo del Nilo (*Crocodylus niloticus*). La caza diezmó las poblaciones de cocodrilos, que sólo encontraron refugio en las zonas más remotas e inaccesibles.

Ante la todavía enorme demanda de pieles y la disminución del número de ejemplares en libertad, comenzaron a considerarse otras fuentes de suministro. A principios de los años sesenta, el gobierno de Zimbabue (antigua Rodesia) recibió las primeras propuestas para iniciar la explotación de «ranchos» de cocodrilos, y en 1965 se fundaron los dos primeros establecimientos a orillas del lago Kariba.

Muy pronto quedó claro que la recolección de crías no resultaba económica, por lo que los ranchos de Zimbabue adoptaron enseguida la cría de animales a partir de los huevos recogidos en las zonas de nidificación. Sólo a finales de los años setenta, los ranchos comenzaron a considerar la posibilidad de transformarse en granjas. Hasta ese momento, los ejemplares adultos sólo se conservaban con fines de exhibición. Sin embargo, cuando se hizo evidente que la industria dependía de la cosecha anual de huevos y que no tenía la menor garantía de continuidad en el futuro, los productores decidieron criar hembras adultas para asegurarse la producción continuada de huevos. Para 1978, se había demostrado, además, que la cría de hembras reproductoras era un sistema económicamente tan eficaz como recoger los huevos producidos por poblaciones en libertad.

Mientras la industria de los cocodrilos se expandía en Zimbabue (de dos ranchos en 1965 a diez granjas en 1988), también se establecieron granjas de cocodrilos en otros países africanos, como Kenia, Tanzania, Zambia, Sudáfrica, Mozambique y Madagascar. El desarrollo del sector, como sucede con todas las industrias nuevas, no ha estado desprovisto de problemas. Los productores han tenido que aprender todos los aspectos de la cría de los cocodrilos, desde la recolección e incubación de los huevos hasta la fase final del tratamiento de las pieles, pasando por el cuidado de las crías y la reproducción. La industria zimbabuense tuvo la ventaja de ser la pionera, pero se

Jonathan Scott/Seaphot Limited/Plant Earth Pictures

◄ Aunque la cría comercial de cocodrilos del Nilo en Zimbabue tuvo que empezar prácticamente de cero en 1965, actualmente es un sector de la economía rentable y bien establecido.

vio obligada a resolver sus problemas y desarrollar sus propias técnicas, sin experiencia previa. Sólo en 1970 el gobierno designó a un funcionario del Departamento de Parques Nacionales y Gestión de la Fauna para supervisar el desarrollo del sector y determinar la viabilidad de las granjas de cocodrilos en cautividad. En la provincia sudafricana de Natal, el organismo local de parques nacionales estableció en 1965, en la reserva de caza de Ndumu, una estación de investigación sobre los cocodrilos que estudió su cría en cautividad.

RECOLECCIÓN DE HUEVOS

La recolección se efectúa tras obtener el permiso de la autoridad competente. La licencia suele establecer las áreas autorizadas para la recolección, así como el número de huevos que se pueden recoger. En algunos países, por ejemplo Zimbabue, la licencia se otorga con la condición de que los productores pongan en libertad determinado número de crías inmaduras, que es por lo general un porcentaje de los huevos recogidos.

El método de recolección en condiciones naturales consiste en visitar las zonas conocidas de nidificación unos dos meses después del desove, cuando todavía faltan alrededor de 30 días para que las crías salgan del cascarón. El momento elegido es importante, ya que los huevos que están en las últimas fases de la incubación corren menos peligro de ser dañados que los huevos recién puestos. La localización general de un nido se determina observando los rastros dejados por la hembra que lo vigila. Para encontrar el sitio concreto, se inserta una vara de acero en la arena, hasta topar con un huevo. Una vez localizado, el nido se abre y se extraen los huevos. Excepto en las granjas, las hembras no suponen una amenaza, ya que temen a los seres humanos. A medida que se sacan del nido, los huevos se marcan cuidadosamente, para volver a colocarlos más adelante en la posición en que se encontraban. Para transportarlos, se guardan en cajas de gomaespuma, con relleno de vermiculita u otros materiales. Una vez guardados en las cajas, los huevos se llevan al rancho para completar su incubación.

La recolección de huevos en las granjas es similar, excepto por dos aspectos. Al tener acceso inmediato a las incubadoras, los huevos se recogen inmediatamente después de la puesta; a veces es posible hacerlo con cierta impunidad directamente, mientras la hembra los está poniendo. Sin embargo, una vez puestos los huevos, las hembras cautivas defienden los nidos contra todos los intrusos, incluidos los seres humanos. Para recoger los huevos, es preciso alejar a la hembra del nido y levantar en medio algún tipo de barrera, para mantenerla bajo control mientras se procede a sacar los huevos.

INCUBACIÓN

A lo largo de los años se han probado, con diferentes grados de éxito, muchos métodos de incubar huevos. Al principio, los productores trataban de imitar los nidos, enterrando los huevos en arena, en recintos abiertos. Este método resultó poco satisfactorio, porque las temperaturas no podían controlarse y el porcentaje de crías obtenidas era muy variable. La estrecha proximidad de varias nidadas provocaba asimismo la salida prematura del cascarón de muchas crías, probablemente porque las vocalizaciones de las crías listas para nacer estimulaban prematuramente a las otras a tratar de salir del huevo.

El segundo método probado consistía en colocar los huevos uno por uno en cajas llenas de arena e incubarlos en invernaderos. Este método evolucionó hasta la utilización de cajas de gomaespuma con vermiculita como medio de incubación. Si bien se han intentado otros sistemas, como el de bandejas abiertas, el método de la gomaespuma y la vermiculita ha demostrado ser el mejor, ya que produce el mayor porcentaje de crías vivas (hasta el 96 % de los huevos sanos recolectados). La temperatura de incubación determina el sexo de las crías; pero, por una serie de razones, en las granjas africanas no se practica la determinación del sexo por este método. Sin embargo, se ha comprobado que las variaciones de la temperatura durante la incubación producen crías más robustas.

▼ En las granjas y «ranchos» africanos se emplea vermiculita para incubar los huevos en condiciones de humedad y temperatura controladas. En Australia se utilizan en cambio bandejas abiertas, que reducen las infecciones fúngicas y permiten un fácil acceso a los huevos.

Jack Green/Australian Nature Photographs

CRÍAS Y ANIMALES PARA LA PRODUCCIÓN

La cría a gran escala de jóvenes cocodrilos fue uno de los aspectos más problemáticos para el establecimiento de la industria africana. Los mortalidad entre las crías era muy elevada, como consecuencia de brotes de enfermedades endémicas. Más adelante se descubrió que estas enfermedades eran en realidad secundarias y que el principal problema era la fuerte variación de las temperaturas diurna y nocturna en los estanques. Desde que las crías se mantienen en invernaderos a una temperatura constante de 32 ºC, la mortalidad ha disminuido y las tasas de crecimiento han aumentado.

También la nutrición planteó problemas. En condiciones naturales, las crías se alimentan sobre todo de insectos y peces pequeños. Se comprobó que la dieta de carne picada ofrecida en las granjas y ranchos era pobre en vitaminas y sales minerales, y fue preciso añadir estas sustancias. En cambio, las granjas situadas a orillas del lago Kariba podían conseguir un tipo de peces (del género *Limnothrissa*) que resultaron ser un alimento ideal para las crías.

Después del primer año, según las condiciones climáticas locales, los cocodrilos son trasladados a estanques al aire libre o siguen viviendo en invernaderos. En esta fase, la mortalidad es mínima y los animales se crían sin dificultades hasta las dimensiones exigidas por la industria peletera, que alcanzan hacia los dos años de edad o incluso menos. Estos cocodrilos consumen grandes cantidades de carne. En Zimbabue, su principal alimento es la carne resultante de las partidas de caza. En Sudáfrica, los pollos de granja.

PRODUCCIÓN DE PIEL

Cuando los jóvenes cocodrilos alcanzan las dimensiones exigidas por la industria peletera (unos 32 cm de ancho en el vientre), son sacrificados. La matanza se efectúa de manera rápida y eficaz, ya sea mediante un disparo en la cabeza o por fractura de la columna vertebral.

Inmediatamente después de muertos, los animales son desollados por personal especializado. La piel se divide en dos trozos, el ventral y el dorsal. Las pieles ventrales se someten a un tratamiento con sal y otros conservantes y se almacenan en cámaras frigoríficas, a la espera de ser transportadas. La mayoría de estas pieles se envían a Europa, el mercado tradicional que dispone de la tecnología y la maquinaria necesarias para la curtimbre. La demanda internacional de pieles dorsales es baja, por lo que esta parte de la piel no suele salir de la zona de producción, donde se aprovecha para fabricar cinturones y otros artículos artesanales.

La mayor parte de la carne de los animales sacrificados se utiliza como alimento para los cocodrilos de la granja, aunque un pequeño porcentaje se destina al consumo humano. Las patas y las cabezas (enteras o en esqueleto) se venden a los turistas como recuerdo.

EJEMPLARES PARA LA REPRODUCCIÓN

Los ejemplares para la reproducción se seleccionan entre los cocodrilos criados en la granja o entre animales capturados en su hábitat natural. La cría de cocodrilos para la reproducción es un proceso muy largo, ya que

Jack Green/Australian Nature Photographs

en condiciones naturales alcanzan la madurez al cabo de 10 o 12 años. En los invernaderos es posible conseguir que las hembras pongan huevos a la edad de seis años, pero todavía está por demostrar que estas hembras sean maduras sexualmente. Los cocodrilos capturados en su hábitat natural con fines reproductores suelen cazarse con autorización oficial, por entrar dentro de la cuota permitida o por constituir una amenaza para los seres humanos o el ganado. Estos ejemplares se adaptan bien a la vida en cautividad y, si las condiciones son ideales, se reproducen todos los años. Los cocodrilos adultos viven en estanques lo suficientemente grandes y profundos para que tenga lugar el apareamiento.

En África se aplican dos sistemas de mantenimiento de cocodrilos adultos para la reproducción. El primero, que consiste en mantener juntos varios machos y hembras, tiene el inconveniente de que los machos exhiben un comportamiento marcadamente territorial durante la estación del apareamiento y pueden causar heridas graves, e incluso mortales, a sus compañeros. Otro problema es que los machos están tan ocupados persiguiéndose unos a otros que no montan bien a las hembras y la consecuencia es una baja fertilidad de los

Bill Green

▲ Los aligatores americanos criados en cautividad crecen dos veces más rápidamente que los ejemplares que viven en libertad, lo cual aumenta la rentabilidad de la cría de aligatores en Estados Unidos.

◀ En Papúa-Nueva Guinea, los habitantes de las aldeas crían cocodrilos jóvenes en estanques construidos con materiales locales, hasta que llegan los compradores de los grandes «ranchos». En algunos casos, estas ventas constituyen la única fuente de dinero en efectivo para los campesinos.

huevos. El otro sistema utilizado, más parecido al de las granjas de otras regiones, consiste en tener grupos de varias hembras con su solo macho. Este sistema asegura una mayor tasa de fertilidad y permite, además, controlar el rendimiento reproductor de cada uno de los machos.

En ambos sistemas, el apareamiento comienza a mediados del invierno, unos tres o cuatro meses antes de la nidificación. Durante este periodo, el macho cubre repetidamente a cada hembra. Cuando se acerca el momento del desove, la hembra elige el lugar para construir el nido. Sin embargo, como esta conducta puede determinar conflictos entre las hembras, algunas granjas disponen de establos separados donde los animales pueden nidificar. En estos establos resulta fácil, además, mantener a la hembra alejada del nido, para facilitar la recolección de los huevos.

El tamaño de las nidadas varía según las dimensiones y la edad de la hembra, desde 20 huevos para la primera puesta hasta 70 o más en el caso de una hembra madura grande. Las granjas prevén unos 40 huevos por hembra. Para que una granja resulte económicamente viable, debe producir unas 2.000 pieles al año. Para lograr esta cifra, la granja necesita el producto de 60 nidos o 2.500 huevos al año.

CAPTURA, MANIPULACIÓN E INMOVILIZACIÓN

En 1971, en el marco de una estrecha colaboración entre el Departamento de Parques Nacionales y la Universidad de Zimbabue, se puso a prueba el fármaco Flaxedil (trietiyoduro de galamina), que resultó ser adecuado para la inmovilización de los cocodrilos. Si bien no es un anestésico, este fármaco ha demostrado ser de gran utilidad para capturar, manipular y transportar cocodrilos. Antes de su utilización, era preciso inmovilizar a los animales con sogas y no era raro que en el proceso los trabajadores o los animales resultaran lesionados.

Con la creciente popularidad de la cría de cocodrilos en cautividad, la demanda de ejemplares adultos ha aumentado, y en la mayoría de los países africanos se prefiere capturar y vender a los animales problemáticos, en lugar de cazarlos y matarlos. En algunos países, las autoridades otorgan además licencias para capturar cocodrilos en las zonas donde se considera que su número es excesivo. Gran cantidad de cocodrilos pertenecientes a cualquiera de estas dos categorías han sido capturados y enviados a granjas de toda África. Los animales se capturan en trampas de caja o de Pitman. La trampa de caja consiste en una caja alargada o un tubo, cubierto con una rejilla de alambre. Uno de los extremos está cerrado, mientras que en el otro hay una puerta corrediza que cae cuando el cocodrilo entra en la caja y muerde el señuelo. El inconveniente de este tipo de trampa es que los animales suelen hacerse heridas en la boca al tratar desesperadamente de salir de la caja. La trampa de Pitman consiste en tres ballestas de automóvil atornilladas entre sí y montadas en un poste hincado en el suelo, al fondo de un canal excavado a orillas de un río. Las ballestas se doblan hacia abajo y se atan a un disparador, del cual se suspende un señuelo que queda sobre la superficie del agua. En la boca del canal se coloca un cable de alambre atado con un lazo corredizo,

Michael Cermak

▲ En muchas granjas se construyen establos individuales para evitar los conflictos entre las hembras por los mejores sitios de nidificación. Además, estos establos disponen de sistemas para separar a la hembra del nido y facilitar así la recolección de los huevos.

► Para atrapar cocodrilos con fines de medición, marcaje, investigación o traslado, se utilizan métodos muy variados. En el caso de los cocodrilos marinos grandes, lo más frecuente es utilizar sogas, ya que este sistema reduce el riesgo de lesiones para el propio animal.

Bill Green

que se ata a su vez a las ballestas. El cocodrilo
nada a través del círculo formado por el cable y, al
morder el señuelo, acciona el disparador. Las ballestas se
enderezan hacia arriba y cierran el lazo en torno al
cocodrilo. El lazo corredizo permite que el animal nade y
trate de escapar, tanto como el cable lo permita, sin que
se haga daño. ·

Jonathan Scott/Seaphot Limited: Planet Earth Pictures/Transglobe Agency

▲► La trampa de caja (arriba) es fácil
de instalar, se adapta al cambiante nivel
del agua en zonas de marea y reduce el
riesgo de lesiones para los trabajadores
durante la captura, pero resulta ineficaz
si los animales son muy grandes. Más
eficaces para la captura de animales
grandes son la trampa de cuerdas y la
trampa de Pitman (a la derecha), que
permiten al cocodrilo capturado cierto
grado de movimientos.

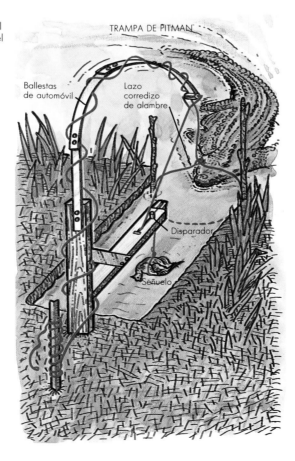

TRAMPA DE PITMAN

Ballestas
de automóvil

Lazo
corredizo
de alambre

Disparador

Señuelo

Al principio, la inmovilización de los cocodrilos
capturados se lograba mediante la inyección manual
directa del tranquilizante. Como esta práctica era muy
peligrosa, se probaron varios tipos de pistolas de dardos.
Estas armas también planteaban problemas, porque si
bien permitían interponer cierta distancia entre el
cocodrilo y el trabajador, existía el peligro de que los
dardos rebotaran en la piel del cocodrilo e hirieran a la
persona que los disparaba o a sus compañeros.
Finalmente quedó establecido que el método más seguro
consiste en utilizar una jeringuilla especial, montada
sobre una larga pértiga de aluminio. El lugar habitual
para la inyección es la cola, justo por detrás de una de las
patas traseras.

Después de recibir la inyección, pasan entre 20 y 30
minutos antes de que el cocodrilo quede inmovilizado,
dependiendo de su temperatura y de la cantidad de
sustancia administrada. Cuando la sustancia hace efecto,
el cocodrilo queda paralizado, pero puede ver, oír, oler y
sentir dolor. Por este motivo, se le atan las mandíbulas y
se le vendan los ojos para su manipulación y transporte.
En este estado, el cocodrilo permanece adormecido,
incluso cuando la acción del fármaco se desvanece.

Con esta técnica, muchos cocodrilos inmovilizados han
viajado miles de kilómetros por tierra o por aire, sin
sufrir efectos adversos. La inmovilización ha permitido
además atender sin peligro a los cocodrilos heridos o
enfermos. Como los animales todavía sienten el dolor,
se les administra un anestésico local en caso de que
sea necesario practicar una intervención quirúrgica.

BENEFICIOS DE LA CRÍA DE COCODRILOS EN ÁFRICA

En África, la cría de cocodrilos en cautividad sólo se
practica con el cocodrilo del Nilo. La contribución de este
sector de la industria, que proporciona pieles de buena
calidad, está haciendo disminuir la demanda de pieles de
animales cazados en su hábitat natural, ya sea por medios
legales o ilegales, lo cual ha reducido la incidencia de la
caza furtiva. Se espera que en el futuro las pieles
procedentes de granjas y «ranchos» reemplacen
totalmente a las pieles de animales en libertad.

La industria ha tenido también consecuencias
importantes desde el punto de vista científico. Por la
necesidad de saber más acerca de las poblaciones de
cocodrilos, la mayoría de los países africanos han
dedicado recursos humanos y económicos a diversos
proyectos de investigación de los cocodrilos. Esta
situación se ha dado sobre todo en Sudáfrica y Zimbabue,
donde se han designado funcionarios para controlar las
poblaciones de cocodrilos y desarrollar nuevas técnicas
destinadas a remediar los problemas planteados por la
cría. Zimbabue, el país pionero en este campo, organizó
en 1982, en Victoria Falls, la primera conferencia
internacional sobre la cría de cocodrilos, CROC'82, a la
que asistieron 81 delegados de 18 países de todo el
mundo. La investigación ha permitido saber más acerca
de los cocodrilos en su medio natural, los requisitos para
su supervivencia y su papel ecológico.

Las granjas y los «ranchos» han fomentado una nueva
actitud hacia los cocodrilos, que actualmente reciben más

protección en su hábitat natural. Si no hubiese sido por este cambio de actitud, muchas poblaciones africanas de cocodrilos, fuera de los parques naturales, se habrían extinguido.

GRANJAS Y «RANCHOS» EN AUSTRALIA

La cría de cocodrilos es un área nueva de la ganadería en Australia. En 1969, la unidad de ecología aplicada de la Universidad Nacional Australiana estableció la primera pequeña granja de cocodrilos marinos (*Crocodylus porosus*) en la comunidad aborigen del río Edward, en Cabo York, Queensland. El objetivo original de la granja (actualmente, granja de cocodrilos del río Edward) era salvar a algunas crías de cocodrilos marinos, que entonces no estaban protegidos en Queensland, pagando a los cazadores para que los entregaran a la granja, en lugar de venderlos a los embalsamadores. De esta forma se consiguieron unos 600 cocodrilos, aunque muchos se encontraban en condiciones lamentables y tenían pocas probabilidades de supervivencia. El establecimiento estuvo prácticamente inactivo hasta 1976, cuando se tomó la decisión de convertirlo en centro reproductor y granja comercial de cocodrilos. En 1979, tras obtener un permiso para atrapar 50 ejemplares adultos, la granja consiguió 49 de más de 2,8 m de longitud. Ésta fue la primera granja de Australia que cumplió con todas las normativas estatales, federales e internacionales.

Actualmente existen en Australia siete granjas y «ranchos» de cocodrilos. Los cuatro establecimientos de Queensland son granjas, mientras que los tres del Territorio del Norte son en realidad «ranchos», ya que funcionan gracias a la recolección anual de huevos de cocodrilo marino y de crías de cocodrilo de Johnston (*Crocodylus johnstoni*), según un plan aprobado por las autoridades. El plan de gestión que rige en el Territorio del Norte permite la recolección anual de 4.000 huevos de cocodrilo marino en el río Adelaida y en la cuenca del río Finniss-Reynolds, así como la recogida de 2.000 crías de cocodrilo de Johnston por establecimiento. Las investigaciones realizadas en la zona durante tres estaciones no han constatado consecuencias negativas; de hecho, la población de cocodrilos marinos adultos del río Adelaida ha aumentado considerablemente.

En los «ranchos» del Territorio del Norte hay también grupos reproductores de cocodrilos marinos, que, sumados a los de las granjas de Queensland, produjeron más de 200 nidos en 1988. La producción de crías en cautividad también va en aumento, ya que la mayoría de los establecimientos han tenido que pasar por el periodo de adaptación de los animales problemáticos (grandes cocodrilos que se establecen en áreas urbanas o de vacaciones y que deben ser capturados por razones de seguridad) y debido a que una elevada proporción de las hembras, especialmente en la granja del río Edward, han dejado atrás las estaciones iniciales de baja fertilidad.

Como no hay normas internacionalmente aceptadas para el diseño de las granjas o los métodos de cría de los cocodrilos, las iniciativas australianas con cocodrilos marinos y de Johnston se han basado sobre todo en las experiencias de África y de Estados Unidos y, en menor medida, en los métodos aplicados en Asia y en Papúa-

Romulus Whitaker

◄ Financiada por el Departamento de Asuntos Aborígenes de la Commonwealth, la granja de cocodrilos del río Edward, en Queensland, pasó de tener 600 cocodrilos en 1969 a 7.840 en 1988. Fuente de puestos de trabajo para la comunidad aborigen local, ha sido la primera granja de cocodrilos de Australia.

Nueva Guinea, adaptados a las condiciones australianas. Los siete establecimientos existentes en Australia, más un octavo en fase de proyecto, se describen en las siguientes líneas.

1. La granja de cocodrilos del río Edward (Edward River Crocodile Farm) se encuentra en Queensland, a 500 km al noroeste de Cairns, en la costa occidental de Cabo York, en la comunidad aborigen de Pormpuraaw (antes, comunidad aborigen del río Edward). La granja inició sus actividades en 1969, con el doble propósito de proteger a algunos ejemplares jóvenes de cocodrilo marino, que de otra forma habrían acabado en manos de los cazadores, y de crear puestos de trabajo en la comunidad aborigen. El establecimiento es un proyecto de investigación y desarrollo, subvencionado por el Departamento de Asuntos Aborígenes de la Commonwealth. La granja funciona como un sistema cerrado y está registrada en la CITES como instalación de cría de cocodrilos marinos en cautividad. En mayo de 1988, la granja tenía 7.840 cocodrilos, de los cuales más de 7.500 habían nacido en sus instalaciones. En la temporada 1987-1988, los animales de la granja produjeron 134 nidos. El establecimiento exporta pieles desde 1984 y comercializa localmente carne de cocodrilo para el consumo humano desde 1986. Sus principales problemas son la lejanía de los centros poblados y el suministro de alimentos, sobre todo durante la estación de las lluvias, cuando las carreteras quedan bloqueadas durante varios meses. La granja tiene previsto trasladar las instalaciones de cría a Cairns, donde los suministros pueden llegar con más facilidad y donde el turismo está más desarrollado.

2. La granja de cocodrilos de Koorana (Koorana Crocodile Farm), a 30 km al este de Rockhampton, en Queensland, comenzó a funcionar en 1981, con el objetivo de producir pieles y carne, además de

Bill Green

▲ En Papúa-Nueva Guinea hay dos grandes granjas de cocodrilos, que producen pieles de gran calidad. Australia utilizó hasta cierto punto la experiencia de los productores del país vecino cuando estableció su sector de cría de cocodrilos.

convertirse en centro turístico y de educación. El establecimiento funciona en parte mediante un novedoso sistema de «invertir en un cocodrilo». La población en mayo de 1988 era de 850 animales —100 cocodrilos de Johnston y 750 cocodrilos marinos—. En 1988 se construyeron en la granja veinticuatro nidos de cocodrilo marino. La dieta de los animales es a base de aves de corral, pescado y carne de buey, y está previsto llegar a una producción de un millar de pieles al año. El principal problema ha sido el suministro de animales, ya que la granja sólo ha tenido acceso a los cocodrilos marinos problemáticos de la zona de Rockhampton y a algunos ejemplares enviados desde la granja del río Edward.

3. La granja de cocodrilos de Hartleys Creek (Hartleys Creek Crocodile Farm), a 60 km al norte de Cairns, es el hogar de «Charlie el Cocodrilo» y ha sido un popular centro turístico desde hace varios años. Cuenta con 500 cocodrilos marinos y 200 cocodrilos de Johnston, y ha conseguido ser reconocida como granja de destino de cocodrilos problemáticos, dentro del plan de gestión de la costa este de los parques nacionales de Queensland. El plan permite la captura de cocodrilos de más de 1,2 m de longitud que se encuentren en zonas pobladas y turísticas.

4. La granja de cocodrilos del río Johnston (Johnstone River Crocodile Farm), situada a 4 km al sudeste de Innisfail, en Queensland, es una empresa familiar fundada en 1986, que hoy cuenta con 26 cocodrilos marinos, todos ellos ejemplares problemáticos capturados en la zona. En la temporada 1987-1988, la granja produjo un nido, del que nacieron 34 crías. Se prevé que el establecimiento abra muy pronto sus puertas a los visitantes, en condiciones restringidas.

5. Las Crocodile Farms (N.T.), a 40 km al sur de Darwin, es un establecimiento que comenzó sus actividades en 1980, básicamente como centro turístico, por iniciativa de una serie de inversionistas, asociados con una granja avícola. La granja recibió en 1984 más de 40.000 visitantes y más de 100.000 en 1987. La reserva total era de 6.520 cocodrilos en mayo de 1988, de los cuales 3.200 eran cocodrilos marinos y 3.320, cocodrilos de Johnston. Los ejemplares para la reproducción fueron capturados en su ambiente natural, entre los cocodrilos problemáticos de la zona de Darwin. Los principales problemas han sido la adaptación de los animales recién capturados y las dificultades de convivencia entre determinados ejemplares, ya que la formación de grupos cuyos individuos no encajan entre sí en términos de dimensiones y sexo reduce la eficacia de las poblaciones reproductoras en cautividad. En la temporada 1987-1988, la granja produjo 37 nidos de cocodrilo marino. El establecimiento está concentrando sus actividades en esta especie por el precio de su piel, más elevado, y por su mayor productividad en carne. La dieta de los animales se compone básicamente de pollo, con algo de pescado y carne de ternera para las crías. La producción proyectada es de 2.000 pieles al año, iniciando su comercialización en 1987.

6. La granja de cocodrilos Janamba (Janamba Croc Farm), en la represa Fogg, a 70 km al sudeste de Darwin, inició sus actividades en 1982, en colaboración con una granja avícola de la ciudad. No recibe visitas turísticas. El establecimiento cambió de propietario en 1985 y ha sido extensamente renovado, con nuevos estanques y recintos para la reproducción. En mayo de 1988, la granja tenía 2.100 cocodrilos marinos y 6.200 de Johnston. La comercialización de carne y pieles comenzó en 1987.

7. El rancho de cocodrilos Letaba (Letaba Crocodile Ranch), a 95 km al sudoeste de Darwin, es un establecimiento fundado en 1982, en asociación con una gran finca ganadera. La idea básica consiste en recolectar huevos de cocodrilo marino de las zonas naturales de nidificación, en lugar de mantener una población reproductora en cautividad. La finca, gestionada directamente por sus propietarios, no admite visitas turísticas. Tras un traslado en 1987, se concentra ahora en la cría de cocodrilos marinos. En mayo de 1988 contaba con 2.200 cocodrilos de esta especie y 120 cocodrilos de Johnston. Comenzó a comercializar pieles y carne de cocodrilo en 1987.

8. La granja de cocodrilos Broome (Broome Crocodile Farm) es oficialmente una reserva de fauna, pero puede figurar en esta sección porque cría cocodrilos y existen proyectos para convertirla en una granja. En la actualidad, el parque tiene sólo 134 cocodrilos, incluidas las crías, y cuatro aligatores americanos. En 1988 nacieron en el parque 52 cocodrilos marinos, que han sobrevivido. Lo que hace de esta granja un sitio diferente de los otros establecimientos son sus reducidas dimensiones y el hecho de que funciona perfectamente con los ingresos que le proporciona el turismo: en 1987 recibió más de 30.000 visitantes.

Las granjas y ranchos de cocodrilos disponen de diferentes fuentes de financiación e ingresos. Crocodile Farms (N.T.), Koorana, Hartleys Creek y Broome son establecimientos orientados al turismo, mientras que las granjas Janamba y Letaba, así como las de los ríos Edward y Johnston, se dedican únicamente a la producción de pieles y carne de cocodrilo. Las granjas de Hartleys Creek, Crocodile Farms (N.T.) y la del río Edward son sociedades de accionistas, mientras que las de Koorana, el río Johnston, Janamba, Letaba y Broome tienen un único propietario. Los establecimientos de cría de cocodrilos son esencialmente inversiones a largo plazo. Hay que esperar entre 3 y 4 años para que las crías alcancen unas dimensiones comercializables, mientras que la cría para la reproducción impone un plazo de entre 8 y 10 años para percibir los beneficios. Para generar ingresos en los primeros años, las granjas suelen admitir turistas y se financian con la venta de entradas, recuerdos y objetos relacionados con los cocodrilos; así, la animación turística, más que la carne o la piel de cocodrilo, es el principal producto de la empresa.

Las dos especies de cocodrilos australianos están protegidas por la legislación estatal, federal e internacional, sobre todo en lo referente a su captura, cría y comercialización. Las sanciones por las eventuales infracciones pueden consistir en confiscación de los animales, pérdida de la licencia, multas e incluso prisión. Todas las granjas o ranchos deben contar con una autorización para atrapar o conservar cocodrilos en cautividad y para vender los animales o sus productos.

El gobierno federal, a través del Servicio Australiano de Parques Nacionales y Fauna, es la autoridad científica y de gestión que representa a la CITES en Australia y, como tal, debe asegurarse de que la explotación comercial de toda especie mencionada en esta convención, como es el caso de los cocodrilos, satisfaga las exigencias sobre cría en cautividad impuestas por la CITES (en el caso de las granjas) o de un plan de gestión debidamente aprobado (en el caso de los ranchos). Las poblaciones australianas de cocodrilos marinos y de Johnston figuran en el Apéndice II de la CITES, lo cual confiere a ambas especies un elevado nivel de protección.

El comercio internacional de pieles de cocodrilo ha cambiado mucho en los últimos treinta años. Con un máximo a finales de los años cincuenta y principios de los sesenta, cuando el volumen comercializado alcanzó entre 5 y 10 millones de pieles, el comercio mundial actual no supera probablemente el millón y medio de pieles al año. Los principales mercados para pieles de cocodrilo marino son Francia y Japón, seguidos de cerca por Italia y Singapur. Existen buenas perspectivas para el mercado de estas pieles, en el que se cotizan especialmente las pieles más pequeñas, de entre 30 y 40 cm de ancho ventral. Las pieles de cocodrilo de Johnston valen aproximadamente la mitad que las de cocodrilo marino del mismo tamaño, debido a la presencia de osteodermos, que dificultan las tareas de curtimbre, y al mayor tamaño de los escudos, que imposibilita la fabricación de cuero de primera calidad.

La carne de cocodrilo se ha convertido en poco tiempo en un producto apreciado y está recibiendo gran atención

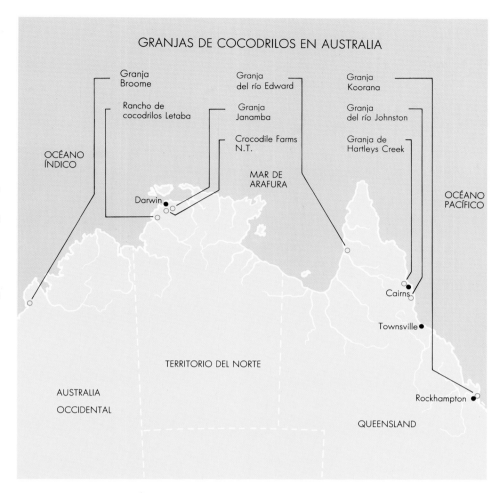

GRANJAS DE COCODRILOS EN AUSTRALIA

Granja Broome

Rancho de cocodrilos Letaba

Granja del río Edward

Granja Janamba

Crocodile Farms N.T.

Granja Koorana

Granja del río Johnston

Granja de Hartleys Creek

OCÉANO ÍNDICO

MAR DE ARAFURA

OCÉANO PACÍFICO

Darwin

AUSTRALIA OCCIDENTAL

TERRITORIO DEL NORTE

QUEENSLAND

Cairns

Townsville

Rockhampton

por parte de los restaurantes y de la prensa en toda Australia. Incluso sin campañas publicitarias, la demanda supera con mucho a la oferta, por lo que la carne de cocodrilo tiene buenas perspectivas en el mercado local para un futuro próximo. Hay además una serie de subproductos (piel de la región dorsal para artículos artesanales, cabezas y patas para taxidermia, así como bilis seca, bazos y penes para la medicina asiática) que tienen cierto potencial económico y que prácticamente no se aprovechan en Australia.

La actitud hacia la conservación y la gestión de los cocodrilos en Australia ha cambiado desde una estricta protección hacia una explotación que permita mantener los mismos niveles de rendimiento de año en año. Existen organizaciones que siguen oponiéndose a toda explotación comercial de la fauna. Sin embargo, los cocodrilos que viven en las granjas y ranchos australianos, en especial los 16.000 cocodrilos marinos, constituyen una importante contribución para la conservación, ya que este número representa un porcentaje significativo de la población estimada de cocodrilos en libertad en Australia. Los establecimientos comerciales son indudablemente una garantía de conservación para el futuro. Además, las granjas y ranchos han recibido un buen número de cocodrilos marinos problemáticos, que de otro modo habrían sido muertos a tiros. A través de la prensa y del turismo (en algunas granjas), la industria desempeña un papel muy importante en la educación pública y en la conservación de los cocodrilos.

GRANJAS COMPARADAS

ROMULUS WHITAKER Y GREG MITCHELL

BANCO DE COCODRILOS DE MADRÁS

En 1971, en la primera reunión del grupo de especialistas en cocodrilos de la Unión Internacional para la Conservación de la Naturaleza y los Recursos Naturales (International Union for the Conservation of Nature and Natural Resources, IUCN), se propuso el establecimiento de un banco de cocodrilos como reserva genética para todas las especies de cocodrilianos. En 1975 se dio el primer paso hacia este objetivo, con la fundación del Banco de Cocodrilos de Madrás. Tras iniciar sus actividades con 14 cocodrilos palustres (*Crocodylus palustris*) y con fuentes de financiación tan diversas como el World Wildlife Fund y la asociación de productores de pieles de reptil de Alemania Federal, el banco tiene ahora alrededor de 3.500 cocodrilos de diez especies. Más de 400 crías nacidas en cautividad se han utilizado en los programas estatales de repoblación en la India.

En su carácter de «granja» de cocodrilos exclusivamente destinada a la conservación, el banco de Madrás se dedica a la investigación de campo y de laboratorio sobre los cocodrilos, incluida la situación de las poblaciones que viven en libertad, así como diferentes aspectos de la conducta, la biología y la tecnología para la cría de estos reptiles. Con una extensión de 3,5 hectáreas de terreno costero, a 40 km al sur de Madrás, el rasgo más destacado del banco es una red de recintos y estanques cuidadosamente diseñados, muchos de los cuales han sido excavados en el elevado acuífero natural. El laboratorio, equipado con aire acondicionado, y la oficina, dotada de ordenadores, funcionan en colaboración con instituciones científicas indias y extranjeras de las que reciben una considerable financiación para investigación.

El Banco de Cocodrilos de Madrás ha publicado una serie de películas y revistas, para contribuir a un mayor conocimiento del mundo cocodriliano. Más de medio millón de visitantes al año pagan alrededor de 15 pesetas cada uno para ver y aprender acerca de los cocodrilos, lo cual convierte al banco en una institución capaz de autofinanciarse. Dirigida por un consejo de administración, entre sus planes para el futuro figura

S. C. Bisserot

la adquisición de grupos reproductores de todos los cocodrilianos, así como el patrocinio de una cooperativa local, que aprovechará comercialmente el exceso de cocodrilos criados en el banco.

COCODRILIANOS EN EL BANCO DE COCODRILOS DE MADRÁS

Cocodrilo palustre	*Crocodylus palustris*	2.900
Caimán de anteojos	*Caiman crocodilus*	300
Cocodrilo marino	*Crocodylus porosus*	170
Gavial	*Gavialis gangeticus*	15
Aligátor americano	*Alligator mississippiensis*	12
Cocodrilo pardo	*Crocodylus moreletii*	10
Cocodrilo malayo	*Tomistoma schlegelii*	5
Cocodrilo siamés	*Crocodylus siamensis*	5
Cocodrilo enano	*Osteolaemis tetraspis*	4
Cocodrilo del Nilo	*Crocodylus niloticus*	4

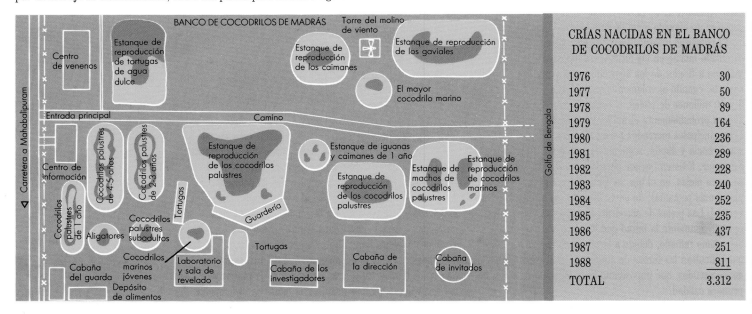

CRÍAS NACIDAS EN EL BANCO DE COCODRILOS DE MADRÁS

1976	30
1977	50
1978	89
1979	164
1980	236
1981	289
1982	228
1983	240
1984	252
1985	235
1986	437
1987	251
1988	811
TOTAL	3.312

GRANJA Y RANCHO DE COCODRILOS DE MAINLAND HOLDINGS, EN PAPÚA-NUEVA GUINEA

La cría de cocodrilos comenzó en Papúa-Nueva Guinea a finales de los años sesenta. Durante los diez primeros años, las actividades se limitaron a pequeños establecimientos en aldeas remotas y a las granjas estatales de investigación y educación. En 1979, la empresa Mainland Holdings obtuvo una autorización para instalar un «rancho» de cocodrilos en Lae, y en 1982 se le concedió un permiso para criar animales en el sistema de granja. La granja representa una inversión de capital de más de 3.500 millones de pesetas, y la empresa es de propiedad completamente nacional y cuenta con 18 empleados.

En colaboración con el Departamento de Recursos Naturales, Mainland Holdings participa en un programa nacional de supervisión, cuyo principal objetivo es aumentar los beneficios consiguiendo que los cocodrilos alcancen mayor tamaño y, en consecuencia, mayor valor de la piel en el mercado; de esta forma, se aprovecharía mejor el recurso, sin intensificar la presión que supone la caza. Durante los tres últimos años se han recogido huevos de las zonas de nidificación naturales, como parte del programa de supervisión. El pago recibido por estos huevos es un ingreso directo e inmediato para el propietario de las tierras.

Mainland Holdings ha establecido un sistema nacional de compra de cocodrilos vivos, capturados en su hábitat natural, en colaboración con un centenar de pequeños propietarios y alrededor de 200 cazadores, que en 1988 suministraron en total a la granja unos 10.000 animales. Como los precios pagados por los cocodrilos vivos son considerablemente superiores a los que se pagan por las pieles, los cazadores y los pequeños propietarios consideran el proyecto con gran entusiasmo. Todos los animales adquiridos en el lugar de la captura son transportados a Lae en vuelos especialmente contratados. La granja dispone de una incubadora con capacidad para 6.000 huevos, que mantiene una humedad próxima al 100 % y puede controlar la temperatura con un margen de error de medio grado centígrado, lo cual permite determinar el sexo de las crías. La población criada actualmente en la granja por su piel asciende a 28.500 cocodrilos, desde crías de 60 gramos de peso hasta ejemplares de 3 años y de cerca de 20 kg de peso. Además, el establecimiento mantiene un grupo de 140 cocodrilos marinos, con el fin de estudiar las técnicas de cría.

En Papúa-Nueva Guinea es ilegal poseer animales cuyas pieles midan más de 51 cm transversalmente, entre las escamas dorsales laterales, al ser sacrificados. Por lo tanto, todos los reproductores son propiedad del Conservador de la Fauna y sólo se pueden tener en usufructo. De ser necesario, el Conservador puede ordenar que parte de las crías producidas por los reproductores sean liberadas en su hábitat natural.

El éxito de la granja de cocodrilos de Mainland Holdings está directamente relacionado con el fácil acceso al alimento que proporciona el sector avícola del establecimiento, ya que los cocodrilos consumen diariamente 2,5 toneladas de pollo. La empresa tiene recursos suficientes para alimentar a 40.000 cocodrilos, e incluso más, si añadiera piensos secos en su dieta.

La granja se divide en tres áreas: incubadora/enfermería, zona de cría y zona de reproducción. Cuando un animal llega a la granja, se examina cuidadosamente su condición general, así como las heridas de lanza, las marcas en la piel, etc. Si un animal nuevo tiene problemas de salud, permanece en la enfermería el tiempo necesario para recuperarse, al igual que los cocodrilos enfermos procedentes de la zona de cría. Si están sanos, son llevados directamente a la zona de cría, donde vivirán con otros animales de dimensiones similares.

Los establos de cría miden 18 × 90 m y pueden albergar hasta un total de 4.000 cocodrilos, dependiendo de su tamaño. La granja proyecta

construir un nuevo complejo de cría de ambiente controlado, para las crías recién salidas del cascarón. Los animales crecerán en pequeños recintos, con luz, temperatura y dieta controladas. También se construirá un matadero donde tendrán lugar la desolladura y el procesamiento de la carne para la exportación, con cámaras frigoríficas para las pieles y la carne. El complejo proyectado pasaría los exámenes más estrictos pensados para cualquier establecimiento ganadero.

La cría de cocodrilos es una actividad sumamente inusual. Gran parte del trabajo consiste en avanzar a ciegas, cometiendo muchos errores mientras se desarrollan nuevos métodos. Con todo, no resulta más peligroso que la actividad de cualquier instalación ganadera.

▼ La granja de cocodrilos de Samut Prakan, al sur de Bangkok, en Tailandia, es una de las mayores del mundo, con 30.000 cocodrilos que viven en vastos estanques al aire libre. La gran mayoría de los animales, que se crían por su piel y otros productos, son cocodrilos marinos o siameses, dos especies autóctonas de Tailandia. El establecimiento de la granja ha sido un paso fundamental para salvar de la extinción a la población tailandesa de cocodrilos siameses. La granja es, además, una gran atracción turística, que programa diariamente espectáculos de «luchas con cocodrilos».

PROTECCIÓN
Y CONSERVACIÓN

F. WAYNE KING

Los años ochenta han sido un importante periodo de transición en la conservación de los cocodrilianos: una década en que las iniciativas conservacionistas hicieron recuperar su anterior posición a muchas especies amenazadas y en la que muchos países productores comenzaron a considerar a cocodrilos y caimanes como un recurso capaz de proporcionarles valiosas divisas, más que como una plaga que debía ser exterminada. Este periodo ha sido también probablemente (aunque todavía es demasiado pronto para asegurarlo) la época en que el delicado equilibrio del comercio internacional de pieles de cocodrilo se ha inclinado en favor de las transacciones legales, en detrimento de las ilegales.

Todavía queda mucho por hacer. Muchas poblaciones de cocodrilianos se encuentran aún peligrosamente cerca de la extinción. Algunos países hacen muy poco, aparte de hablar sobre la necesidad de proteger las poblaciones en libertad, y el comercio ilegal todavía existe. Ni siquiera los países que controlan estrictamente la caza de cocodrilos o caimanes suelen mantener adecuadamente la diversidad genética de las especies, mediante la necesaria red de parques nacionales y refugios para la fauna, con el fin de proteger las poblaciones en toda su área de distribución. Aun así, existen actualmente auténticas posibilidades de salvar las especies que siguen estando amenazadas, de lograr que el conjunto del comercio internacional de pieles de reptil funcione sobre bases legales y de explotación racional, de llegar a controlar los últimos mercados importantes de pieles ilegales y, finalmente, de conseguir un aumento significativo en los ingresos de los productores de pieles en los países tropicales.

Nada de esto se habría conseguido sin el esfuerzo de docenas de biólogos y funcionarios gubernamentales de las naciones productoras. Pero tampoco habría tenido éxito ninguno de estos programas nacionales si no existiera la Convención sobre el Comercio Internacional de Especies Amenazadas de la Fauna y Flora (Convention on International Trade in Endangered Species of Wild Fauna and Flora, CITES).

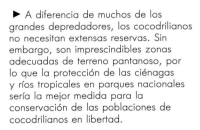

▶ A diferencia de muchos de los grandes depredadores, los cocodrilianos no necesitan extensas reservas. Sin embargo, son imprescindibles zonas adecuadas de terreno pantanoso, por lo que la protección de las ciénagas y ríos tropicales en parques nacionales sería la mejor medida para la conservación de las poblaciones de cocodrilianos en libertad.

F. Prenzel/Australian Picture Library

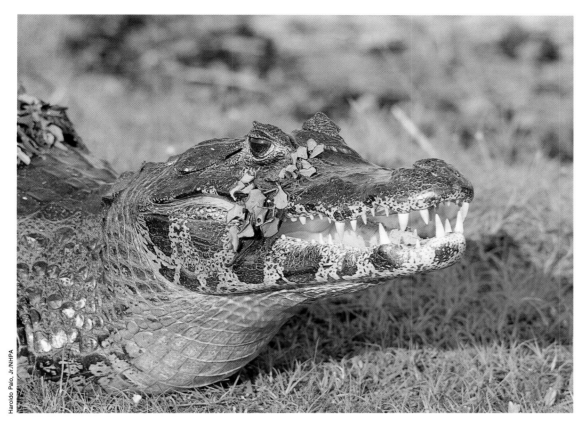

Haroldo Palo, Jr/NHPA

◄ La mayor parte de la piel del caimán de anteojos está demasiado osificada para producir cuero de calidad; sin embargo, en el cuello y en los flancos, las escamas son pequeñas y la piel es suave y flexible. Aunque se aprovecha poco de cada animal, son tantas las pieles de caimán comercializadas, que representan las tres cuartas partes del total de las transacciones internacionales en pieles de cocodriliano.

EL COMERCIO DE PIELES DE 1950 A 1980

Se calcula que, en los años cincuenta, el volumen del comercio internacional en pieles de cocodrilos, aligatores y caimanes de todas las especies fue de unos 5 a 10 millones de pieles al año. Los caimanes representaban entre 4 y 8 millones de las pieles vendidas anualmente. La mayor parte del comercio era legal, ya que existían pocas leyes reguladoras de la caza de estos animales.

El comercio internacional estuvo centrado inicialmente en los cocodrilos verdaderos (género *Crocodylus*) y en los aligatores americanos (*Alligator mississippiensis*), especies grandes que constituyen la fuente de las pieles ventrales «clásicas». Estas pieles carecen de osteodermos o presentan placas fácilmente descalcificables y eliminables durante el curtido, de manera que las escamas se pueden pulir y charolar hasta obtener el particular brillo exigido para los accesorios más elegantes. Cuando el número de cocodrilos y aligatores comenzó a disminuir, el mercado internacional recurrió al caimán negro (*Melanosuchus niger*), de piel algo osificada pero utilizable, y al yacaré (*Caiman latirostris*). Cuando también estas especies comenzaron a escasear, los compradores empezaron a aceptar las pieles de caimán de anteojos (*Caiman crocodilus*), mucho más osificadas. En los años sesenta, las pieles ventrales de caimán no se podían charolar adecuadamente, debido a los orificios superficiales dejados por los osteodermos; pero los cazadores superaron el inconveniente desechando las pieles ventrales y conservando solamente los *chalecos* (la suave piel del cuello y las bandas laterales que se extienden entre el dorso óseo y las escamas ventrales). Cuando el chaleco se parte en dos por la garganta, produce dos flancos, uno por cada lado. Desde los años

sesenta, los flancos de caimán de anteojos (llamado *jacaretinga, tinga, baba, babilla* y *lagarto* por los cazadores y los compradores de pieles) han representado las tres cuartas partes del comercio mundial en pieles de cocodrilo. Con el comercio cada vez más dominado por el caimán de anteojos, se realizaron considerables esfuerzos para mejorar la tecnología del curtido.

Muy pocas naciones productoras gestionaron el recurso representado por los cocodrilianos desde un punto de

▼ Incluso antes de que hubiera un mercado para las pieles de cocodrilo del norte de Australia, los habitantes de la zona disparaban contra todos los cocodrilos marinos que encontraban, por considerarlos peligrosos para las personas y el ganado o por simple deporte. Aun así, esta caza esporádica tuvo escasos efectos sobre la población de cocodrilos, en comparación con la caza sistemática que tuvo lugar durante los años cincuenta y sesenta.

Australian News and Information Bureau/National Library of Australia

217

DISTRIBUCIÓN DEL COCODRILO MINDORO

LUZÓN

Manila

MINDORO   MASBATE

Islas   SAMAR
Calamian

NEGROS

MAR DE SULÚ   MINDANAO

isla Jolo   MAR DE
~ CÉLEBES

■ Distribución histórica
△ Distribución actual

▲ Ampliamente extendido en el pasado en todo el archipiélago filipino, el cocodrilo mindoro (*Crocodylus mindorensis*) tiene ahora un área de distribución sumamente restringida, a causa de la caza indiscriminada y la destrucción del hábitat. A medida que sus pantanos se convierten en arrozales, son desecados para la agricultura o pierden la cubierta boscosa, desaparecen las zonas adecuadas para la nidificación y escasea el alimento.

► Aunque está protegido por la legislación brasileña, el caimán negro sufre el mismo acoso que el caimán de anteojos, no protegido. Por desgracia, las leyes resultan inútiles a menos que se apliquen en la práctica. Los cazadores que mataron a estos caimanes no tuvieron el menor escrúpulo en enseñar las pieles a un grupo de investigadores.

vista biológicamente racional o simplemente comercial. Los cocodrilos y caimanes se consideraban peligrosas alimañas y si alguien conseguía dinero exterminándolos, tanto mejor para todos. Como consecuencia, muchas especies fueron objeto de una caza indiscriminada, se redujo el número de sus individuos y pasaron a engrosar las filas de los animales en peligro de extinción.

A medida que las poblaciones se reducían, el suministro de pieles descendió considerablemente. Cuando les fue imposible conseguir suficientes pieles para mantener un volumen rentable de negocios, muchos compradores simplemente se retiraron del sector. Hacia finales de los sesenta, antes incluso de que la legislación protectora comenzara a influir sobre el comercio de pieles de reptil, el número de curtidores, intermediarios y mayoristas en los países consumidores (Estados Unidos y Europa) había disminuido considerablemente. Sin embargo, los grandes tratantes se mantuvieron en el negocio, aunque muchos lo hicieron recurriendo al comercio ilegal de pieles. Así pues, el comercio ilegal intensificó sus operaciones, en un intento por mantener el volumen del negocio en los niveles anteriores. Paralelamente, las naciones productoras comenzaron a aprobar leyes de protección de la fauna, al advertir la amenaza que pesaba sobre las especies autóctonas. Algunos países prohibieron la caza de cocodrilos y caimanes en general. Otros decidieron protegerlos en las zonas del país donde su número se había reducido, al tiempo que permitían las actividades comerciales en las regiones donde todavía eran abundantes. Entre 1959 y 1970, por ejemplo, la mayoría de los países africanos aprobaron leyes protectoras para el cocodrilo del Nilo (*Crocodylus niloticus*), el cocodrilo de Guinea (*Crocodylus cataphractus*) y el cocodrilo enano (*Osteolaemus tetraspis*). En 1969, Estados Unidos promulgó una ley de protección de las especies amenazadas (*Endangered Species Conservation Act*), en la que establecía medidas para la conservación del aligátor americano. En 1968, Colombia prohibió la caza y la venta del cocodrilo narigudo (*Crocodylus acutus*), del cocodrilo del Orinoco (*Crocodylus*

William E. Magnusson

intermedius), el caimán negro y tres subespecies de caimán de anteojos (*Caiman crocodilus apaporiensis*, *C. c. chiapasius* y *C. c. fuscus*), pero permitió el comercio con ejemplares de *C. c. crocodilus*.

Los tratantes ilegales respondieron a estas medidas nacionales y locales con el contrabando de pieles a los países vecinos, donde las especies no estaban protegidas y desde los cuales podían exportar libremente las pieles a los mercados internacionales. Otros prosiguieron con sus operaciones, declarando simplemente que las pieles en su poder correspondían a especies no protegidas o procedían de regiones del país donde todavía estaba permitida la caza. Algunos recurrieron al soborno para obtener permisos de exportación. En un esfuerzo por fomentar el ingreso de divisas, Colombia estableció una zona franca en Leticia. Aprovechando este punto débil en la red de aduanas, los tratantes comenzaron a embarcar las pieles ilegales desde Leticia, declarando que eran todas de caimán de anteojos, fuera cual fuera su especie. En 1967, Brasil prohibió la caza con fines comerciales de toda la fauna, incluidos los caimanes, pero el negocio siguió prosperando, ya que los tratantes ilegales comprobaron que podían pasar las pieles de contrabando a Bolivia y Paraguay. En 1960, Bolivia había prohibido la exportación de pieles sin curtir de caimán negro, yacaré y *Caiman crocodilus yacare*, permitiendo sólo la exportación de pieles curtidas. Al año siguiente, las autoridades bolivianas establecieron requisitos de tamaño mínimo para las pieles de estas especies. Aun así, el comercio continuó, ya que funcionarios corruptos concedían permisos de exportación para pieles sin curtir o de dimensiones inferiores al límite comercializable, y prosiguió asimismo el contrabando hacia Paraguay. En 1975, Paraguay prohibió la caza, venta, importación y exportación de las especies de la fauna autóctona, incluidos los caimanes y sus productos, pero hasta el momento no ha conseguido aplicar la ley.

REGULACIÓN DEL COMERCIO

El comercio internacional ilegal en pieles de cocodrilos, aligatores y caimanes prosiguió durante muchos años, porque la mayoría de los países industrializados, donde tienen su sede los principales curtidores y fabricantes, no tenían leyes que prohibieran la importación de pieles obtenidas o exportadas ilegalmente de su país de origen. Los países consumidores sostenían que la protección de las respectivas faunas autóctonas era responsabilidad de cada país productor y no de los países importadores. Sin embargo, es evidente que siempre que exista un mercado dispuesto a pagar fuertes sumas de dinero por pieles obtenidas ilegalmente, habrá tratantes poco escrupulosos que harán todo lo posible por satisfacerlo. En algunos países productores, los cazadores furtivos ganan más dinero en una incursión de una sola noche que en seis meses de otro tipo de trabajo, y las multas impuestas no superan el valor de las capturas.

En 1900, el congresista norteamericano John Lacey fue el primero en afirmar que para controlar la explotación comercial de la fauna es preciso controlar los mercados. Si se elimina el mercado de destino, se acaba con el negocio de los cazadores y tratantes ilegales.

La ley que lleva su nombre (*Lacey Act*) prohibió el comercio interestatal en aves silvestres o mamíferos salvajes, obtenidos o exportados ilegalmente desde su estado de origen, dentro de Estados Unidos. La normativa ha sido asombrosamente eficaz y, tras ser enmendada para abarcar también a reptiles, anfibios y peces, se convirtió en la base de una nueva ley de conservación de la fauna (*United States Endangered Species Conservation Act*), aprobada en 1969. La ley preveía que Estados Unidos organizara una conferencia internacional, con el fin de elaborar el texto de un tratado para la protección de las especies amenazadas. Esta conferencia se celebró en 1973, en la ciudad de Washington, y los 81 países presentes firmaron la Convención sobre el Comercio Internacional de Especies Amenazadas de la Fauna y Flora (CITES).

El principio inspirador de la ley Lacey (controlar la explotación comercial de la fauna mediante el control de los mercados) es la esencia misma de la CITES. La convención impone a los países firmantes la prohibición de importar artículos de la fauna o de la flora obtenidos o exportados ilegalmente desde sus países de origen. Además, todos los países firmantes deben presentar un informe anual sobre las importaciones y exportaciones de las especies mencionadas en los apéndices de la CITES.

En el Apéndice I aparecen las especies amenazadas que no pueden ser objeto de transacciones internacionales «con fines primariamente comerciales». El Apéndice II enumera las especies que en el momento actual no están amenazadas, pero que podrían estarlo si su comercio no se regula. Por primera vez, en el marco de la CITES, los países consumidores aceptaron compartir la responsabilidad con las naciones productoras, impidiendo la entrada en el país de animales en peligro de extinción y de sus productos derivados. Teniendo en cuenta las presiones sufridas por muchas poblaciones de cocodrilianos a causa de los incentivos económicos a la caza indiscriminada, todas las especies de estos reptiles se incluyeron en 1973 en uno u otro apéndice de la CITES.

Aunque la CITES entró en vigor en 1975, muchos países firmantes continuaron con las prácticas habituales, expidiendo permisos de exportación e importación para productos de la fauna, sin tener en cuenta la especie ni el lugar de origen. Sin embargo, dos de los principales artículos de la CITES exigen que las naciones firmantes se aseguren de que el comercio con especies mencionadas en el Apéndice II no vaya en detrimento de la supervivencia de estas especies en condiciones naturales y que limiten los permisos de exportación para que las especies mencionadas en el Apéndice II no se conviertan en candidatas a figurar en el Apéndice I. Estos requisitos obligaron a muchos países a elaborar y aplicar programas de control de su fauna autóctona.

Las especies fueron asignadas a uno de los dos apéndices sobre la base de datos diversos. Para que este tipo de decisiones fueran más científicas y menos políticas, la conferencia de la CITES celebrada en la ciudad suiza de Berna en 1976 adoptó determinadas normas para incluir o eliminar las especies de los apéndices. Estas normas se conocen con el nombre de «criterios de Berna».

Hans and Judy Beste/Auscape International

Según los criterios de Berna, para incluir una especie en el Apéndice I es preciso disponer de datos sobre las consecuencias adversas reales o potenciales del comercio internacional sobre la especie en cuestión, así como de datos biológicos sobre la situación de la misma. En condiciones ideales, para que los datos sean aceptables, deben basarse en estudios científicos detallados que indiquen las tendencias de las poblaciones y su distribución geográfica en el transcurso de varios años. En caso de que no hubiera estudios a largo plazo, se pueden aceptar las conclusiones de una sola investigación sobre el tamaño de la población y el área de distribución. Si tampoco fuera posible disponer de datos de este tipo, se aceptarían informes de observadores fidedignos, aun cuando no fueran científicos, o informes sobre la destrucción del hábitat, el comercio excesivo u otras causas potenciales de extinción. Para borrar una especie del Apéndice I (o transferirla del Apéndice I al Apéndice II), los requisitos son muchos más estrictos que los exigidos para incluirla. Entre los datos que justifiquen una eliminación, deben figurar un estudio de la población, con pruebas demostrables de una recuperación

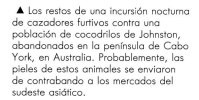
▲ Los restos de una incursión nocturna de cazadores furtivos contra una población de cocodrilos de Johnston, abandonados en la península de Cabo York, en Australia. Probablemente, las pieles de estos animales se enviaron de contrabando a los mercados del sudeste asiático.

Bill Green

◀ Un agente de policía examina la piel de un gran cocodrilo marino, víctima de los cazadores furtivos en el norte de Australia. Sin embargo, en comparación con América del Sur, donde esta actividad todavía resulta rentable, la caza furtiva se practica poco en Australia.

COCODRILIANOS ENUMERADOS EN LOS APÉNDICES DE LA CITES

APÉNDICE I (especies amenazadas)	APÉNDICE II (especies no amenazadas en el momento actual)
	Aligátor americano (*Alligator mississippiensis*)
Aligátor chino (*Alligator sinensis*) **Caimán negro** (*Melanosuchus niger*) **Caimán de anteojos** (subespecie: *Caiman crocodilus apaporiensis*)	**Caimán de anteojos** (subespecies: *Caiman crocodilus crocodilus*, *Caiman crocodilus fuscus* y *Caiman crocodilus yacare*)
Yacaré (*Caiman latirostris*)	**Caimán almizclado** (*Paleosuchus palpebrosus*) **Caimán almizclado del Brasil** (*Paleosuchus trigonatus*)
Cocodrilo narigudo (*Crocodylus acutus*)	**Cocodrilo de Guinea** (*Crocodylus cataphractus*) Poblaciones del Congo con cuota anual
Cocodrilo de Guinea (*Crocodylus cataphractus*) Todas las poblaciones no mencionadas en el Apéndice II **Cocodrilo del Orinoco** (*Crocodylus intermedius*)	
	Cocodrilo de Johnston (*Crocodylus johnstoni*)
Cocodrilo pardo (*Crocodylus moreletii*)	**Cocodrilo del Nilo** (*Crocodylus niloticus*) Población de Zimbabue; poblaciones de Botsuana, Camerún, Congo, Kenia, Madagascar, Malaui, Mozambique, Sudán, Tanzania y Zambia con cuota anual
Cocodrilo del Nilo (*Crocodylus niloticus*) Todas las poblaciones no mencionadas en el Apéndice II	
	Cocodrilo de Nueva Guinea (*Crocodylus novaeguineae*)
Cocodrilo mindoro (*Crocodylus mindorensis*) **Cocodrilo palustre** (*Crocodylus palustris*)	**Cocodrilo marino** (*Crocodylus porosus*) Poblaciones de Australia y Papúa-Nueva Guinea; poblaciones de Indonesia con cuota anual
Cocodrilo marino (*Crocodylus porosus*) Todas las poblaciones no mencionadas en el Apéndice II **Cocodrilo cubano** (*Crocodylus rhombifer*) **Cocodrilo siamés** (*Crocodylus siamensis*)	
Cocodrilo enano (*Osteolaemus tetraspis*) Todas las poblaciones no mencionadas en el Apéndice II **Cocodrilo malayo** (*Tomistoma schlegelii*) **Gavial** (*Gavialis gangeticus*)	**Cocodrilo enano** (*Osteolaemus tetraspis*) Poblaciones del Congo con cuota anual

UNA POBLACIÓN SIMULADA DE ALIGATORES

DAVE TAYLOR

Las poblaciones de cocodrilianos están formadas por animales de diversas longitudes o tamaños. Para comparar los diferentes segmentos de un población, se establecen clases de tamaños, con incrementos de 30 cm entre cada una. La conservación o la gestión de los cocodrilianos como recurso sólo puede tener éxito si se basa en un conocimiento profundo de la estructura y de la dinámica poblacional de la especie en cuestión.

Es posible elaborar modelos de poblaciones simuladas, con el fin de representar la frecuencia y distribución a largo plazo de las clases de tamaños o lograr un panorama general de una población específica de un momento determinado, siempre que se disponga de muestras adecuadas de varios segmentos de la población estudiada.

El primer gráfico, bajo estas líneas, representa la relación numérica entre las clases de tamaño, desde las crías hasta la clase de 4 m de longitud, en las poblaciones de aligátor americano (*Alligator mississippiensis*) de Luisiana (datos no publicados de 1984 a 1987). Las estadísticas necesarias para elaborar esta población simulada son:

1. Proporción de uno y otro sexo entre los aligatores adultos de más de 1,83 m.
2. Porcentaje medio de las hembras de más de 1,83 m que nidifican anualmente.
3. Número medio de huevos por nido.
4. Porcentaje de huevos que producen crías vivas.
5. Relaciones numéricas dentro de las distintas clases de tamaños.

Las estadísticas utilizadas en la elaboración de un gráfico como éste son el fruto de múltiples recuentos nocturnos de los caimanes, asignados a sus respectivas clases de tamaños. Otra fuente de datos, de gran valor, es la medición de las pieles comercializadas.

Cuando estas estadísticas se incorporan a un modelo simulado, se generan cifras extrapolables para hacer cálculos de la población total, sobre la base de muestreos de nidos o de la densidad de la población adulta de caimanes.

El segundo gráfico representa la situación en un momento concreto de una población de aligatores en el refugio de fauna de Marsh Island, en la costa de Luisiana, en 1987. Las tres primeras clases (desde las crías hasta los individuos de 60 cm) difieren de las representadas en el primer gráfico por las siguientes razones:

1. En 1987 se produjeron menos nidos que el promedio de los cuatro años anteriores, lo cual determinó un menor número de crías.
2. La reducción en la clase de aligatores de 30 cm y un año de edad fue el resultado de una actividad nidificadora menos intensa de lo normal en 1986: durante ese año, 229 hembras de más de 1,83 m, clasificadas como «potenciales nidificadoras», fueron cazadas antes de la nidificación, y en el transcurso de esa temporada se recogieron 7.000 huevos más de la cantidad permitida.
3. El huracán que asoló la zona en 1985, durante la época de nidificación, es la causa de la reducción observada en la clase de aligatores de 60 cm de longitud.

La información de este segundo gráfico es de gran valor para quienes se ocupan de la conservación y la gestión de los recursos representados por los aligatores, ya que ofrece un panorama de la población en un momento concreto y permite determinar si la población está creciendo, disminuyendo o si está relativamente estancada.

El efecto a largo plazo de varios años consecutivos de menor supervivencia de las crías es el declive de la población. Si se detecta un declive de este tipo, hay que tomar medidas paliativas.

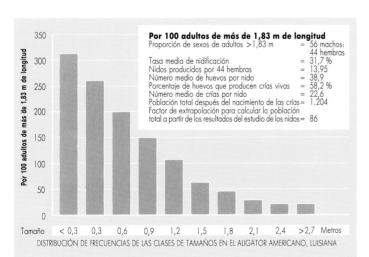

Por 100 adultos de más de 1,83 m de longitud
Proporción de sexos de adultos >1,83 m	= 56 machos: 44 hembras
Tasa media de nidificación	= 31,7 %
Nidos producidos por 44 hembras	= 13,95
Número medio de huevos por nido	= 38,9
Porcentaje de huevos que producen crías vivas	= 58,2 %
Número medio de crías por nido	= 22,6
Población total después del nacimiento de las crías	= 1.204
Factor de extrapolación para calcular la población total a partir de los resultados del estudio de los nidos	= 86

DISTRIBUCIÓN DE FRECUENCIAS DE LAS CLASES DE TAMAÑOS EN EL ALIGÁTOR AMERICANO, LUISIANA

▲ En una población «media» de aligatores americanos, el número de animales de cada clase de tamaño va en disminución. Así pues, por cada 100 caimanes de más de 1,83 m de longitud, hay más de 300 crías de menos de 30 cm, pero menos de 10 adultos de más de 2,7 m. La continuidad de la curva desde los animales más pequeños a los más grandes es de especial importancia para determinar la salud de la población. Toda caída brusca indica que algo ha sucedido a una clase de tamaño que no ha sucedido a las demás.

Por 100 adultos de más de 1,83 m de longitud
Tasa de nidificación de 1987	= 21,05 %
Nidos producidos por 44 hembras	= 9,26
Población total después del nacimiento de las crías	= 688
Factor de extrapolación para calcular la población total a partir de los resultados del estudio de los nidos	= 74

DISTRIBUCIÓN DE FRECUENCIAS DE LAS CLASES DE TAMAÑO EN LOS ALIGATORES DEL REFUGIO PARA LA FAUNA DE MARSH ISLAND, LUISIANA, EN 1987

▲ A diferencia de la población «media», la población de aligatores americanos de Marsh Island en 1987, representada en este gráfico, había sufrido una serie de desastres. El número de aligatores de 30 cm es inferior a lo normal porque dos años antes muchas hembras en edad reproductora habían sido capturadas antes de la nidificación y más de 7.000 huevos habían sido recolectados antes de que hicieran eclosión. El año anterior, un huracán había destruido muchos nidos. Después de estudiar un gráfico como éste, se puede determinar cuánto tiempo tardará esta población en recuperar los niveles normales y establecer la fecha en que podrá reanudarse la caza.

alentadora, y un informe sobre las posibles consecuencias de la explotación comercial sobre el futuro de la especie o la población en cuestión.

Después de diversas eliminaciones, adiciones y transferencias entre los dos apéndices, la situación actual de los cocodrilianos en las listas de la CITES es la que figura en el cuadro de la página 220.

Pese a los problemas planteados por las enmiendas de los apéndices, a menudo en ausencia de los datos exigidos, la CITES ha sido de gran ayuda para la conservación de los cocodrilianos. Cada país firmante debe llevar registros de todo el comercio con especies de la fauna y de la flora incluidas en los apéndices, y presentar ante el secretariado de la CITES un resumen anual de las importaciones, exportaciones, especies, cantidades, tipos de ejemplares y número de permisos y licencias concedidos. Estas exigencias jurídicas han tenido un enorme impacto en el comercio ilegal. Antes de la CITES, los países consumidores no informaban acerca de las especies que importaban los países productores. Si los cazadores furtivos y los tratantes ilegales conseguían sacar la mercancía del país de origen, lo hacían fuera de los canales legales y de una manera imposible de rastrear. Actualmente, los sobornos entregados a los

funcionarios para que dejen pasar una exportación ilegal de pieles resultan inútiles, ya que el país receptor informará acerca de la importación en su informe anual a la CITES. Para eludir la detección, los tratantes ilegales tendrían que sobornar a los funcionarios del país exportador y del importador, así como a las autoridades de los países por los que pasara el cargamento. Las discrepancias entre las exportaciones declaradas por un país y las importaciones reconocidas por otro constituyen uno de los instrumentos más valiosos de que dispone la CITES para controlar el comercio ilegal.

Con el fin de dificultar aún más el comercio ilegal, la CITES fomenta el uso de papel de seguridad para los permisos de exportación y de sellos de plástico imposibles de retirar para identificar las pieles legales. El papel de seguridad, como el de los billetes de banco, tiene un dibujo de aguas que se ve al trasluz, muy difícil de falsificar, y se rompe si se intenta borrar o modificar el texto del permiso. Los sellos de polietileno, donde figura el país de origen, el código de la especie y un número individual de registro, se aplican únicamente a las pieles legales. Las sustancias químicas no afectan al polietileno, por lo que los sellos quedan adheridos a las pieles durante todo el proceso de curtido. Estos sellos permiten rastrear pieles individuales o embarques enteros hasta la curtiduría donde fueron procesadas, el lugar donde obtuvieron el permiso de la CITES, el país de origen e incluso el cazador o granjero que desolló los animales. El sello normalizado de la CITES se aplica actualmente a las pieles procedentes de Papúa-Nueva Guinea, Estados Unidos y Zimbabue. Sellos comparables, pero de diferente diseño, se utilizan para las pieles de Australia y Venezuela. Todos los países productores deberían exigir la aplicación de estos sellos.

Todos estos sistemas han permitido que la CITES intercepte más embarques ilegales de especies protegidas que nunca hasta ahora. Por ejemplo, cuando Bolivia y Paraguay continuaron exportando pieles de caimán introducidas ilegalmente en estos países desde Brasil, la CITES obstaculizó las importaciones mediante el uso de papel de seguridad para los permisos, la prohibición directa de las importaciones por parte de algunos países y el control del comercio. Para ocultar el auténtico país de origen, los tratantes ilegales comenzaron entonces a exportar las pieles a través de Colombia, Curaçao y Panamá y, más tarde, a través de Guyana, Guayana Francesa y Honduras. Los embarques llegaban a sus destinos con falsos permisos de exportación, que declaraban como país de origen a uno de estos países intermediarios. Cada vez que se descubrían los caminos del comercio ilegal, cambiaban las rutas. Actualmente, las pieles ilegales procedentes de la región meridional de América del Sur llegan a los países consumidores a través de Singapur y Japón, pasando por El Salvador. Aun cuando todavía existe el comercio ilegal, la CITES sigue reduciendo su volumen.

En 1980, el comercio mundial de todas las especies de cocodrilianos había descendido a un volumen estimativo de entre 1,5 y 2 millones de pieles al año. Más de un millón de estas pieles eran de caimán de anteojos y la mayoría habían sido exportadas ilegalmente de América del Sur.

► Con sus correspondientes sellos de identificación en la cola, estos aligatores americanos están listos para el desuello y la exportación legal.

▼ Los restos dejados por los cazadores furtivos pueden aprovecharse a veces con fines de conservación. En la fotografía, una investigadora brasileña examina un grupo de cráneos de caimán, para comparar la estructura de tamaños de la población general con la del sector objeto de la caza y determinar así si la población afectada es capaz de resistir más presiones de los cazadores furtivos.

Bill Green

◄ Este cocodrilo marino, capturado por un grupo de investigadores que lo midieron y marcaron, no pierde el tiempo y vuelve al río en cuanto se siente libre.

La disminución del número de pieles ilegales que llegan al mercado internacional se refleja, no sólo en las estadísticas, sino también en la reducción del volumen de actividades de los principales curtidores y fabricantes de artículos de piel de cocodrilo. En 1986-1987, muchos de los curtidores europeos estaban trabajando a la mitad de su capacidad por la imposibilidad de conseguir un número suficiente de pieles, incluso ilegales, que les permitiera mantener la maquinaria y el personal trabajando a pleno rendimiento. Uno de los curtidores italianos se ha retirado del sector, y en Estados Unidos sólo quedan dos. Incluso los japoneses, cuyas condiciones para la firma de la CITES les permiten más libertad que a la mayoría de las naciones firmantes para la compra de pieles ilegales, están experimentando la escasez de pieles.

El control del comercio ilegal ha aumentado el valor de las pieles legales, como lo demuestran las espectaculares diferencias en los precios pagados por las pieles bolivianas, que en su mayoría son ilegales, y por las pieles venezolanas, la mayor parte de las cuales son legales. En 1986-1987, los curtidores bolivianos pagaban al cazador el equivalente a 500 o 1.000 pesetas por un *chaleco* corriente, mientras que los curtidores venezolanos pagaban entre 2.000 y 2.500 pesetas por una piel del mismo tamaño y calidad. En Bolivia, el volumen del comercio ilegal abate los precios. Se calcula que el 75 % de las pieles bolivianas son de origen ilegal, y los productores legales se ven obligados a competir con estas pieles baratas, fruto del contrabando.

PROGRAMAS DE PROTECCIÓN

Hace muchos años que existen granjas de cocodrilos y caimanes, pero el mayor precio alcanzado recientemente por las pieles ha suscitado un renovado interés por la cría de cocodrilos en cautividad y ha aumentado la rentabilidad de las granjas. Las granjas (establecimientos de sistema cerrado, con grupos reproductores propios)

y los ranchos (establecimientos de sistema abierto, que recogen periódicamente huevos y crías de los hábitats naturales) constituyen importantes elementos de los programas de conservación de los cocodrilianos en muchos países. Sin embargo, aun cuando la cría en cautividad llegara a ser un éxito resonante, la existencia de las granjas no eliminaría la necesidad de conservar las poblaciones en libertad. Unos pocos grupos en cautividad no pueden mantener la diversidad genética propia de una especie ampliamente distribuida, ni tampoco puede una población cautiva desempeñar el papel ecológico de los cocodrilianos en su ambiente natural. En un programa completo para la conservación de cocodrilos y caimanes,

▼ Estos cocodrilos del Nilo, robustos y saludables, viven en una granja de Zimbabue. Actualmente hay más individuos en cautividad de algunas especies de cocodrilianos que en libertad, como es el caso del cocodrilo siamés. Aunque el objetivo básico de las granjas es el beneficio económico, estos establecimientos pueden ser eficaces instrumentos para la conservación de algunas especies, cuyas poblaciones en libertad han disminuido drásticamente.

Gerald Cubitt/Bruce Coleman Ltd.

La exportación de unas pocas decenas de miles de pieles al año ha puesto al borde de la extinción muchas poblaciones de cocodrilianos en África, Asia y América; sin embargo, el caimán de anteojos ha conseguido sobrevivir, pese a los millones de ejemplares cazados todos los años. La razón de este fenómeno debe buscarse en la forma en que la caza y la modificación del hábitat por parte del hombre influye sobre la biología de estos reptiles.

Los primeros exploradores observaron enormes cantidades de caimanes negros y cocodrilos en los grandes ríos de Sudamérica. El caimán de anteojos no abundaba en los ríos, sino más bien en los lagos en herradura dejados por la corriente y en pequeños riachuelos, así como en lagunas y ciénagas. Sin embargo, en la actualidad, el caimán de anteojos vive prácticamente en todos los hábitats de agua dulce de las llanuras sudamericanas. Aparentemente, su expansión hacia nuevos hábitats es el resultado de la eliminación de las especies de mayor tamaño: el cocodrilo narigudo y del Orinoco, el yacaré y el caimán negro. El declive de estas especies dominantes permitió que el caimán de anteojos, más pequeño, ocupara hábitats que hasta entonces le resultaban inaccesibles. Por otra parte, en las sabanas de Sudamérica, la construcción de carreteras transitables durante todo el año impone la necesidad de excavar pozos profundos, con el fin de obtener la tierra necesaria para elevar el suelo de la carretera por encima del nivel de las aguas durante las inundaciones anuales. Cuando crece la vegetación a su alrededor, los pozos excavados con este fin son un hábitat ideal para el caimán de anteojos.

En condiciones naturales, los grandes cocodrilos y aligatores suelen tardar entre 8 y 15 años en alcanzar la madurez sexual, con una longitud de entre 1,8 y 2,7 m. El caimán negro, otra especie grande, llega a la madurez sexual cuando alcanza una longitud de unos 2,3 m. En cambio, el caimán de anteojos es sexualmente maduro en un plazo de apenas 3 años, con tan sólo 1 a 1,6 m de longitud. El valor de las pieles depende en parte de sus dimensiones; por lo tanto, los cazadores matan preferentemente los ejemplares grandes, sin detenerse a considerar si son aligatores, caimanes o cocodrilos. Esta práctica tiende a eliminar de la población los animales sexualmente maduros. Cuando los ejemplares grandes comienzan a escasear, los cazadores se dedican a los de menor tamaño. Esta segunda fase de la caza indiscriminada retrasa la recuperación de la población, al eliminar los ejemplares de tamaño medio, que están a punto de alcanzar la madurez sexual y de empezar a reproducirse. En ausencia de algún tipo de control sobre la venta de pieles, los cazadores llegan a matar ejemplares de apenas 45 cm de longitud total. Cuando las últimas crías alcanzan ese tamaño y caen en manos de los cazadores, la población está acabada.

En América del Sur, lugar de origen de la mayoría de las pieles del comercio internacional, si un cazador («caimanero») mata indiscriminadamente todos los caimanes de entre 1,5 y 2 m de longitud que encuentre, tanto caimanes negros como de anteojos, matará a todos los caimanes negros maduros que se crucen en su camino, pero dejará algunos caimanes de anteojos en edad reproductora. Ésta es la principal razón

▲ Un comprador espera nuevas adquisiciones, junto a una pila de pieles de cocodrilo listas para ser exportadas a Japón. En Papúa-Nueva Guinea, una legislación racional permite conservar las poblaciones de cocodrilos en libertad y ganar valiosas divisas para el país, al tiempo que el comercio distribuye el dinero entre los pobladores de las aldeas, que son quienes más lo necesitan.

▼ La Estaçao Ecologica do Taim, una extensa ciénaga al sur de Brasil, es el mayor hábitat protegido donde todavía puede vivir el yacaré, que en otras regiones es objeto de una intensiva caza ilegal. Una de las principales amenazas para su supervivencia es la destrucción de los hábitats.

la cría en cautividad debe constituir un incentivo para conservar las poblaciones en libertad, y los productores que recogen huevos y crías se ven en la obligación de proteger la población libre y su hábitat.

El mayor valor de las pieles ha sido también un incentivo directo para que los países productores desarrollen programas de protección para sus especies autóctonas de cocodrilianos. Esta tendencia puede apreciarse en los excelentes programas que ya se están aplicando en Australia, la India, Papúa-Nueva Guinea, Estados Unidos, Zimbabue y Venezuela. Este último país, que ha logrado un auténtico éxito en la conservación de los caimanes, puede servir de modelo para otros países de América Latina. Desde hace unos años se están elaborando nuevos programas en Botsuana, Bolivia, Brasil, Colombia, Congo, Etiopía, Malaui, Malaisia, Filipinas, Tanzania, Zambia y otros países.

Lynn M. Stone/Bruce Coleman Ltd.

por la que los grandes caimanes y cocodrilos de Sudamérica son especies amenazadas, mientras que las poblaciones de caimanes de anteojos han sobrevivido a la caza continuada y se recuperan rápidamente si gozan de cierta protección durante 5 a 10 años.

Estos cuatro factores —expansión hacia nuevos hábitats tras la eliminación de sus competidores por parte de los cazadores, ocupación de nuevos hábitats creados por las actividades humanas, llegada a la madurez sexual con dimensiones inferiores a las buscadas normalmente por los cazadores y situación de protección en algunos países durante los últimos diez o más años— han convertido al caimán de anteojos en la especie de cocodriliano más abundante del mundo. Sin embargo, estos caimanes son también la especie más explotada comercialmente, ya que representan casi el 75 % de las transacciones mundiales de pieles de cocodrilianos, y cuando no hay un riguroso control de la explotación, esta enorme presión sigue amenazando su supervivencia.

Aunque no es realista esperar el mismo grado de éxito con todas las especies de cocodrilianos, los factores que por obra del azar hacen del caimán de anteojos una especie tan resistente a la explotación comercial —protección y expansión del hábitat disponible y protección de la población reproductora para asegurar la producción de futuras generaciones— constituyen los elementos mínimos de todo programa de conservación para asegurar la supervivencia de las poblaciones amenazadas.

Además, todo programa eficaz de utilización de las poblaciones recuperadas debe contemplar estos puntos:

1. Limitar la cantidad de animales que pueden ser capturados o sacrificados anualmente, estableciéndolo como un porcentaje de la población adulta.
2. Exigir que todas las pieles estén marcadas con sellos imposibles de retirar.
3. Imprimir los permisos en papel de seguridad.
4. Aplicar estrictamente la legislación de la CITES.
5. Conservar la diversidad genética de la especie, mediante la protección de las poblaciones individuales, en una red de parques nacionales y refugios por toda el área de distribución de cada especie.

▲ Aunque en el pasado su área de distribución abarcaba todo el sudeste asiático, es posible que ya no existan poblaciones en libertad de cocodrilo siamés. La supervivencia de esta especie depende probablemente de la actividad de unas pocas granjas tailandesas, aunque en estos establecimientos los ejemplares que se conservan se cruzan con cocodrilos marinos. El resultado de la hibridación podría ser la extinción de los cocodrilos siameses puros.

► La reciente decisión de las autoridades chinas de no construir una represa en el río Yangtsé podría salvar, de momento, a los aligatores chinos que todavía viven en libertad. Sin embargo, esta especie es muy vulnerable a la destrucción del hábitat y a los desastres naturales, como las inundaciones.

▼ Aunque probablemente nunca han tenido un área de distribución tan amplia como la de los aligatores americanos, los aligatores chinos (*Alligator sinensis*) se encuentran gravemente amenazados por la reducción de su hábitat a causa de las presiones ejercidas por la población humana.

Nick Gordon/Ardea London

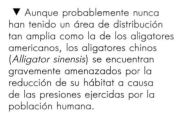

DISTRIBUCIÓN DEL ALIGÁTOR CHINO

río Amarillo
Pekín
REPÚBLICA POPULAR CHINA
río Yangtsé
Shanghai

■ Distribución histórica
◢ Distribución actual

ESPECIES AMENAZADAS

Las especies y subespecies que necesitan una acción inmediata de conservación a gran escala, en el conjunto o en la mayor parte de su área de distribución, son las siguientes:

Aligátor chino (*Alligator sinensis*): amenazado por la progresiva pérdida de hábitats y por la recolección de huevos y crías para programas de cría en cautividad.

Caimán negro (*Melanosuchus niger*): objeto de caza excesiva prácticamente en toda su área de distribución; sólo una o dos poblaciones en Ecuador y Perú reciben una protección adecuada en parques nacionales.

Caiman crocodilus apaporiensis: subespecie en vías de desaparición por los cruces con ejemplares de *C. c. crocodilus*, empujados por la actividad humana hacia su área de distribución.

Yacaré (*Caiman latirostris*): objeto de caza excesiva prácticamente en toda su área de distribución.

Cocodrilo narigudo (*Crocodylus acutus*): objeto de caza excesiva en la mayor parte de las zonas; sólo una o dos poblaciones reciben protección adecuada en parques nacionales de Costa Rica, Estados Unidos y Venezuela; también son escasas las iniciativas de cría en cautividad.

Cocodrilo del Orinoco (*Crocodylus intermedius*): objeto de caza excesiva prácticamente en toda su área de distribución; ninguna población en libertad recibe protección adecuada y las iniciativas de cría en cautividad son todavía demasiado escasas.

► El área de distribución del cocodrilo cubano era bastante extensa en el siglo XIX, pero actualmente se limita a la Ciénaga de Zapata, en la isla de la Juventud, en Cuba. Restos subfósiles de unos 800 años de antigüedad, hallados en la isla Gran Caimán, indican que su distribución en el Caribe fue mucho más amplia en el pasado.

Frieder Sauer/Bruce Coleman Ltd.

Brian Parker/Tom Stack & Associates

Cocodrilo pardo (*Crocodylus moreletii*): objeto de caza excesiva prácticamente en toda su área de distribución; ninguna población en libertad recibe la protección adecuada.

Cocodrilo mindoro (*Crocodylus novaeguineae mindorensis*): objeto de caza excesiva prácticamente en toda su área de distribución; ninguna población está adecuadamente protegida y las iniciativas de cría en cautividad son todavía demasiado escasas.

Cocodrilo cubano (*Crocodylus rhombifer*): amenazado en Cuba por la destrucción del hábitat, la introducción del caimán de anteojos y la hibridación con cocodrilos narigudos en los programas de cría en cautividad; en otras zonas, las iniciativas de cría en cautividad son todavía demasiado escasas.

Cocodrilo siamés (*Crocodylus siamensis*): prácticamente extinguido en condiciones naturales; su supervivencia depende completamente de los programas de cría en cautividad que se desarrollan en Tailandia y otros países.

Cocodrilo malayo (*Tomistoma schlegelii*): objeto de caza excesiva en toda su área de distribución.

Gavial (*Gavialis gangeticus*): amenazado por la caza en Pakistán y por la recolección de huevos en el resto de su área de distribución, donde las crías y los adultos perecen a veces atrapados en las redes de los pescadores; su situación está mejorando en la India.

El futuro de estas especies en peligro de extinción depende de las iniciativas de los pueblos y los gobiernos responsables.

▲ El cocodrilo pardo, que sólo se encuentra en la costa atlántica de México, Belize y Guatemala, es actualmente una especie amenazada, principalmente por el valor de su piel, por la destrucción del hábitat a causa de las actividades humanas y por vivir en países donde resulta difícil aplicar las leyes conservacionistas. Los programas de cría en cautividad desarrollados en México y Estados Unidos han tenido éxito, y algunas crías han sido devueltas a su ambiente natural, pero la especie continúa estando en grave peligro de extinción.

VENEZUELA: UNA HISTORIA DE ÉXITO EN LA CONSERVACIÓN

En los años cincuenta y principios de los sesenta, los cocodrilos de Venezuela se hallaban al borde de la extinción y sus poblaciones de caimanes acusaban los efectos de una explotación indiscriminada. Por aquella época, los cazadores se dedicaban a matar a todos los caimanes que encontraban. Cuando un río, una laguna o una ciénaga quedaban «limpios» de caimanes, los *caimaneros* se trasladaban a otros.

En 1972, ante la evidente disminución de las poblaciones, Venezuela prohibió la caza comercial de cocodrilos y caimanes y aplicó con todo rigor la nueva legislación por un periodo de diez años, durante el cual grupos de biólogos contratados por el Estado estudiaron la ecología de las poblaciones de caimanes de anteojos, en plena recuperación. A diferencia de los caimanes, las poblaciones de cocodrilos narigudos y del Orinoco no se recuperaron y siguen siendo en Venezuela una especie amenazada.

Los estudios sobre los caimanes proporcionaron una buena base de datos para la gestión del recurso y, en 1982, Venezuela inauguró una temporada experimental de caza en los llanos, la sabana del centro del país que se inunda durante la estación de las lluvias. Esta región está ocupada por fincas ganaderas, cuya extensión varía entre unos pocos cientos y varios cientos de miles de hectáreas. A diferencia de la caza indiscriminada del pasado, las cuotas actuales no se establecen para el país en su conjunto, sino que se asignan a cada una de las fincas ganaderas.

La cuota de cada finca se determina como un porcentaje de los caimanes machos adultos que, según se calcula, deben integrar la población de los hábitats disponibles en la zona, registrados mediante fotografías aéreas y mapas topográficos. Este método para determinar la cuota de cada finca es la solución encontrada por los técnicos del programa, que no pueden contratar a suficientes biólogos para realizar un censo anual de la población de caimanes de cada finca. Sin embargo, los biólogos visitan cada año algunas de las fincas, para ajustar las cuotas sobre la base de censos de campo.

Una vez asignada la cuota, los propietarios de las fincas reciben sellos de identificación para los caimanes. Organizan la caza en sus tierras, el desuello y la preparación de las pieles y la salazón de la carne de caimán, que tiene gran demanda en Caracas durante la Semana Santa. La venta de las pieles y la carne supone para los ganaderos un interés económico directo en la protección de las poblaciones de caimán que viven en libertad en sus fincas.

Sólo se permite cazar caimanes de más de 1,8 m de longitud. Esta medida está directamente encaminada a la protección de la población reproductora, ya que los machos comienzan a reproducirse antes de alcanzar estas dimensiones y las hembras casi nunca llegan a este tamaño. La eliminación de los grandes machos puede aumentar la producción de huevos, ya que ofrece a los machos más pequeños más oportunidades de apareamiento.

Antes de que las pieles y la carne abandonen la finca de origen, su número y sus sellos de identificación deben pasar el control de unidades especiales de la guardia nacional.

Si todos los requisitos están en orden, los ganaderos reciben la

Sullivan y Rogers/Bruce Coleman Ltd.

correspondiente autorización para trasladar las pieles y la carne a un almacén central, donde se efectúan nuevas verificaciones. Tras un primer curtido, las pieles se pueden exportar al extranjero con permisos expedidos por la CITES.

Las autoridades venezolanas de la fauna revisan anualmente el programa, para mejorarlo constantemente. Se han establecido nuevos requisitos para los sellos de identificación, así como métodos adicionales para verificar la legalidad de las pieles. En 1987, la cuota nacional se estableció en 150.000 pieles de *Caiman crocodilus crocodilus*, pero fueron algo menos los ejemplares cazados. En 1988, se aprovechó la totalidad de la cuota, que ascendía a 150.000.

Gracias a esta caza regulada, el valor de las pieles de caimán ha aumentado, en parte porque Venezuela es la principal fuente de pieles legales de caimán.

Conscientes de la necesidad de no imponer presiones excesivas a las poblaciones de caimán, los cinco curtidores autorizados de pieles de reptil en Venezuela han constituido una asociación profesional —Asociación Venezolana de Curtidores (AVECUR)—, con el fin de fomentar la conservación y controlar la industria. Voluntariamente, los curtidores han decidido donar el equivalente a 50 pesetas por cada piel vendida a un fondo independiente para la conservación de la fauna. Los principales ganaderos de los llanos también se han asociado en una organización de productores, la Asociación para la Cría y Conservación de la Baba

▲ Cocodrilo del Orinoco, Venezuela.

(ASOBABA), y también han decidido aportar al fondo unas 50 pesetas por cada caimán cazado en sus fincas. Todo el dinero reunido por las dos organizaciones va a parar a la Fundación para la Investigación, Manejo y Aprovechamiento de la Fauna Silvestre (FUNDAFAUNA), que controla las poblaciones de caimanes y realiza estudios sobre otras especies de la fauna. Se trata de la organización venezolana de defensa de la fauna de creación más reciente. Aunque fue creada por los curtidores y los ganaderos, FUNDAFAUNA cuenta entre los componentes de su consejo de dirección a algunos de los principales biólogos, ecólogos e investigadores universitarios de Venezuela. ASOBABA, por su parte, ofrece bibliografía y una serie de servicios a los miembros interesados en la cría de caimanes en cautividad y tiene previsto financiar censos sobre el terreno de poblaciones de caimán, realizados por biólogos independientes.

Los caimanes no abundan en toda América del Sur y muchas poblaciones han experimentado un grave declive. Sin embargo, el éxito de Venezuela ha suscitado interés por estos programas en otros países latinoamericanos. Ya se han realizado estudios preliminares de las poblaciones de cocodrilianos en libertad, financiadas conjuntamente por la CITES y los países productores, en Bolivia, el sur de Brasil y Paraguay. En 1988 se iniciaron estudios similares en Guyana y Honduras, y en Colombia y el norte de Brasil en 1989. En Costa Rica, Perú, Panamá y Belize, las investigaciones entrarán próximamente en la fase de

planificación. Una vez finalizados estos estudios, será preciso realizar investigaciones ecológicas a largo plazo de las poblaciones de caimán y desarrollar programas de caza regulada. En muchos casos, la financiación de los estudios, no sólo procede de los países productores, sino también de los países consumidores y de la industria.

Los curtidores internacionales de pieles de reptil siempre han invertido en su futuro, financiando la investigación sobre nueva maquinaria y métodos perfeccionados de curtido, pero sólo en los últimos años han comprendido la necesidad de compartir el coste de las investigaciones sobre la ecología de las poblaciones de cocodrilianos, con el fin de asegurar el futuro mantenimiento del recurso del que dependen. La creciente escasez y el mayor precio de las pieles determinan que una contribución para la conservación de 50 o 100 pesetas por piel sea un gasto adicional mínimo.

Mientras todo esto sucede en América, aumenta en África el interés por la gestión de las poblaciones de cocodrilianos. Con el apoyo de los respectivos gobiernos y de los países consumidores, se han realizado estudios preliminares en la República Centroafricana, Congo, Gabón, Madagascar y Malaui, y existen proyectos para realizar estudios similares en otros países.

Es de esperar que uno de los primeros resultados de estas investigaciones sea el establecimiento de programas adecuados de control y gestión a largo plazo de las poblaciones de cocodrilianos.

CATÁLOGO DE LOS COCODRILIANOS ACTUALES ORDEN CROCODYLIA

Aunque a grandes rasgos los científicos coinciden en todo lo referente a la taxonomía de las especies actuales de cocodrilianos, el rango de los distintos grupos es todavía objeto de controversia.

Algunos biólogos consideran que los caimanes, los cocodrilos y los gaviales constituyen otras tantas familias diferenciadas (Alligatoridae, Crocodylidae y Gavialidae), en lugar de las subfamilias indicadas en este libro, y sitúan a los miembros del género *Tomistoma* dentro de la familia de los gaviálidos o en otra separada.

Los nombres vulgares son también un tema controvertido, ya que no existen nombres vulgares «correctos» ni universalmente aceptados. Los nombres vulgares alternativos aparecen entre paréntesis, después de la denominación adoptada a lo largo de esta obra, con fines de uniformidad.

FAMILIA CROCODYLIDAE
SUBFAMILIA ALLIGATORINAE

Alligator mississippiensis . . . . Aligátor americano (Caimán del Mississippi)
Alligator sinensis . . . . Aligátor chino (Caimán de China)
Caiman crocodilus . . . . Caimán de anteojos
    Caiman crocodilus crocodilus
    Caiman crocodilus apaporiensis
    Caiman crocodilus fuscus
    Caiman crocodilus yacare
Caiman latirostris . . . . Yacaré
Paleosuchus palpebrosus . . . . Caimán almizclado
Paleosuchus trigonatus . . . . Caimán almizclado del Brasil
Melanosuchus niger . . . . Caimán negro (Caimán moreno)

SUBFAMILIA CROCODYLINAE

Crocodylus acutus . . . . Cocodrilo narigudo (Cocodrilo americano)
Crocodylus moreletii . . . . Cocodrilo pardo (Cocodrilo de Morelet)
Crocodylus rhombifer . . . . Cocodrilo cubano
Crocodylus intermedius . . . . Cocodrilo del Orinoco
Crocodylus niloticus . . . . Cocodrilo del Nilo
Crocodylus cataphractus . . . . Cocodrilo de Guinea
Crocodylus porosus . . . . Cocodrilo marino (Cocodrilo indopacífico)
Crocodylus palustris . . . . Cocodrilo palustre (Cocodrilo de los pantanos)
Crocodylus johnstoni . . . . Cocodrilo de Johnston
Crocodylus novaeguineae . . . . Cocodrilo de Nueva Guinea
Crocodylus mindorensis . . . . Cocodrilo mindoro
Crocodylus siamensis . . . . Cocodrilo siamés
Osteolaemus tetraspis . . . . Cocodrilo enano
Tomistoma schlegelii . . . . Cocodrilo malayo (Falso gavial)

SUBFAMILIA GAVIALINAE

Gavialis gangeticus . . . . Gavial

BIBLIOGRAFÍA

La mayor parte de los datos de este libro son el resultado de las investigaciones realizadas por los colaboradores de la obra. Aunque se han publicado numerosos artículos científicos y de divulgación sobre el tema de los cocodrilianos, son escasas las obras recientes de carácter general. Aun así, los libros y artículos que a continuación detallamos interesarán a los lectores que deseen adentrarse un poco más en el fascinante mundo de los cocodrilos y los caimanes.

Baldwin, W. C. *African Hunting and Adventure from Natal to the Zambezi 1852-1860*. Richard Bentley, Londres, 1894.

Bellairs, A. *The Life of Reptiles*. 2 vols. Universe Books, Nueva York, 1970.

Bellairs, A., y J. Attridge. *Reptiles*. Hutchinson, Londres, 1975.

Berndt, C. *Land of the Rainbow Snake*. John Ferguson, Sydney, 1981.

Brazaitis, P. «The Identification of Living Crocodilians.» *Zoologica* 58 (1973): 59-101.

Bustard, H. R. «Crocodilians of the World — Summary of the Present Position.» En *World Wildlife Yearbook 1969*, 313-320. World Wildlife Fund, Morges, Suiza, 1970.

Carr, A. «Alligators: Dragons in Distress.» *National Geographic* 131, n.º 1 (1967): 133-148.

Cott, H. B., y A. C. Pooley. *Crocodiles: The Status of Crocodiles in Africa*. IUCN Publications, New Series, Suplemento n.º 33, 1972.

Chang, K. *Art, Myth and Ritual*. Harvard University Press, Cambridge, 1983.

Chapman, C. M. «Survey of the Crocodile Population of the Blue Nile.» *Geographical Journal* 136 (1970): 55-59.

Deitz, D. C., y T. C. Hines. «Alligator Nesting in North-Central Florida.» *Copeia* 2 (1980): 219-258.

Delaney, F. M., y C. L. Abercrombie. «American Alligator Food Habits in North-Central Florida.» *Journal of Wildlife Management* 50, n.º 2 (1986): 348-353.

Ditmars, R. L. *The Reptiles of North America*. Doubleday, Nueva York, 1953.

Earl, L. *Crocodile Fever*. Alfred A. Knopf, Nueva York, 1954.

Edwards, H. *Crocodile Attack in Australia*. Swan Publications, Sydney, 1988.

Eri, V. *The Crocodile*. Penguin, Ringwood, Australia, 1973.

Frankfort, H. *Ancient Egyptian Religion*. Harper Torchbooks, Nueva York, 1961.

Fuchs, K. H. *The Chemistry and Technology of Novelty Leathers*. Publicaciones de la FAO, Roma, 1974.

Gans, C., ed. *Biology of the Reptilia*. Academic Press, Londres, 1969.

Gaski, A., y G. Hemley. «The Ups and Downs of the Crocodilian Skin Trade.» *TRAFFIC* (EE UU) 8, n.º 1 (1988): 6-16.

Goin, C. J., O. B. Goin, y G. R. Zug. *Introduction to Herpetology*. W. H. Freeman, San Francisco, 1978.

Gore, R. «A Bad Time to be a Crocodile.» *National Geographic* 153, n.º 1 (1978): 91-116.

Graham, A., y P. Beard. *Eyelids of Morning: The Mingled Destinies of Crocodiles and Men*. A & W Visual Library, Nueva York, 1973.

Greer, A. E. «Evolutionary and Systematic Significance of Crocodilian Nesting Habits.» *Nature* 227, n.º 5257 (1970): 523-524.

Groombridge, B. *The IUCN Amphibia-Reptilia Red Data Book. Part. 1, Testudines, Crocodylia, Rhynchocephalia*. IUCN, Gland, Suiza, 1982.

Guggisberg, C. A. W. *Crocodiles: Their Natural History, Folklore and Conservation*. David & Charles, Newton Abbot, Gran Bretaña, 1972.

International Union for Conservation of Nature and Natural Resources, *Identification Manual of the Convention on International Trade in Endangered Species of Wild Fauna and Flora*. IUCN, Gland, Suiza, 1985.

Katz, S., y P. Katz. *Alligator*. Sphere Books, Londres, 1977.

King, F. W., y P. Brazaitis. «Species Identification of Commercial Crocodilian Skins.» *Zoologica* 56 (1971): 15-70.

King, F. W. «The Wildlife Trade.» En H. P. Brokaw, ed. *Wildlife and America*. Council on Environmental Quality, Washington, D. C., 1978.

Lang, J. W., y L. D. Garrick. «Alligator Courtship.» *American Zoologist* 15, n.º 3 (1975): 813.

Lang, J. W. «The Florida Crocodile: Will it Survive?» *Field Museum of Natural History Bulletin* 46, n.º 8 (1975): 49.

Lang, J. W., y L. D. Garrick. «The Alligator Revealed.» *Natural History* 86, n.º 6 (1977): 54-61.

Lang, J. W., y L. D. Garrick. «Social Signals and Behaviors of Adult Alligators and Crocodiles.» *American Zoologist* 17, n.º 1 (1977): 225-239.

Lewinsohn, R. *Animals, Men and Myths*. Victor Gollancz, Londres, 1954.

McIlhenney, E. A. *The Alligator's Life History*. Christopher Publishing House, Boston, 1935.

Mertens, R. *The World of Amphibians and Reptiles*. McGraw-Hill, Nueva York, 1960.

Messel, H., y otros. *Surveys of Tidal River Systems of the Northern Territory of Australia and their Crocodile Populations*. Monografía 3: *The Adelaide, Daly and Moyle Rivers*. Pergamon Press, Sydney 1979.

Minton, S. A., Jr., y M. R. Minton. *Giant Reptiles*: Charles Scribner's Sons, Nueva York, 1973.

Neill, W. T. *The Last of the Ruling Reptiles: Alligators, Crocodiles and their Kin.* Columbia University Press, Nueva York, 1971.

Pooley, A. C., y C. Gans. «The Nile Crocodile.» *Scientific American* 234, n.º 4 (1976): 114-124.

Pooley, A. C. *Discoveries of a Crocodile Man.* Collins, Johanesburgo, 1982.

Pope, C. H. *The Reptile World.* Alfred A. Knopf, Nueva York, 1964.

Ricciuti, E. R. «Gators!» *National Wildlife* (abril-mayo 1976): 5-11.

Schmidt, K. P., y R. F. Inger. *Living Reptiles of the World.* Doubleday, Nueva York, 1957.

Sill, W. D. «The Zoogeography of the Crocodiles.» *Copeia* 1 (1978): 76-88.

Webb, G., S. Manolis, y P. Whitehead. *Wildlife Management: Crocodiles and Alligators.* Surrey Beatty, Sydney, 1987.

Willis, R. *Man and Beast.* Basic Books, Nueva York, 1974.

AGRADECIMIENTOS

Los editores desean expresar su agradecimiento a las siguientes personas, por su colaboración en la preparación de esta obra:
Bill Green, Jack Green, profesor Harry Messel, Sylvia Spring (Australian National Parks and Wildlife Service, Canberra), Simon Taaffe (Biblioteca Nicholas Pounder), Claire y Ron (Biblioteca All Arts), Dr. Franz Crueger, Frank Walker y Kay Clark (South Australian Museum), por su cooperación y fotografías; Rosemary Wilkinson, por su investigación fotográfica en Londres, sobre todo en el British Museum (departamento de Historia Natural); Penny Pilmer, Vanessa Finney y Tristan Phillips, por su colaboración administrativa y su permanente apoyo.

EL LUGAR DE LOS COCODRILIANOS EN EL REINO ANIMAL
Página 17 **Celurosaurio**
Adaptado de Peter Salter, *The Birdwatcher's Notebook* (Weldon Publishing, Sydney, 1988), 6.
Página 20 **Escala del tiempo geológico**
Adaptado de Alan Charig, *A New Look at the Dinosaurs* (British Museum, [departamento de Historia Natural], Londres, 1979), 36.
Página 21 **Estructura del tobillo**
Adaptado del libro del Dr. David Norman, *The Illustrated Encyclopedia of Dinosaurs* (Salamander Books, Crescent Books, Nueva York, 1985), 36.
Página 22 **Terrestrisuchus**
Adaptado del boceto de P. Crush en *Palaeontology*, publicación de la Asociación Paleontológica (Reino Unido), 27 (1984): 131-157.
Desmatosuchus y **Rutiodon**
Adaptado de E. H. Colbert, *Evolution of the Vertebrates* (John Wiley and Sons, Nueva York, 1969).
Ticinosuchus
Adaptado de B. Krebs, *Schweizerische Palaeontologische Abhandlungen* (Birkhaeuser Verlag, Basilea, Suiza, 1965).
Página 24 **Huesos de la cadera**
Adaptado de *A Field Guide to Dinosaurs* (The Diagram Group, Avon Books, Nueva York, 1983), 34, 36.

EVOLUCIÓN
Página 27 **Estructura del paladar óseo secundario y de las vértebras**
Adaptado de Eric Buffetaut, «The Evolution of the Crocodilians», *Scientific American* 241, n.º 4 (1979): 130-140.
Paladar óseo secundario
Adaptado de un boceto de Bellairs y Carrington en C. A. W. Guggisberg, *Crocodiles: Their Natural History, Folklore and Conservation* (Wren Publishing, Mount Eliza, Australia, 1972), 53.
Página 29 **Orthosuchus**
Adaptado de Eric Buffetaut, «The Evolution of the Crocodilians», *Scientific American* 241, n.º 4 (1979): 130-140.
Página 30 **Metriorrínquidos**
Ibídem.
Página 31 **Deriva continental**
Mapas adaptados de Alan Charig, *A New Look at the Dinosaurs* (British Museum, [departamento de Historia Natural], Londres, 1979), 145-146. Cráneos adaptados de Eric Buffetaut, «The Evolution of the Crocodilians», *Scientific American* 241, n.º 4 (1979): 137.
Página 33 **Evolución convergente**
Adaptado de Eric Buffetaut, «The Evolution of the Crocodilians», *Scientific American* 241, n.º 4 (1979): 137.
Página 34
El lienzo *Amanecer de un nuevo día*, de Mark Hallett, apareció en *Ranger Rick's Dinosaur Book* (1984) y ha sido reproducido por cortesía de la National Wildlife Federation.

ANATOMÍA Y FISIOLOGÍA
Página 47 **Corazón y sistema circulatorio**
Adaptado de Angus Bellairs, *The Life of Reptiles* (Universe Books, Nueva York, 1970), 259.
Páginas 54-55 **Anatomía de los cocodrilianos**
Adaptado de Life Nature Library, *The Reptiles*, editado por Archie Carr y el equipo editorial de *Life* (Time-Life International [Países Bajos] N. V., 1968), 18-19.
Página 55 **Esqueleto**
Adaptado de Robert B. Chiasson, *Laboratory Anatomy of the Alligator* (W. C. Brown Co., Dubuque, Iowa, 1962), 2.
Página 57 **Renovación «en oleadas» de las piezas dentarias**
Adaptado de Angus Bellairs, *The Life of Reptiles* (Universe Books, Nueva York, 1970), 180.
Alvéolos dentales
Ibídem, 175.

DIETA Y HÁBITOS ALIMENTARIOS
Página 77 **Estudio del contenido del estómago**
Adaptado de Angus Bellairs, *The Life of Reptiles* (Universe Books, Nueva York, 1970), 117.
Página 122 **Diferentes zonas de temperatura en los nidos en termiteros**
De W. E. Magnusson y otros colaboradores, *Journal of Herpetology* 19, n.º 2 (1985). Reproducido con permiso de la Sociedad para el Estudio de Anfibios y Reptiles.
Página 125 **Aparato urogenital**
Adaptado de Life Nature Library, *The Reptiles*, recopilado por Archie Carr y los editores de *Life* (Time-Life International [Holanda], N. V., 1968), 18-19.
Página 126 **Fases de crecimiento de los aligatores**
Basado en las ilustraciones de Angus Bellairs, *The Life of Reptiles* (Universe Books, Nueva York, 1970), 463. Adaptado utilizando cifras actuales según T. Joanen y L. McNease.

MITOLOGÍA, RELIGIÓN, ARTE Y LITERATURA
Los editores dan las gracias a Ray Maxent y Ian Dunn por su colaboración en las tareas de investigación y a Barry Craig por la información sobre el papel de los cocodrilos en la cultura sepik. La historia de Putri Padang Gerinsing figura en la obra de Walter William Skeat, *Malay Magic: Being an Introduction to the Folklore and Popular Religion of the Malay Peninsula* (Macmillan, Londres, 1900), 283-284.

ATAQUES AL HOMBRE
La descripción del ataque de cocodrilos contra soldados japoneses figura en la obra de Bruce S. Wright, *Wildlife Sketches* (Brunswick Press, Fredericton y New Brunswick, 1962).
Página 186 **Ataques mortales de cocodrilos en Australia**
Basado en datos aportados por John Shield.

ARTÍCULOS DE PIEL DE COCODRILO
Página 192 **Cortes para la desolladura**
Adaptado de Karlheinz Fuchs, *Die Krokodilhaut* (E. Roether Verlag, Darmstadt, 1974).

LA CRÍA DE COCODRILOS
Página 214 **Plano del banco de cocodrilos de Madrás**
Adaptado de *Conserving our Heritage: Madras Crocodile Bank Trust* (Environmental Services Group, World Wildlife Fund-India, Nueva Delhi, 1987), 28.

NOTAS BIOGRÁFICAS
DE LOS COLABORADORES

ÁNGEL C. ALCALÁ

El profesor Ángel Alcalá ha realizado extensas investigaciones herpetológicas en Filipinas. Ha escrito y publicado numerosos artículos y monografías sobre los anfibios y reptiles del archipiélago, algunos en colaboración con su colega norteamericano, el profesor Walter C. Brown, de la Academia de Ciencias de California. El profesor Alcalá ha recibido varios premios a la investigación en Filipinas y ha obtenido numerosas becas, entre ellas la concedida por la prestigiosa fundación John Simon Guggenheim. Es miembro extranjero honorario de la Sociedad Americana de Ictiólogos y Herpetólogos. Como director del Laboratorio Marino Silliman, el profesor Alcalá participa actualmente en investigaciones sobre la ecología de los arrecifes coralinos, las plantas acuáticas y los manglares.

JEAN CHRISTOPHE BALOUET

Nacido en la ciudad francesa de Burdeos, el Dr. Balouet se dedica principalmente al estudio de las especies extinguidas. Despúes de fundar en 1976 una clínica para aves afectadas por la marea negra, dirigió estudios sobre aves fósiles en el Museo de Historia Natural de París. Sus investigaciones lo llevaron a las islas del sudoeste del Pacífico, especialmente a Nueva Caledonia, donde descubrió 24 nuevos yacimientos y recogió más de 15.000 fósiles, entre ellos un cocodrilo extinguido, perteneciente a una familia hasta entonces desconocida. Actualmente trabaja para varias editoriales y ha realizado una obra ilustrada sobre las extinciones causadas por la intervención humana: *Le grand livre des espèces disparues*. Espera tener más tiempo para la investigación en el futuro.

D. K. BLAKE

En su calidad de miembro del Departamento de Parques Nacionales y Gestión de la Fauna de Zimbabue (antigua Rodesia), David Blake fue designado supervisor de la naciente explotación comercial de los cocodrilos en ese país, en 1970. Bajo su dirección, el sector pasó de tener dos granjas en 1970 a seis en 1984. En colaboración con el profesor J. P. Loveridge, desarrolló la sustancia Flaxedil, como medio para facilitar la manipulación de los cocodrilos. Desempeñó un importante papel en la obtención de la protección para los cocodrilos en Zimbabue y en lograr que la población cocodriliana del país pasara del Apéndice I al Apéndice II de la Convención sobre el Comercio Internacional de Especies en Peligro de la Fauna y Flora (CITES). En 1982, organizó un simposio internacional sobre los cocodrilos (CROC '82) y fue elegido miembro del grupo de expertos en cocodrilos de la Unión Internacional para la Conservación de la Naturaleza y los Recursos Naturales (IUCN). En 1984 se trasladó a Natal para hacerse cargo del Centro de Cocodrilos de Santa Lucía, perteneciente al Natal Parks Board.

PETER BRAZAITIS

Peter Brazaitis ha trabajado durante casi 35 años en la Sociedad Zoológica de Nueva York, como especialista en la conducta, cría e identificación taxonómica de los cocodrilianos. Fue director de herpetología del parque zoológico de Nueva York durante más de 15 años. Está reconocido internacionalmente como un destacado herpetólogo y como una autoridad en la identificación de las especies de cocodrilianos y en el comercio internacional de sus pieles y productos. Desde 1986, como director de la sección brasileña del proyecto de estudio sobre caimanes en América Central y del Sur de la CITES, ha realizado extensos estudios de campo sobre los cocodrilianos de las regiones centrales de Brasil. Paralelamente a las investigaciones de campo, está realizando estudios bioquímicos sistemáticos sobre los caimanes en la Universidad de Long Island y en el zoo de Central Park. Peter Brazaitis ha desempeñado durante muchos años el cargo de técnico forense del Servicio de Recursos Pesqueros y Fauna de Estados Unidos y ha recibido subvenciones del secretariado de la CITES, del Explorers Club, de la Sociedad Zoológica de Nueva York y del World Wildlife Fund/Traffic, Estados Unidos.

I. LEHR BRISBIN, JR.
Desde que obtuvo el doctorado, en 1967, Brisbin ha trabajado como investigador en el Laboratorio Ecológico del Río Savannah, cerca de la localidad de Aiken, en Carolina del Sur. Su principal interés ha sido el estudio de las actividades industriales nucleares y sus efectos en el medio ambiente y la fauna. Sus investigaciones se refieren particularmente al destino y los efectos de los materiales radiactivos y otros contaminantes en el medio ambiente, así como a los efectos de las aguas calentadas por los sistemas de refrigeración de los reactores nucleares en los ecosistemas acuáticos. Además de estudiar a los caimanes en esta última área de investigación, el Dr. Brisbin ha participado en investigaciones sobre el equilibrio bioenergético y la nutrición de los cocodrilianos. Es miembro del grupo de especialistas en cocodrilos de la IUCN.

ERIC BUFFETAUT
Nacido en Normandía, Francia, el Dr. Buffetaut estudió geología y paleontología en la Universidad de París, donde obtuvo su doctorado. En 1976 se incorporó al Centro Nacional de Investigación Científica de su universidad, en cuyo departamento de paleontología de vertebrados trabaja desde entonces. Experto en reptiles fósiles, ha realizado investigaciones sobre la evolución, la paleoecología y la paleobiogeografía de los cocodrilianos. Sus trabajos abarcan también los dinosaurios, los pterosaurios y las extinciones del Cretácico. En sus estudios de campo ha recorrido muchos países de Europa, América del Norte y Asia, especialmente Tailandia. Como expresión de su interés por la historia de la paleontología, en 1987 publicó una obra titulada *Breve historia de la paleontología de los vertebrados*. Es asimismo director de *Historical Biology*, publicación internacional sobre paleobiología.

biología de los reptiles. Miembro del grupo de especialistas en reptiles de la IUCN, es el experto de la CITES contratado por el gobierno alemán para dirimir contenciosos sobre pieles exóticas. Es además director del comité de control de la Unión Internacional de Protección a los Reptiles, asesor principal sobre la industria de pieles de reptil para la FAO (Organización para la Agricultura y la Alimentación) en Roma y de la UNIDO en Viena. Ha publicado seis libros y más de 50 artículos sobre los reptiles y las pieles de reptil y es profesor invitado del Instituto Central de Investigación sobre el Cuero, de Madrás, y del Instituto del Cuero de Shanghai.

STEPHEN GARNETT
Stephen Garnett ha dedicado la mayor parte de su vida al estudio de las aves, pero en 1980, por una serie de felices coincidencias, comenzó a estudiar para su doctorado la nutrición y la cría del cocodrilo marino en la península de Cabo York. A partir de esta investigación, ha publicado una serie de artículos científicos y ha trabajado como asesor de varias granjas de cocodrilos en el Territorio del Norte. También ha realizado investigaciones sobre termitas, tortugas, cabras, varias especies de aves, virus y plantas. Durante los últimos años se ha dedicado a la dirección del negocio familiar, además de actuar como asesor para una serie de proyectos biológicos y de publicar artículos científicos en una serie de periódicos y revistas.

LÉONARD GINSBURG
Nacido en París, el Dr. Léonard Ginsburg se licenció por la Universidad de París y realizó sus primeras investigaciones geológicas en los Alpes franceses meridionales. En 1952 se incorporó al laboratorio de paleontología del Museo de Historia Natural de París. En 1959 fue nombrado director adjunto del departamento de paleontología del museo y responsable de la colección de mamíferos fósiles. Actualmente es un especialista en anatomía y paleontología de los vertebrados, siendo sus principales áreas de investigación los reptiles y los mamíferos. Durante los últimos cinco años ha estudiado momias egipcias de animales. El Dr. Ginsburg ha realizado numerosos estudios de campo en países de Europa, Oriente Medio, África, Asia y el Pacífico, y ha publicado más de 200 monografías científicas.

TOMMY C. HINES
Tommy Hines fue director del laboratorio de investigación de la Comisión de Caza, Pesca y Fauna de Florida hasta que decidió pasarse al sector privado. Su principal

MARÍA TERESA S. DY-LIACCO
Nacida en la ciudad filipina de Quezón, Marti Dy-Liacco ha pasado la mayor parte de su vida en Canadá, Perú y Japón. Estudió en la Universidad Denison y en la Universidad Cornell, en Estados Unidos, y trabajó en Nueva York antes de regresar a Filipinas en 1987. En enero de 1988 se incorporó al Laboratorio Marino de la Universidad Silliman, donde forma parte de un equipo de investigadores que estudian los arrecifes coralinos de Filipinas.

MARK W. J. FERGUSON
El profesor Mark Ferguson nació en Belfast, Irlanda del Norte, y estudió en la Queen's University de Belfast, donde obtuvo títulos en odontología, anatomía y embriología. Actualmente investiga los mecanismos celulares que regulan el desarrollo normal del paladar y las perturbaciones de estos mecanismos que originan el paladar hendido. El profesor Ferguson ha realizado investigaciones sobre la biología de la reproducción y el desarrollo de los embriones de aligatores y caimanes, con especial atención a los mecanismos de determinación del sexo a través de la temperatura. Su equipo de investigadores ha descrito extensamente este fenómeno a partir de experimentos de laboratorio y de campo, y recientemente ha conseguido clonar el gen responsable de la determinación del sexo en los aligatores.

El profesor Ferguson ha publicado varios libros y más de 70 monografías. Ha recibido numerosos reconocimientos por su labor investigadora, entre ellos la Medalla Conway de la Real Academia de Medicina de Irlanda, el premio al científico más destacado de la Asociación Internacional de Investigación Odontológica y una serie de cargos honorarios en instituciones de gran prestigio, como la Cátedra Darwin de la Asociación Británica para el Progreso de la Ciencia.

KARLHEINZ H. P. FUCHS
En su calidad de experto en la industria de pieles de reptil, Karlheinz Fuchs ha visitado más de 140 países para estudiar las características de las pieles, desarrollar criterios de identificación basados en pieles enteras o troceadas e investigar la

área de investigación en los últimos catorce años ha sido la biología y la gestión de los aligatores, aunque también ha realizado estudios sobre las aves acuáticas y los grandes felinos de Florida. Actualmente es supervisor de temas de fauna, especialmente relativos a la gestión de aligatores y cocodrilos. Entre sus actividades más recientes figuran la organización de proyectos de gestión de aligatores en zonas pantanosas privadas, así como algunos estudios preliminares y propuestas para un trabajo más profundo sobre el cocodrilo nariguado en Honduras.

DALE R. JACKSON
Después de obtener el doctorado por la Universidad de Florida, donde estudió las tortugas actuales y fósiles, Dale Jackson enseñó durante tres años en la universidad, para luego dedicarse plenamente a la conservación de la fauna. Actualmente trabaja como zoólogo para el Inventario de las Áreas Naturales de Florida, organismo que controla y trata de proteger las numerosas y raras especies de la fauna local. Herpetólogo y conservacionista activo, Jackson se ha especializado en el estudio de las tortugas de agua dulce, a la vez que trabaja en varias comisiones regionales, nacionales e internacionales para la protección de los reptiles y los anfibios. Cuando sus obligaciones se lo permiten, prosigue sus estudios ecológicos sobre los reptiles, estudios que hasta ahora han abarcado a los aligatores, las serpientes de coral, las tortugas emídidas e incluso los dinosaurios. Jackson atribuye su inagotable energía a su costumbre de correr dos veces al día con su galgo, tratando de no quedarse demasiado rezagado.

F. WAYNE KING
Tras recibir el doctorado por la Universidad de Miami en 1966, el profesor F. Wayne King fue durante varios años conservador del departamento de herpetología de la Sociedad Zoológica de Nueva York. Paralelamente ejerció como director de proyectos educativos sobre conservación de la fauna y el medio ambiente. Permaneció otros cuatro años en la Sociedad, como director de zoología y conservación, antes de ser

designado director del Museo de Historia Natural de Florida, donde actualmente es conservador del departamento de herpetología.

Desde 1981 dirige el grupo de especialistas en cocodrilos de la IUCN y es asesor honorario de la Asociación Americana de Granjeros de Aligatores. El profesor F. Wayne King ha recibido una serie de galardones internacionales por su inapreciable labor en el ámbito de la conservación de la fauna.

JEFFREY W. LANG

Jeffrey Lang ha desempeñado cargos de investigación y enseñanza en varias universidades de Estados Unidos y Australia, desde 1965. Actualmente es catedrático adjunto de biología en la Universidad de Dakota del Norte y miembro consultor del grupo de especialistas en cocodrilos de la IUCN. Ha realizado investigaciones sobre las adaptaciones etológicas y fisiológicas de los vertebrados, en especial de reptiles y anfibios. Ha dirigido estudios de campo sobre la conducta y la fisiología de los cocodrilianos, con especial atención al comportamiento social y térmico de las especies del sur de Florida, Venezuela, Australia, Papúa-Nueva Guinea y la India.

Actualmente está realizando estudios de laboratorio sobre las interacciones entre nutrición, selección térmica y crecimiento en caimanes y cocodrilos, así como sobre los mecanismos de regulación de temperatura en los reptiles.

WILLIAM ERNEST MAGNUSSON

Nacido en Sydney, Australia, el Dr. William Magnusson completó su licenciatura en la Universidad de Sydney en 1974. Durante los cinco años siguientes trabajó en su tesis doctoral, titulada «Ecología de nidificación de *Crocodylus porosus* en Tierra de Arnhem». Tras obtener el doctorado, aceptó un cargo en el Instituto Nacional de Investigaciones sobre la Amazonia, donde actualmente realiza estudios sobre la ecología y la conservación de la fauna brasileña de vertebrados. Sus investigaciones y los trabajos de los estudiantes cuyas tesis supervisa abarcan las especies y subespecies del género *Caiman*.

FRANK J. MAZZOTTI

Frank J. Mazzotti obtuvo el doctorado en ecología por la Universidad del Estado de Pensilvania en 1983. Durante más de diez años se ha dedicado al estudio de los cocodrilos del sudeste de Estados Unidos y del Caribe. La mayor parte de su investigación sobre cocodrilianos se refiere a las adaptaciones para la supervivencia en diferentes hábitats y áreas geográficas, así como a la influencia de las actividades humanas sobre las poblaciones que viven en libertad. Recientemente ha sido nombrado miembro del grupo de especialitas en cocodrilos de la IUCN. El Dr. Mazzotti es actualmente investigador del departamento de fauna de la Universidad de Florida, donde participa en proyectos de conservación en colaboración con la Comisión de Caza y Pesca Fluvial de Florida. Desde este cargo, el Dr. Mazzotti asesora a una serie de organismos públicos y privados sobre la forma de incorporar las consideraciones sobre la fauna y el hábitat en la planificación del desarrollo.

GREG MITCHELL

Contratado originalmente por el gobierno de Papúa-Nueva Guinea como encargado de publicaciones y educación del grupo de gestión de cocodrilos del Ministerio de Agricultura, Greg Mitchell ha vivido en ese país durante los últimos 18 años. Ha participado activamente en el desarrollo de la granja de cocodrilos de Mainland Holdings, en Lae, desde su fundación, y actualmente desempeña el cargo de gerente de proyectos del establecimiento.

J. T. VICTOR ONIONS

Victor Onions es biólogo y trabajó durante varios años en áreas relacionadas con el desarrollo agrícola y rural de las islas del Pacífico, sobre todo Kiribati y Fiji, antes de establecerse en Australia en 1975. Desde entonces, su trabajo ha estado relacionado con el desarrollo de los recursos naturales representados por una serie de especies autóctonas, como tortugas, emúes, ostras tropicales y cocodrilos. Actualmente es gerente de proyectos de la Granja de Cocodrilos del Río Edward, en la península de Cabo York, al norte de Queensland.

Es miembro del grupo de especialistas en cocodrilos de la IUCN, y ocasionalmente viaja a diferentes países como asesor en el ámbito del desarrollo de los recursos naturales renovables.

A. C. (TONY) POOLEY

Tony Pooley fue uno de los pioneros en la investigación de los cocodrilos en el sur de África, durante sus 25 años de trabajo en las reservas naturales que el Natal Parks Board administra en Zululandia. En 1970 fue invitado para convertirse en miembro fundador del grupo de especialistas en cocodrilos de la IUCN y ha asistido a simposios, presentado ponencias, actuado como asesor o estudiado los cocodrilos en Papúa-Nueva Guinea, Australia, Italia, Estados Unidos, Zimbabue, Zambia, Mozambique, Botsuana, Lesotho y Sudáfrica. Obtuvo su licenciatura en ciencias en 1982, con un trabajo sobre la ecología del cocodrilo del Nilo en Zululandia. Durante varios años ha estudiado las técnicas de registro de sonido y ha producido cinco discos de larga duración sobre los sonidos de la fauna africana y la música de diferentes grupos étnicos.

Autor de numerosos artículos populares y técnicos sobre los cocodrilos, así como del libro *Discoveries of a Crocodile Man*, ha participado en la producción de varias películas, entre ellas el documental de la BBC *Gently Smiling Jaws*, que en 1981 ganó un premio internacional. Actualmente trabaja como asesor sobre la cría y conservación de los cocodrilos.

CHARLES A. ROSS

Interesado sobre todo en la taxonomía y la morfología externa de los cocodrilianos actuales, Charles Ross tiene experiencia de campo con todos los principales grupos de cocodrilianos de América Central y del Norte, así como del sur y el sudeste de Asia y de la región del Pacífico. Fue contratado por el Servicio de Recursos Pesqueros y Fauna de Estados Unidos para realizar investigaciones de campo sobre los cocodrilos y caimanes de América Central y del Norte, y por la FAO para trabajar en la reestructuración de la industria de la piel de cocodrilo en Papúa-Nueva Guinea. Entre 1980 y 1983 dirigió el proyecto del World Wildlife Fund de la Smithsonian Institution sobre el cocodrilo mindoro y es conservador adjunto honorario del departamento de herpetología del Museo Nacional de Filipinas. Actualmente trabaja como especialista en el departamento de zoología de vertebrados de la Smithsonian Institution. Es autor de numerosos artículos científicos y de divulgación sobre los cocodrilianos.

FRANKLIN D. ROSS

Nacido en Cambridge, Massachusetts, Franklin Ross cursó estudios en la Universidad Clark y fue profesor de herpetología en la Sociedad Audubon de Massachusetts. Ha viajado por todo el mundo para realizar estudios de campo. Trabajó en colaboración con diversos museos durante cierto tiempo, antes de aceptar su actual cargo de conservador adjunto de la colección de reptiles y anfibios de la Universidad de Harvard. Fue uno de los colaboradores de la obra *Advances in Herpetology and Evolutionary Biology*, publicada por esta universidad en 1983.

JOHN SHIELD

Por su trabajo de veterinario en Cairns, Australia, el Dr. Shield recorre habitualmente el área de distribución de los cocodrilos marinos y de Johnston, en la península de Cabo York y a orillas del golfo de Carpentaria, en Queensland. El Dr. Shield trabaja como veterinario para dos granjas de cocodrilos, donde se ocupa de la salud y el bienestar de los animales, así como para una serie de jardines zoológicos de la zona. Su interés por los datos sobre ataques de cocodrilos nació como consecuencia de una serie de ataques mortales entre 1985 y 1987, en el norte de Australia, que tuvieron amplia cobertura en los medios de información. Después de comprobar que se sabía muy poco sobre el tema, el Dr. Shield decidió poner remedio a la situación y comenzó a estudiar intensamente todos los ataques de cocodrilos en Australia desde aquellas fechas. Considera que su registro sobre ataques de cocodrilos reviste gran interés histórico, además de biológico.

HANS-DIETER SUES

Nacido en Alemania Occidental, el Dr. Sues obtuvo las licenciaturas en geología y biología por la Universidad Johannes Gutenberg de Maguncia y realizó estudios de posgrado en la Universidad de Alberta y en la Universidad de Harvard. Sus principales intereses científicos son la anatomía e historia evolutiva de los reptiles y el origen de los mamíferos. El Dr. Sues ha realizado estudios de campo en varias regiones de Canadá, Estados Unidos y Europa occidental, en busca de fósiles de dinosaurios, cocodrilos primitivos y reptiles semejantes a mamíferos. Ha publicado más de veinte monografías y ha colaborado en varios libros.

LAURENCE TAPLIN

Después de cursar estudios en la Universidad James Cook, en Australia, Laurence Taplin obtuvo el doctorado en la Universidad de Sydney. Durante más de diez años ha trabajado con cocodrilos en el Territorio del Norte y en Queensland. Sus primeras investigaciones estuvieron relacionadas con la osmorregulación en los cocodrilos de estuario y de río. Más tarde comenzó a trabajar en el Servicio de Parques Nacionales y Fauna de Queensland, donde ha dirigido los primeros estudios a gran escala del cocodrilo marino realizados en la región, así como el desarrollo de estrategias para la gestión de los cocodrilos.

DAVE TAYLOR

Desde 1964, cuando fue contratado por el estado de Luisiana, Dave Taylor se ha dedicado al marcaje, la repoblación, la recopilación de datos y los estudios de radiotelemetría con animales tan diversos como aves acuáticas, pavos silvestres, osos pardos, ciervos de cola blanca, tortugas y aligatores. Sus estudios sobre el aligátor americano abarcan cuatro trabajos de radiotelemetría, un programa de marcaje y recuperación de ámbito estatal e investigaciones sobre índices de reproducción y envejecimiento de las hembras, dinámica poblacional, modelos de población y niveles máximos permisibles de explotación del recurso.

G. W. TROMPF

El Dr. Garry Trompf nació en Melbourne y pasó gran parte de su infancia y juventud en las praderas de Dandenong, en Victoria, Australia. Cursó estudios en las universidades de Melbourne y Monash, así como en la Universidad de Oxford y en la

Universidad Nacional de Australia. Como historiador de las ideas, ha desempeñado cargos en los departamentos de historia y estudios religiosos de diversas universidades australianas y extranjeras. Fue catedrático de historia en la Universidad de Papúa-Nueva Guinea, así como profesor visitante en la Universidad de California en Santa Cruz, en la Universidad Estatal de Utrecht y en el Instituto Carl Jung de Zúrich. Actualmente es catedrático adjunto y jefe del departamento de estudios religiosos de la Universidad de Sydney, Australia.

KENT A. VLIET

El Dr. Kent Vliet empezó a trabajar con los caimanes en 1980, cuando decidió estudiar el cortejo y otros comportamientos sociales de estos reptiles para su tesis doctoral. Su costumbre de nadar entre los objetos de estudio para obtener datos acerca de su comunicación visual le valió gran publicidad en la prensa popular y, finalmente, sus investigaciones fueron presentadas en un documental para la televisión de la National Geographic Society, titulado *Realm of the Alligator*. Aunque es ante todo un biólogo especializado en etología, el Dr. Vliet ha estudiado diversos aspectos de la biología de los caimanes: su reproducción, endocrinología, fisiología y anatomía. Actualmente investiga los efectos de la densidad de los grupos sobre la eficacia reproductora de los caimanes en cautividad, como miembro del departamento de zoología de la Universidad de Florida.

ROMULUS WHITAKER

Aunque nació en Nueva York, Romulus Whitaker ha pasado casi toda su vida en la India, y actualmente es ciudadano de ese país. Casado con Zahida, hija del famoso conservacionista Zafar Futehally, Romulus Whitaker fundó el Parque de Serpientes de Madrás en 1969 y el Banco de Cocodrilos de Madrás en 1975. Es miembro de la organización india para la conservación del arte y el legado cultural de las islas Andamán y Nicobar y es asesor de la Sociedad de Historia Natural de Bombay y de la Sociedad Herpetológica de la India. Es consultor honorario de la comisión de supervivencia de las especies de la IUCN y actúa como asesor del World Wildlife Fund de la IUCN, de la FAO, del Centro de Comercio Internacional y de la agencia norteamericana de ayuda al desarrollo internacional. Actualmente produce y dirige documentales sobre temas relacionados con el medio ambiente.

ZHOU GUOXING

Nacido en Nantong, ciudad situada en la provincia de Kiangsu, el profesor Zhou Guoxing obtuvo la licenciatura en antropología por la Universidad Fu Dan de Shanghai en el año 1962. A partir de entonces se dedicó activamente a la investigación sobre paleoantropología y arqueología prehistórica en la Academia China de Ciencias.

Sobre la base de su estudio de piezas dentales fósiles de *Homo erectus*, en la provincia de Yunnán, en China meridional, se estableció que la presencia de homínidos en China se remonta a hace 1,7 millones de años.

Desde el año 1979, el profesor Zhou trabaja en el Museo de Historia Natural de Pekín, donde ejerció como antropólogo y redactor de artículos científicos; actualmente ocupa el cargo de director delegado del citado centro. Asimismo, es autor de una serie de libros y diversos artículos sobre el origen y la evolución de los seres humanos.

GEORGE R. ZUG

George Zug tuvo su primer encuentro (o desencuentro) con los cocodrilianos en 1958, cuando un pequeño cocodrilo narigudo cargó contra él y lo hizo huir a toda prisa de un riachuelo cubano. Años más tarde tuvo oportunidad de vengar su orgullo herido obligando a un pequeño cocodrilo marino a desplazarse sobre una plataforma de cemento fresco, para ser el primero en registrar el «galope» de los cocodrilianos. Por fortuna, los cocodrilianos no han respondido a este último desafío, ya que el Dr. Zug no se siente tan ágil ni veloz como lo fue en su juventud.

Desde el año 1968, George Zug desempeña el cargo de conservador de la sección de anfibios y reptiles del departamento de zoología de vertebrados del Museo de Historia Natural de la Smithsonian Institution.

Fue también director del departamento de zoología de vertebrados durante algunos años. Interesado en todo lo relacionado con la herpetología, ha investigado la locomoción de los anfibios y reptiles, la edad y el crecimiento de los reptiles grandes o longevos, la taxonomía y la evolución de las tortugas, la biología reproductora de lagartos y tortugas y la evolución y distribución geográfica de los lagartos del sudoeste del Pacífico. Actualmente es editor de *Herpetological Monographs*, publicación de la Liga de Herpetólogos.

ÍNDICE

aborígenes australianos, pinturas sobre corteza de árbol 167, *167*
aborígenes australianos, arte rupestre *156*, 167, *167*
acabado en seco de pieles de cocodrilo 194-195, *194-195*
acabado en seco, operaciones 195
acabado húmedo de pieles de cocodrilo 194
acaltetepon 94
adaptación a la vida marina 31, 33
aetosaurio 22, *22*
África *174*, 191
  ataques de cocodrilos 174-177, *177*
  comercio con pieles de cocodrilo 189
  importancia religiosa de los cocodrilos 161-162
  incubación de huevos *206*
  legislación protectora 218
  programas de gestión 229
  ranchos de cocodrilos *205*, 205-210
agresión
  contra embarcaciones 186
  hembras 115, 179
  machos 179
  véase también jerarquías de dominio; conducta social; territorialidad
Ah Puch 161
Alemania, asociación de productores de cuero de reptil 214
algas, proliferación de las 148
aligátor americano *25, 37, 38, 38-39, 40, 47*, 51, 61, *61, 80, 107, 178*, 200, 212, 214, 230
  adaptación al frío 50
  alimentación 78, *82-83*
  ataques contra seres humanos 172, 178-181
  bajo protección federal en Estados Unidos 204
  conducta para la caza *86, 89*
  conducta social *102*
  cortejo *114*, 116
  cuidados parentales *74-75, 127, 129*
  depredadores de nidos 94
  determinación del sexo 120, *120*
  distribución 24-25, 136
  enemigos naturales *4-5*, 97
  equilibrio osmótico 52
  estación reproductora abreviada 124-128
  estudios de historia natural, 102
  etiquetado para el desuello y la exportación legal *222*
  explotación comercial 188
  glándulas salinas 140
  granjas en Estados Unidos 203-205, *204*
  hábitats *137, 139, 139, 142-143, 147*
    protegidos 153
    terrestres 144
  huevos *126*
  importancia religiosa 161
  legislación protectora 218
  levantamiento de las restricciones 198
  luchas *112*
  malformaciones congénitas 98
  mencionado en el Apéndice I de la CITES 220
  mencionado en el Apéndice II de la CITES 220
  nidos monticulares 146
  piel 217
  pieles clásicas 200
  población simulada 221
  sentido del olfato *56*
  tasas de crecimiento en cautividad *207*
  vibraciones subaudibles *107*
  vida en grupo 110, *111*
  vocalizaciones 106
  vocalizaciones durante la temporada de cortejo 119
aligátor chino *25*, 38, *41*, 60, *60*, 152, 172, 230
  adaptación al frío 50
  coraza dorsal 53
  destrucción del hábitat *226*
  distribución 136, *226*
  especie amenazada 226
  hábitats 139
  hábitats terrestres 144
  mortalidad en los nidos *93*
  vocalizaciones 106

aligatores
  adaptación a las temperaturas heladas 49
  asociación con el dragón chino 160
  ataques contra seres humanos 179, *179, 181*
  cooperación 88-91
  cortejo *127*
  diferencias dentales *57*
  explotación comercial 188
  investigaciones en Estados Unidos 204
  metabolismo 84
  reproducción 124-128
  señales de advertencia *179*
  tasa de crecimiento *126*
  temperatura corporal 49
  termofilia 51
alimentación *1*, 76-91
Alligator (novela) 171
Alligator 58
  mississippiensis 38, 51, 61, *61, 214*, 230
    ataques contra humanos *172*
    bajo protección federal en Estados Unidos *204*
    depredadores de nidos *94*
    distribución *24-25, 136*
    estudios de historia natural *102*
    explotación comercial *188*
    importancia religiosa *161*
    levantamiento de las restricciones *198*
    mencionado en el Apéndice II de la CITES 220
    piel 217
    población simulada *221*
    vocalizaciones durante la temporada de cortejo *119*
    véase también aligátor americano
  olseni 38
  sinensis 38, 60, *60*, 172, 226, 230
    coraza dorsal 53
    distribución 136
    mencionado en el Apéndice I de la CITES 220
    mortalidad en los nidos *93*
    vocalizaciones 106
    véase también aligátor chino
Alligatorinae 34, 58, 59-63, 230
Amazonas, río 152
Amazonia, destrucción de hábitats 146-147
América Central, destrucción del hábitat 151
anaconda 99, *99*
anatomía *12-13*, 42-57, *54-55*
  estadios evolutivos 28-29
  rasgos propios de depredadores 76
  sistema urogenital *125*
  tobillo *21*, 21-23
  véase también evolución
antepasados 12, *20*
apareamiento 114-116, *116*
  diferencias entre especies 116
  véase también reproducción
Araripesuchus 31, *31*, 32
arcosaurios 14, 29
arte, representación de los cocodrilianos 156-171
  escasa representación en el arte occidental 171
articulación del tobillo en los cocodrilianos *21*, 21-23
Asociación para la Cría y Conservación de la Baba (ASOBABÁ) 228
Asociación Venezolana de Curtidores (AVECUR) 228
atoposáuridos 31, 32
Audubon, John James 188
Australia
  ataques contra seres humanos en 182
  ataques mortales de cocodrilos *186*
  granjas y ranchos de cocodrilos 211-213, *213*
  incubación de huevos *206*
  mitos y leyendas 166-167, *166-167*
  programas de gestión 224
  prohibición del comercio de pieles 200
  sellos de identificación 222, *222*
aves
  como depredadores 97
  evolución 23
aztecas, importancia religiosa de los cocodrilianos 161

babuino 95
ballenas 33
Bangladesh, destrucción del hábitat 151
baurusúquidos 33
Berna, criterios de 219
Bernissartia 32, *32*
boca abierta 48
Bolivia 218, 222
bramidos 119
Brasil 218, 222
Broome, granja de cocodrilos 212, *213*
burbujeo 107, *107*, 109
  durante el cortejo 116

cadena alimentaria 146-147
caimán
  almizclado *19, 40*, 58, 62, *62*, 230
    coraza dorsal 53
    hábitats 138
    mencionado en el Apéndice II de la CITES 220
    nidos 121
    piel *192*
    reacción ante las vocalizaciones de las crías 123, *123*
    reproducción 119
    vocalizaciones durante la temporada del cortejo 119
  almizclado del Brasil *40*, 62, *62*, 121, 230
    crías *124*
    cuidados parentales 124
    depredadores de los nidos 121
    hábitat *138*
    mencionado en el Apéndice II de la CITES 220
    nidos 121, *121*
    nidos en termiteros 122, *122*
    reacción ante las vocalizaciones de las crías 123
    reproducción 119
  de anteojos *10-11, 40, 63, 63*, 188, 214, *217*, 228, 230
    alimentación *78*
    caza con fines comerciales 191
    coraza dorsal 53
    depredadores de nidos 121, 123
    determinación del sexo 120, *120*
    legislación protectora 218, *218*
    mencionado en el Apéndice I de la CITES 220
    mencionado en el Apéndice II de la CITES 220
    modificación humana del hábitat 224
    nidos monticulares 119, 121, *121*
    piel *192*, 217
    reacción a las vocalizaciones de las crías 123, *123*
    reproducción 119
    temperatura corporal 49
    territorialidad *108*
    vida en grupo 110-111, *111*, 141, *141*
    vocalizaciones 106, 119
  de China *véase* aligátor chino
  del Mississippi
    véase aligátor americano
  negro *40*, 58, 50, *59*, 191, 230
    alimentación 83
    ataques a seres humanos 172
    coraza dorsal 53, *53*
    depredadores de nidos 121, 123
    disminución de la población 224
    especie amenazada 226
    hábitats *136*
    legislación protectora 218, *218*
    mencionado en el Apéndice I de la CITES 220
    piel 217
    reproducción 119
    vocalizaciones durante el cortejo 119
Caiman
  crocodilus 63, *63*, 188, 199, 214, 218, 230
    falta de legislación protectora 218
    piel 217
    reproducción 119
    temperatura corporal 49
    vida en grupo 110-111
    apaporiensis 230
      especie amenazada 226
      legislación protectora 218

    mencionado en el Apéndice I de la CITES 220
  crocodilus 199, 228, 230
    legislación protectora 218
    levantamiento de las restricciones 198
    mencionado en el Apéndice II de la CITES 220
  chiapasius
    legislación protectora 218
  fuscus 201
    legislación protectora 218
    mencionado en el Apéndice II de la CITES 220
  yacare 230
    legislación protectora 218
    mencionado en el Apéndice II de la CITES 220
    véase también caimán de anteojos
  latirostris 63, *63*, 230
    especie amenazada 226
    mencionado en el Apéndice I de la CITES 220
    piel 217
    reproducción 119
    véase también yacaré
  neivensis 38
caimanes 58, 218
  conducta de búsqueda del calor 51
  depredadores de nidos 121
  glándulas salinas 140
  importancia ecológica 146
  nidos *119*
  poblaciones diezmadas por la caza 152
  programa de gestión en Venezuela 228
  reproducción 119-124
  señales químicas 109
  vida en grupo *110*
canibalismo 100
caracarás 97
carne de cocodrilo 206, 213
cautividad
  comunicaciones 107
  conducta grupal 110
  cortejo 115
  defensa territorial 113
  hibridación entre especies emparentadas 116
  relaciones de dominio 112
  véase también programas de reproducción; granjas; ranchos
caza y alimentación 83-88
caza y cazadores 96, *99*, 101, 151, 152, 189-191, 197
  captura, manipulación y administración de tranquilizantes 208
  caza comercial de aligatores 179
  en Australia *217*
  ilegal 218
  legalizada 191
  métodos 190
  representación en grabado alemán del siglo XVI *171*
  tecnología de 1959 a 1980 217-218
  temporada limitada en Luisiana y Florida 204
Cenozoico 20
cerdo salvaje 95
cerdos 94
cerebelo 54, *56*
cerebro 54, *56*
cifodonte *32*, 33, 35
cifras mundiales 196-197, *196-197*, 222
circulación 47-48
CITES *198*, 200, 203, 216
  apéndices 219-223
  autoridad en Australia 213
civeta 94
clasificación científica de los animales 16-19
clima 49, 136
  adaptación al frío 50
  efectos sobre la evolución 37
  influencia de los cambios estacionales sobre el hábitat 141
  pasado 24-25
  relación con el ciclo reproductor 119
cloaca 54, *55*
coatí 94, *94*, 121
cocodrilianos 7, 8-9, 58-73
  adaptación a la vida marina 27, 30
  alimentación 76-91

anatomía 42-57, *54-55*
antecedentes fósiles de las especies
　actuales 37-39
catálogo de los cocodrilianos actuales
　230
conducta de búsqueda del calor 51
conservación en libertad 223
diferencias en dentaduras *57*
en cautividad 203
estructura de la piel 191-192
evolución 20-24, 26-39
importancia ecológica 146-148
metabolismo 84
parientes actuales 14-16
pérdida de agua por evaporación 54
temidos como asesinos 172
uñas *35*
véase también evolución; hábitat;
・ comercio con cocodrilianos
cocodrílidos 58, 230
cocodrilinos 34, 58, 64-72, 230
cocodrilo
　cubano *40*, 64, *64*, 230
　　distribución *226*
　　especie amenazada 227
　　evolución 38
　　mencionado en el Apéndice I de la
　　　CITES 220
　de Guinea *40-41*, 66, *66*, 230
　　alimentación 80, *80*
　　conducta de caza 88
　　evolución 37
　　legislación protectora 218
　　mencionado en el Apéndice I de la
　　　CITES 220
　　mencionado en el Apéndice II de la
　　　CITES 220
　　vocalizaciones 106
　de Johnston *41*, 69, *69*, 99, 230
　　alimentación 80
　　caza furtiva en Australia *219*
　　conducta de caza 88
　　conducto auditivo *16*
　　en la mitología aborigen
　　　australiana 166
　　granjas en Australia 211-213
　　hábitat de agua salada 139, 141
　　mencionado en el Apéndice II de la
　　　CITES 220
　　nidos *119*
　　piel *192*
　　pinturas rupestres de aborígenes
　　　australianos *156*
　　principales mercados 213
　　vida en grupo 110-111
　de los pantanos *véase* cocodrilo palustre
　de Nueva Caledonia 36
　de Nueva Guinea *41*, 71, *71*, 104, 230
　　alimentación 80
　　conducta territorial *113*
　　cortejo *116*
　　hábitat de agua salada 139
　　levantamiento del hocico 108
　　mencionado en el Apéndice II de la
　　　CITES 220
　　vida en grupo *110*
　　vocalizaciones 105
　　zonas de nidificación 145
　del Nilo 15, 40-41, 67, *67*, *93*, *93*, 99,
　　115, 134, *159*, *174*, 214, *223*, 230
　　alimentación 76, *77*, 83, *83*, *84*, 90,
　　　90, *91*
　　ataques contra seres humanos 172,
　　　173, *174*, 174-177, *177*
　　canibalismo 100
　　categorías de Linneo 18
　　comportamiento territorial 112, 129,
　　　129, 130
　　conducta de caza 86, 87, 88, *88*, 175,
　　　175-176, *176*
　　cortejo *114*, 130
　　cuidados parentales *130*, 131
　　depredadores de los nidos 95
　　destrucción del hábitat 152
　　embrión *127*
　　enemigos naturales 99
　　estructura de la piel *191*
　　estudios de historia natural 102
　　evolución 30, 37, 38
　　explotación comercial 189
　　formación de grupos sociales 110
　　función de la dentadura en la
　　　alimentación *76*

granjas y ranchos en África 205-
　210, *205-210*, 210
importancia en la religión *157*
legislación protectora 218
levantamiento del hocico 108
mencionado en el Apéndice I de la
　CITES 220
mencionado en el Apéndice II de la
　CITES 220
mortalidad 99
piel 192
reacción ante las vocalizaciones de
　las crías *130*
reproducción 129-132
temperatura corporal *48*, *144*
vibraciones subaudibles 107
vocalizaciones 105, *105*, 106
del Orinoco *40*, 67, *67*, 228, *228-229*,
　230
ataques a seres humanos 172
disminución de la población 224
especie amenazada 226
evolución 38
legislación protectora 218
mencionado en el Apéndice I de la
　CITES 220
enano 10, *40-41*, 58, 72, *72*, 214, 230
conducta territorial *113*
coraza dorsal 53
evolución 38
legislación protectora 218
mencionado en el Apéndice I de la
　CITES 220
mencionado en el Apéndice II de la
　CITES 220
malayo *41*, 58, 72, *72*, 214, 230
alimentación 80
coraza dorsal 53
especie amenazada 227
evolución 37
hábitat 138
mencionado en el Apéndice I de la
　CITES 220
marino 21, *41*, *44*, *52*, 68, *68*, *143*, *183*,
　184-185, 200, 214, 230
alimentación *81*, 83
ataques contra embarcaciones 186
ataques contra seres humanos 172,
　173, *177*, 183-186, *183-186*
burbujeo *107*
canibalismo 100
caza en Australia *217*, *219*
comportamiento territorial 112
conducta de caza 86, *89*
coraza dorsal, 53, *53*
dentadura *57*
destrucción del hábitat 150, 151, 190
equilibrio osmótico 52
evolución 38
gestión de las poblaciones en
　libertad *223*
glándulas salinas 140, *140*
granjas en Australia *154-155*,
　211-213
granjas en Papúa-Nueva Guinea 215
granjas en Tailandia *215*
hábitats de agua salada 52, 139,
　140, 141, *portada*
hábitats protegidos 153
hábitats terrestres 144
huevos *126*
levantamiento del hocico 108
luchas *112*
mandíbulas *76*
mencionado en el Apéndice I de la
　CITES 220
mencionado en el Apéndice II de la
　CITES 220
piel 192, 219
temperatura corporal 49
trampas de cuerdas *208-209*
vista *56*
vocalizaciones 105
zonas de nidificación 145
mindoro *41*, 71, *71*, 141, 230
caza con fines comerciales 191
destrucción del hábitat *148*, 150,
　151
distribución *218*
en cautividad *153*
especie amenazada 227
hábitats de agua salada 139
hábitats terrestres 144

mencionado en el Apéndice I de la
　CITES 220
narigudo
ataques a seres humanos 172, *173*
coraza dorsal 53
cortejo *115*, 116
destrucción del hábitat 150, *150*, 151
equilibrio osmótico 52
especie amenazada 226
evolución 38
golpes con la cabeza en el agua 107,
　109
hábitats de agua salada 52
hábitats protegidos 153
hábitats terrestres 144
legislación protectora 218
levantamiento del hocico 108
mencionado en el Apéndice I de la
　CITES 220
temperatura corporal 49
vibraciones subaudibles 107
vocalizaciones 106
palustre *40-41*, 41, 69, *69*, 151,
　214, 230
alimentación *1*, *81*, 83, *90*
ataques contra seres humanos 172, 182
caza con fines comerciales 190
conducta de caza 85
control de la temperatura corporal *3*,
　144
determinación del sexo 120
evolución 30, 38
hábitats de agua salada 141
hábitats terrestres 144
mencionado en el Apéndice I de la
　CITES 220
nidificación 133, *133*
reproducción 132-133
vibraciones subaudibles 107
vocalizaciones 105
pardo *40*, 65, *65*, 214, *227*, 230
equilibrio osmótico 52
especie amenazada 227
evolución 38
mencionado en el Apéndice I de la
　CITES 220
protección de las crías 110
siamés *41*, 70, *70*, 214, 230
conducta social *109*
especie amenazada *225*, 227
granjas en Tailandia *215*
hábitat de agua salada 139
mencionado en el Apéndice I de la
　CITES 220
piel 192
vocalizaciones 105, 106
coelurosaurio *17*
cola *42*
función en la natación 43
golpes con la cola 108
marcha sobre la cola *43*, 44
Colombia 218
comercio con cocodrilianos 196-201, 213
desde 1950 hasta 1980 217
ilegal 216, 218, 222
influencia de la CITES 222
prohibiciones 200
regulación 218
Compsognathus 24
comunicación *103*, 104-109
oral *106*
conducta social *2*, 102-117
sistema de alimentación cooperativo
　88-91
conservación 102, 153, 216-223
Banco de Cocodrilos de Madrás 214
de las poblaciones en libertad 201
del hábitat 148-152
en Australia 211-213
granjas y ranchos 202-215
legislación internacional 196
véase también CITES; especie
　amenazada
contaminación *38*, *150*, *152*, 153
Convención de Washington 200
Convención sobre Comercio Internacional
　de Especies en Peligro de la Fauna y
　Flora *véase* CITES
coraza 42, *55*
evolución 29
variaciones en la coraza dorsal 53
corazón 42, 47, *47*, *54*, *54-55*
corión 193

cortejo *114*, 114-116, *116*, 119, 126, 129,
　130, 133, 134
contacto táctil 108
diferencias entre las especies 116
levantamiento del hocico 108
señales acústicas *107*
coyote 94
cráneo 20, 42
evolución 14-16, *16*
crecimiento 84, *126*
en cautividad 206-207, *297*
Cretácico 20
Cretácico-Terciario, crisis biológica 34
crías 104
alimentación *78-79*, 83, 132
conducta de búsqueda del calor 51
cuidados parentales 124
formación de grupos sociales 110
identificación de hermanos 109
llamadas de alarma 124, 131
menos tolerantes al agua salada 55
mortalidad en cautividad 206
recolección 211
vocalizaciones 106
Crocodile Farms (N.T.) Pty Ltd 212,
　213
Crocodilópolis 158, 159
Crocodylus 19, 58
evolución 37, 38
glándulas salinas 55
hábitat 139
pieles 217
acutus 65, *65*, 230
ataques a seres humanos 172
especie amenazada 226
evolución 38
hábitats terrestres 144
legislación protectora 218
mencionado en el Apéndice I de la
　CITES 220
véase también cocodrilo narigudo
cataphractus 66, *66*, 230
alimentación 80
evolución 37
legislación protectora 218
mencionado en el Apéndice I de la
　CITES 220
mencionado en el Apéndice II de la
　CITES 220
vocalizaciones 106
véase también cocodrilo de Guinea
intermedius 67, *67*, 230
ataques a seres humanos 172
especie amenazada 226
evolución 38
legislación protectora 218
mencionado en el Apéndice I de la
　CITES 220
véase también cocodrilo del Orinoco
johnstoni 69, *69*, 99, 230
alimentación 80
en la mitología aborigen
　australiana 166
granjas en Australia 211-213
hábitat de agua salada 139
mencionado en el Apéndice II de la
　CITES 220
vida en grupo 110-111
véase también cocodrilo de Johnston
lloidi 38
mindorensis 71, *71*, 230
caza con fines comerciales 191
especie amenazada 227
hábitat de agua salada 139
mencionado en el Apéndice I de la
　CITES 220
véase también cocodrilo mindoro
moreletii 65, *65*, 214, 230
véase también cocodrilo pardo
equilibrio osmótico 52
especie amenazada 227
evolución 38
mencionado en el Apéndice I de la
　CITES 220
protección de las crías 110
niloticus 67, *67*, 214, 230
alimentación 76
ataques a seres humanos 172
categorías de Linneo 18
depredadores de los nidos 95
destrucción del hábitat 152
estudios de historia natural 102
evolución 30, 37

explotación comercial 189
legislación protectora 218
mencionado en el Apéndice I de la CITES 220
mencionado en el Apéndice II de la CITES 220
pieles clásicas 200
reproducción 129-132
véase también cocodrilo del Nilo
novaeguineae 71, *71*, 104, 230
alimentación 80
especie amenazada 227
hábitat de agua salada 139
mencionado en el Apéndice II de la CITES 220
pieles clásicas 200
véase también cocodrilo de Nueva Guinea
palustris 69, *69*, 214, 230
alimentación 83
ataques a humanos 172
caza con fines comerciales 190
evolución 30-31, 38
hábitat de agua salada 141
mencionado en el Apéndice I de la CITES 220
vocalizaciones 105
véase también cocodrilo palustre
porosus 68, *68*, 134, 214, 230
alimentación 83
ataques a seres humanos 172
evolución 38
granjas en Australia 211-213
hábitat de agua salada 139
mencionado en el Apéndice I de la CITES 220
mencionado en el Apéndice II de la CITES 220
pérdida de hábitat 190
pieles clásicas 200
temperatura corporal 49
vocalizaciones 105
véase también cocodrilo marino
rhombifer 64, *64*, 230
especie amenazada 227
evolución 38
mencionado en el Apéndice I de la CITES 220
véase también cocodrilo cubano
siamensis 70, *70*, 214, 230
especie amenazada 227
mencionado en el Apéndice I de la CITES 220
piel 192
vocalizaciones 105
véase también cocodrilo siamés
sivalensis
evolución 38
cuidados parentales 124, 127, 130-132, 135
curtimbres y curtidores 197, 206
acción en la conservación 228-229
costes *199*
Estados Unidos 188
pieles de caimán 217
situación en los países del Tercer Mundo 199

chacal 94, 97
chaleco 217, 223
charolado de pieles de cocodrilo 195
China, relación entre dragones y caimanes 159

Deinosuchus 23, *23*
delfines *30*
depredadores 92-101, *94*, 130, 132, 145, 175
ataques contra seres humanos 172-187
cocodrilianos como depredadores *39*, 76-91
depredadores de nidos 130
deriva continental 29, *31*
desencalado de pieles de cocodrilo 194
Desmatosuchus 22
desolladura *192*, 192-193, *193*
desove 125, *126*, 130, 133, 135, *135*
desplazamiento reptante 43, 46, *46*
diafragma 24
diápsidos 14
dientes 42, *54-55*, *173*
de reemplazo 57, *57*

función en la alimentación *76*
dieta 59-73
en cautividad 206
maternal 98
digestión 51, *54-55*, 84
influencia de la temperatura 76
dinosaurios 10, 14, 23-24
antepasados comunes con los cocodrilianos 20, 29
era de los 19
extinción 20
saurisquios 24, *24*
dios-cocodrilo del antiguo Egipto *157*
Diplocynodon 34
dirosáuridos 31, 33
distribución 24-25, 59-73, 136
África *40-41*
al final del Triásico 29
América *40*
Asia y Australia *41*
cocodrilo mindoro *218*
dragón chino 159-160, *159-160*

Edad de los Reptiles 19
Edward, granja de cocodrilos del río *154-155*, 211, *211*, *213*
Egipto, dios-cocodrilo del antiguo 157-159
elefante africano 99
encalado de pieles de cocodrilo 193
encéfalo 56
Endangered Species Conservation Act 218
engrasado de pieles de cocodrilo 195
Eocaiman cavernensis 38
equilibrio osmótico *véase* glándulas salinas
erosión del suelo 148
escala del tiempo geológico 19-20, *20*
esfenosuquios 22, *22*
especialización 27
especies amenazadas 39, 190, 199, 203, 216, 218, *223*, 226-227
cocodrilo siamés *215*
mencionadas en el Apéndice I de la CITES 219, 220
véase también conservación; caza y cazadores
Estación Ecológica del Taim, Brasil *224*
Estación Experimental de Investigación y Repoblación de los Cocodrilos 190
Estados Unidos
ley de 1969 de protección a las especies amenazadas 204, 219
programas de gestión 224
prohibiciones al comercio 200
Servicio de Recursos Pesqueros y Fauna 204
uso de sellos identificativos 222
estómago *54-55*, *55*
eusuquios 28, 33, *33*, 34-37
cifodonte 35
coraza dorsal 53
evolución 10, *12-13*, 26-39, *27*
convergente *33*
divergente 31
paralela 27
parientes fósiles 20-24
parientes vivos 14-16
extinción 39
véase también especies amenazadas

facóqueros 95
familias 109
fertilidad en cautividad 207
Filipinas
caza de cocodrilos 191
destrucción del hábitat *148*, 148-150
importancia religiosa de los cocodrilos 162
reforestación de los manglares 153
fitosaurios 22, *22*
Flaxedil 208
flexibilidad dorsal 27, *27*
Florida
ataques de aligatores en 178, *181*
ataques mortales *179*
cazadores de caimanes 188
Comisión de Caza y Pesca Fluvial de Florida 178
registros comerciales 188
flotación *45*, 142, *143*

folidosáuridos 31, 32
fosas nasales 42, *47*
externas *16*, *28*, *54*
fósiles 19, 53
internas 27, 28, 54
parientes 20-24
véase también evolución
Fundación para la Investigación, Manejo y Aprovechamiento de la Fauna Silvestre (FUNDAFAUNA) 228-229

garza goliat *97*
gavial *18*, 35, 37, *41*, 58, 73, *73*, *134*, *135*, 190, 214, 230
alimentación 80
ataques a seres humanos 182
coraza dorsal 53
destrucción del hábitat 151
especie amenazada 227
golpes con la cabeza en el agua 107
hábitat 138, *138*
mencionado en el Apéndice I de la CITES 220
recolección de huevos *203*
reproducción 134-135
señales acústicas 107-108
sistema audible de alarma *134*
vocalizaciones 105
Gavialinae 31, 33, 35-37, 58, 73, 230
Gavialis gangeticus 27, 58, 73, *73*, 190, 214, 230
alimentación 80
ataques contra seres humanos 182
coraza dorsal 53
especie amenazada 227
hábitat 138
mencionado en el Apéndice I de la CITES 220
reproducción 134
vocalizaciones 105
véase también gavial
ghara 134, *134*
glándulas salinas 52, 55, 139, 140, *140*
glándulas secretoras 109
golpe con las mandíbulas 107, 114, 132, 134
golpes con la cabeza en el agua 107, *107*, 114, 130, 132
goniofolídidos 31
granjas 197, *198*, 202-215
captura, manipulación y administración de tranquilizantes 208-210
comparadas 214, *214*
en países del Tercer Mundo 199
grupos 110-111
reproductores 114
guanina, cristales de 56
guerra de Secesión de Estados Unidos
demanda de piel de aligátor 188
gusto, sentido 56

hábitat 10, 59-73, 136-153
destrucción *38*, 101, *146*, 146-152, *148*, *149*, 151, 202, 224
especies comestibles determinadas por el 78-80
gestión para una producción continuada 203
influencia sobre la composición de los nidos 119
pantanos de Luisiana 204
sequías periódicas 110-111, *110-111*
hábitats
acuáticos 137-143
de agua dulce 52, 137-139
de agua salada 52, 139
terrestres 144-148
hábitos alimentarios 76-91
Hartleys Creek, granja de cocodrilos 212, *213*
hibernación 49, 50
hiena manchada 95
hipopótamo 99, *99*, 175
hocico 42, *47*
evolución 27
frotamiento *102*, 109
función durante la alimentación 80-83
levantamiento 108, *117*
durante el cortejo 116
para indicar sumisión 115

hormigas 96, *96*
huevos 93, 126, *126*, 135, *135*, 148
depredadores, 98
de tortuga en nidos de caimán 145
malformaciones 98
recolectados en las zonas naturales de nidificación 203, *203*, 205, 205-206, 211, 215
sensibilidad al sonido 104
véase también incubación; nidos
Hylaeochampsa 33

incubación 118, 120, 135
condiciones ambientales 98
efecto de la temperatura sobre crecimiento y desarrollo 51
en cautividad 206
nidos en termiteros 122
India
caza de cocodrilos 190
comercio con cocodrilos 190
destrucción del hábitat 151
programas de gestión 224
Indonesia, destrucción del hábitat 151
industria de la piel 197
gestión de las poblaciones en libertad 201
producción 191-195, *194*
véase también piel de cocodrilo
inundaciones 93, 121, 146, 148
invernaderos 204, 206
investigación 98, 210
en África 205
en Estados Unidos 204

Janamba, granja de cocodrilos 212, *213*
jerarquías de dominio 112, 113
durante el cortejo 114
entre hembras 115
véase también territorialidad
jicotea de Nelson 145
véase también Pseudemys nelsoni
jineta 97
Johnstone River, granja de cocodrilos 212, *213*
Jurásico 20, 29

Kariba, rancho de cocodrilos del lago (Zimbabue) 205, 206
Katz, Shelley 171
Kom-Ombo 158
Koorana, granja de cocodrilos 211-212, *213*
Kozlowski, Linda 167
Krebs, Bernard 21

Lacey, John 218
Lacey, ley 219
lagartos 14, 94, 121
lágrimas de cocodrilo 171
legislación protectora 190, 213, 218-223
véase también conservación; especies amenazadas
lengua *54*
león 99
leopardo 97, 99
lepidosaurio 14
Letaba, rancho de cocodrilos 212, *213*
libicosúquidos 32
Linneo 17
literatura 10, 156-171
alusiones a los cocodrilianos en la literatura occidental 171
llamadas de alarma 56, 100, *104*, 104-105, 131, 132
llamadas de contacto 105, 132
lóbulo olfatorio 56
lóbulo óptico 56
locomoción *21*, 43-46
articulación del tobillo 21
terrestre 43
luchas 108, 111, *112*, 114-115
Luisiana, Comisión de Fauna y Recursos Pesqueros 204
Luisiana, granjas de aligatores en las marismas de 203-205
Madrás, Banco de Cocodrilos de 133, 214
madrigueras 144
Mainland Holdings, granja de cocodrilos de 215

malformaciones congénitas 97, 98, *98*
mandíbulas *42*
  función durante la alimentación 76, *76*
manglares 137, 139, 146, *150,* 150-151
  reforestación 153
mangosta 94, 95, 97
mapache 94, *94,* 97
marabú 95, *95*
marcha 21, 43, 46, *46*
Marco Polo 172
Marsh Island, refugio de fauna 221
mayas, importancia religiosa de los
  cocodrilianos 161
médula 56
Mekosuchus inexpectatus 34, 36, *36*
Melanesia, importancia religiosa de los
  cocodrilianos 164-165
Melanosuchus niger 58, 59, *59,* 191, 230
  alimentación 83
  ataques a seres humanos 172
  coraza dorsal 53
  especie amenazada 226
  mencionado en el Apéndice I de la
    CITES 220
  piel 217
  véase también caimán negro
membrana nictitante 56
mensajes quimiosensoriales 56, *56,* 108-109
  durante el cortejo y la nidificación 130
mercados 213
  para las especies australianas 213
  para pieles ilegales 218
  véase también comercio con
    cocodrilianos
Merritt Island, refugio de fauna 153
mesosuquios *18,* 28, *28,* 29-33, *30, 32, 33*
  cifodontes 33, 34
  coraza dorsal 53
Mesozoico 19-20
metabolismo 84
metriorrínquidos 10, 27, 30, *30,* 33
México, destrucción del hábitat en 151
mimosa 194
mitología 156-171
mofeta 94
momias egipcias de cocodrilos 158, *158*
mono capuchino 94
monos 121
mortalidad 92-101
  de los embriones 94-96, *119,* 121

natación 43
Natal, ley de 1968 de protección de los
  reptiles 190
National Geographic Society 214
Ndumu, reserva natural 190, 205
nidos *93,* 130, *135*
  aprovechados por las tortugas 145, *145*
  en termiteros 122, *122*
  mortalidad de los embriones *93,* 93-
    97, 132, 148
  recolección de huevos 205
  selección de los emplazamientos 120,
    145-146
  temperatura 118
  véase también huevos; incubación;
    reproducción
nidos monticulares 119, 126, 145
  mantenimiento de la temperatura 121
  selección del emplazamiento 120
  véase también huevos; nidos;
    determinación del sexo
Nilo, río 152
notosúquidos 32
nutria 78, 94, 95

oído interno 56
oído, sentido del 56
  véase también vibraciones subaudibles
ojo 56, *56*
olfato, sentido *28,* 56, *56*
operaciones de almacén 193-194,
  193-194
ornitisquio 24, *24*
Orthosuchus 29, *29*
osmorregulación 52-55
oso pardo 94, 97
osteodermos 191-195, *192,* 213
  véase también coraza
Osteolaemus tetraspis 38, 58, 72, *72,*
  214, 230

coraza dorsal 52
legislación protectora 218
mencionado en el Apéndice I de la
  CITES 220
mencionado en el Apéndice II de la
  CITES 220

Pakistán, destrucción del hábitat en 151
paladar óseo 47, 54, *54-55*
  evolución 27, *27,* 28-29, 32, 33
Paleosuchus 38, 58
  coraza dorsal 53
  vocalizaciones durante la temporada
    de cortejo 119
  palpebrosus 62, *62,* 230
    mencionado en el Apéndice II de la
      CITES 220
    reproducción 119
    véase también caimán almizclado
  trigonatus 62, *62,* 230
    mencionado en el Apéndice II de la
      CITES 220
    reproducción 119
    véase también caimán almizclado del
      Brasil
Paleozoico 19
Panamá, canal *151,* 152
Pangea 29, 31
Papúa-Nueva Guinea *164*
  caza de cocodrilos 191
  comercialización de pieles 200
  escudo decorado *165*
  granjas y ranchos *212,* 215, *215*
  importancia religiosa 164
  legislación protectora *224*
  participación de los pobladores de las
    aldeas 222
  programas de gestión 224
  utilización de sellos de identificación 222
Paraguay 218, 222
parentesco genético 109
párpados 56
patas 42, *42*
peces 97
Pelagosaurus 30
pérdida de agua 54
Phobosuchus 23
piel de cocodrilo 42
  comercio con cocodrilianos 196-201
  comercio ilegal 197, *197,* 199, *199*
  granja de cocodrilos del río Edward 211
  granjas y ranchos 202, 203, 206, 211-213
  imitación 188, *201*
  marcas para identificar pieles legales
    222, *222*
  mercadotecnia en Papúa-Nueva
    Guinea 200
  pieles clásicas 199, 200
  precios legales e ilegales 223
  producción de cuero 191-195
  productos 188-201
  véase también caza y cazadores
pigargo vocinglero *97*
pigmentación 98
Pitman, trampa 208, *210*
población reproductora 206-208
población simulada de caimanes 221
pozo de los cocodrilos *163*
precios legales e ilegales 223
prensa de charolado 195, *195*
pristicampsinos *33,* 35, *35*
programas de gestión 223-225
programas de reproducción 102, 133,
  153, *153,* 203
  en Australia 211-213
  proporción de sexos 114
protosuquios 10, 28, 29, *29*
  coraza dorsal 53
protuberancia nasal 134, *134*
Pseudemys nelsoni 145
pterosaurio 14
  volador 29
pulmones 47, *54*

quebracho 194
Quinkana fortirostrum 35, 36

rana 97
ranchos 197, *198,* 202-215
  captura, manipulación y

administración de tranquilizantes
  208-210
en Papúa-Nueva Guinea 200
rata 94
ratel 95
rauisuquios 22, *22*
religión 156-171
reproducción 59-73, 118-135
  en cautividad 206-208
respiración 47, 50
retina 56
riñones 54, *55*
Rockefeller, refugio de fauna 204
Rutiodon 22

salazón de pieles de cocodrilo 193, *193*
Samut Prakan, granja de cocodrilos en
  Tailandia *215*
San Agustín, granja de aligatores en
  Florida *203*
Santa Lucía, lago 88
  caza de cocodrilos 189
Sarcosuchus 31, *31*
saurisquio 24, *24*
sauropodomorfos 24
sebécidos 33, *33*
Sebek *157, 157-159,* 158
seguridad, medidas recomendadas 187
sellos de identificación 222
selvas 146, 148
  destrucción 151
  reforestación 153
señales
  acústicas 56, 107
  de advertencia *179,* 187, *187*
  táctiles 108-109
    durante el cortejo 116
  visuales 108
  véase también comunicación
Sepik, esculturas y mitos 164-165
sequía 120, 147
  efectos sobre el equilibrio osmótico
    52, 54
seres humanos
  ataques de cocodrilianos 172-187
  destrucción del hábitat por 152-153
  véase también caza y cazadores
serpiente 14, 97
Servicio Australiano de Parques
  Nacionales y Fauna
    representante de la CITES en
      Australia 213
seudosuquios 29
sexo, determinación 118, *118,* 120, *120,*
  206, 215
Smithsonian Institution 214
Sphenodon punctatus 17
Steneosaurus 26
  bollensis 28
Stomatosuchus 33
sudeste asiático
  ataques al hombre 182
  importancia religiosa de los cocodrilos
    162-164
suquios 22, *23*
sustancias para el curtido 194-195
Systema naturae 17

tacto, sentido 108
Tailandia
  destrucción del hábitat 151
  reforestación de los manglares 153
tapetum lucidum 56
Taplin, Laurence 55
tara 194
taxonomía 16-19
  cladística 17
  ecléctica 17
  evolutiva 17
  fenética 16
tecodontes 14, *20,* 21, 29
Teleorhinus 31
telesáuridos 30, 33
temperatura 48-51
  determinación del sexo 118, *118,* 120, *120*
  influencia sobre el crecimiento de las
    crías 204
  influencia sobre la alimentación 76
  influencia sobre la nidificación 129
  mantenimiento en el nido 121, 122,
    122, 133

temperatura corporal *3,* 24-25, *25, 37,*
  48-51, *49,* 84, 142, 144, *144*
teñido de pieles de cocodrilo 194-195
termiteros como lugares de nidificación *122*
termorregulación 48-51
terópodos 24
Terrestrisuchus 22, *22*
territorialidad 112, *117*
  ataques a seres humanos 179, 186
  durante el cortejo 114
Territorio del Norte, plan de gestión de
  los cocodrilos 211
Tetis, mar de *31,* 32, 33
Theriosuchus pusillus 32
tiburones 97
Ticinosuchus 22
tigre 99
Tomistoma schlegelii 58, 72, *72,* 214, 230
  alimentación 80
  coraza dorsal 53
  especie amenazada 227
  evolución 37
  golpes con la cabeza en el agua 107
  hábitats 138
  mencionado en el Apéndice I de la
    CITES 220
  véase también cocodrilo malayo
tortuga 97
  equilibrio osmótico 54
  huevos 145
trampa de caja 208, *210*
trampa de cuerdas *208-209*
trematocámpsidos 32, *32,* 33, 34
Triásico 20, 26, 29
tuátara 14, *17*
turismo 213
  Banco de Cocodrilos de Madrás 133, 214
  granjas de cocodrilos 202, 212-213
Turkey Point, central eléctrica de 153
Tyrannosaurus 24

Unión Internacional para la
  Conservación de la Naturaleza y los
  Recursos Naturales (IUCN) 214
United States National Science
  Foundation 214
urbanización 150
uruguaysúquidos 32

varano 94, 95, *95,* 97, 130, 175
Venezuela
  programas de gestión 224, 228
  utilización de sellos de identificación 222
vértebras, evolución 27, *27,* 28-29, 32, 33
vibraciones subaudibles *107,* 114
  véase también oído, sentido
víctimas 76-83
vocalizaciones 56, *104,* 105-107, 106,
  106, 114, *117*
  de las crías 123, *123*
  durante el cortejo 116, 119, 130
  para indicar sumisión 115
  señales de alarma 131
  véase también comunicación; conducta
    social

World Wildlife Fund 214
Wright, Bruce 172

yacaré *40,* 63 *63; 224,* 230
  depredadores de nidos 121
  disminución de la población 224
  especie amenazada 226
  legislación protectora 218
  mencionado en el Apéndice I de la
    CITES 220
  piel 217
  reacción a las vocalizaciones de las
    crías 123
  reproducción 119
Yangtzé, río 152

zarigüeyas 94
Zimbabue 205, 210
  programas de gestión 224
  utilización de sellos de identificación
    222
zumaque 194